Manuali di base
32

Alberto A. Sobrero
Annarita Miglietta

Introduzione
alla linguistica italiana

Editori Laterza GLF

© 2006, Gius. Laterza & Figli

www.laterza.it

Le risoluzioni degli esercizi presenti nel volume
sono consultabili online all'indirizzo
http://www.laterza.it/esercizi-online.

Le figure 9-17 sono state realizzate
da Luca De Luise.

Prima edizione aprile 2006

Edizione
11 12 13 14 15 16

Anno
2017 2018 2019 2020 2021

Proprietà letteraria riservata
Gius. Laterza & Figli Spa, Bari- Roma

Questo libro è stampato
su carta amica delle foreste

Stampato da
A.G.E. Srl - Urbino
per conto della Gius. Laterza & Figli Spa
ISBN 978-88-420-7942-2

Indice

Presentazione[*]

Questo manuale è stato pensato e organizzato in funzione didattica. I destinatari sono gli studenti – soprattutto di Linguistica italiana e di Lingua italiana – dei primi anni dei corsi universitari triennali. Facendo tesoro di molti anni di esperienza nell'insegnamento, abbiamo tarato questo strumento didattico sulle competenze linguistiche e cognitive medie degli studenti d'oggi (universitari di primo o secondo anno), in modo da offrire loro un ausilio solidamente fondato sotto il profilo scientifico ma anche realmente accessibile in base alle loro conoscenze pregresse.

A tal fine abbiamo studiato attentamente la struttura del manuale, la presentazione e la discussione degli argomenti, le scelte linguistiche, in modo da stimolare non la semplice memorizzazione ma un continuo, progressivo – e motivato – incremento delle conoscenze, delle competenze e, perché no, dell'interesse. L'esperienza compiuta negli ultimi anni con dispense e appunti così caratterizzati ci incoraggia a pensare che questa sia una strada didatticamente proficua.

La lingua è piana, i concetti sono spiegati e illustrati con numerosi esempi. Non si richiedono conoscenze previe di linguistica: i termini tecnici via via introdotti sono spiegati nel testo stesso. Rimane il problema dei termini che gli

---

[*] Questo lavoro è frutto di una stretta e continua collaborazione fra i due autori. L'attribuzione delle singole parti è la seguente:
- Alberto A. Sobrero: Parte prima; Parte seconda, capp. 1, 2, 3, 8, 9, 10.
- Annarita Miglietta: Parte seconda, capp. 4, 5, 6, 7, 11.

studenti dovrebbero conoscere dalle scuole medie – ad esempio le figure retoriche o la terminologia della fonetica articolatoria – e che invece per vari motivi per lo più ignorano: per questi casi, e per qualche parola eventualmente non definita nel testo, lo studente può consultare il piccolo Glossario, semplice ed essenziale, che si trova alla fine del libro.

Rispondono a esigenze didattiche anche gli esercizi posti in fondo al volume, organizzati modernamente con test a risposta multipla, in modo da favorire l'autovalutazione *in itinere* (le soluzioni si trovano in Rete, all'indirizzo http://www.laterza.it/esercizi-online) e dunque l'apprendimento.

Quanto ai contenuti – scientificamente aggiornati ma ridotti all'essenziale e riferiti ai concetti fondamentali della disciplina, secondo criteri prettamente manualistici –, il libro si articola in due parti: un breve *profilo storico della lingua italiana* e un *quadro dell'italiano contemporaneo* in chiave sostanzialmente sociolinguistica. Riteniamo la prima parte essenziale e propedeutica: ha lo scopo esplicito di rinforzare la percezione della dimensione storica, particolarmente debole oggi nei giovani universitari eppure indispensabile per la comprensione dei fatti contemporanei. Il discorso prende le mosse dalle radici latine della nostra lingua per poi esporne le principali vicende storiche, procedendo ordinatamente per secoli, da Dante ai giorni nostri.

Nella seconda parte si descrive in modo dettagliato, si illustra con numerosi esempi e si commenta la cosiddetta 'architettura' dell'italiano d'oggi, incentrata sul concetto di varietà della lingua: dopo la presentazione dello 'spazio linguistico italiano' e l'illustrazione dei concetti di base, si discute il concetto di italiano standard (in relazione all'italiano comune e al neo-standard) e si presentano le varietà diatopiche, diastratiche, diamesiche, diafasiche dell'italiano, i dialetti e le coinè dialettali. Il quadro è completato dai tre capitoli finali, dedicati ai tratti che accompagnano la produzione linguistica orale (paralinguistica, prossemica e gestualità), alle tendenze attualmente in corso nell'evoluzione della nostra lingua e alle caratteristiche dell'italiano all'estero.

Avvertenza

Le voci della lingua italiana – e dei dialetti – citate nel testo di norma sono trascritte in corsivo, utilizzando la grafia convenzionale dell'alfabeto italiano. Nei casi in cui si discutono questioni di carattere fonetico sono riportate fra parentesi quadre, in trascrizione fonetica, utilizzando i simboli dell'International Phonetic Association (in sigla: API, o IPA), in una variante molto semplificata. Diamo di seguito i prospetti delle consonanti e delle vocali IPA utilizzate.

	labiali		dentali		palatali		retroflesse		velari	
occlusive	p	b	t	d			ʈ	ɖ	k	g
fricative	f	v	s¹	z	ʃ	ʒ				
affricate			ts	dz	tʃ	dʒ				
nasali	m		n		ɲ				ŋ	
laterali			l		λ					
vibranti			r				ɽ			

semiconsonanti (o approssimanti): w   j

¹ Detta anche sibilante.

	anteriori			centrali		posteriori		
chiuse	i			y				u
semichiuse		e		ø		o		
semiaperte			ɛ	œ	ɔ			
aperte				a				

Alcuni esempi, per le grafie meno note:

ʈ, ɖ e ɽ come nel siciliano *kwaʈ:ɽu*
"quattro" e *beɖ:u* "bello"
ʒ fr. *je, jour*
λ it. *maglia*
ɲ it. *gnocchi*
ŋ it. *manca*
j it. *ieri*

tʃ it. *cena*
dʒ it. *gente*
ʃ it. *sciare*
ts it. *marzo*
dz it. *orzo*
w it. *uomo*

Altri segni usati:

: la vocale o la consonante che precede è lunga (o 'doppia'): bot:e "botte"
' la sillaba che segue è accentata (non si usa per le parole piane): 'kapitano, 'be-vono, per'ke
> "dà luogo a": OCTO > *otto*
< "deriva da": *otto* < OCTO
* forma non attestata ma ricostruita: *cantarao > *canterò*, ovvero: forma non ac-cettabile: **esco con nuove le scarpe*.
Un suono, o una parola, intesi nel loro valore articolatorio sono racchiusi fra pa-rentesi quadre: [a], [kane] ecc.
Un fonema è racchiuso fra barre oblique: /s/, /ts/ ecc.

Introduzione alla linguistica italiana

Introduzione

Che cos'è e che cosa studia la linguistica italiana? Il senso comune ci dice che l'oggetto di studio è la lingua che si usa in Italia. È vero, ma solo in parte. Una definizione più precisa è questa: *la linguistica italiana è una disciplina descrittiva che ha per oggetto lo studio delle lingue in uso nel territorio italiano, nel passato e soprattutto nel presente.*

Perché dobbiamo specificare che è una disciplina *descrittiva*?

Pensiamo al modo in cui un bambino italiano impara la sua lingua nazionale. Dopo il primo apprendimento 'naturale', in famiglia e alla scuola materna, inizia a frequentare la scuola primaria, nella quale impara a organizzare le sue conoscenze linguistiche in 'regole' e a migliorare via via le sue produzioni, filtrandole in modo da abbandonare le forme sbagliate e selezionare quelle giuste. Regole e filtri gli sono forniti dalla grammatica *normativa*, una grammatica che prescrive le forme giuste e censura quelle sbagliate. La grammatica normativa si basa su due assunti fondamentali:

a) in Italia si parla una lingua unitaria;

b) ci sono due modi di parlare e scrivere: giusto e sbagliato.

In definitiva, si basa su un'idea di lingua non come è – come è parlata e scritta nella realtà di tutti i giorni – ma come *dovrebbe essere*.

La linguistica *descrittiva*, invece, non si preoccupa di ciò che è giusto e di ciò che è sbagliato, ma si occupa proprio della lingua che viene utilizzata negli usi quotidiani scritti e parlati di tutti i giorni, di tutte le epoche, perciò non condivide tali assunti, sostenuta in questo anche da osservazioni empiriche che ciascuno di noi può fare, riflettendo sui fatti di lingua. Sappiamo bene che chi parla non ha a disposizione una lingua unitaria e monolitica, ma una lingua varia, duttile, articolata, complessa, che gli offre in ogni momento diverse opzioni: ad esempio, gli consente di dire le stesse cose con parole molto diverse a seconda che parli con gli amici al bar o con il direttore in ufficio. Inoltre dispone spesso, oltre alla lingua, di un dialetto; e può anche usare forme di italiano dialettizzato, o di dialetto italianizzato, o addirittura di una lingua straniera; quando scrive fa scelte linguistiche ben diverse da quelle che fa quando parla, e così via.

Ancora: le categorie 'giusto' e 'sbagliato' applicate alla lingua sono molto fluttuanti. Spesso variano in modo considerevole, tanto che su certe questioni gli stessi grammatici non sono d'accordo: una forma come *il giorno che ci siamo conosciuti* o un'espressione come *non fare casino* per alcuni sono accettabili – e il loro uso non deve essere sanzionato come erroneo –, mentre per altri sono assolutamente da evitare, e per altri ancora sono accettabili in certe situazioni – ad esempio in conversazioni informali – ma non in altre – ad esempio in un discorso serio.

In prima approssimazione, dunque, possiamo dire che dal punto di vista descrittivo:

a) in Italia non si usa una lingua unitaria ma si usano più varietà di lingua e di dialetto;

b) per la nostra lingua non c'è una norma universalmente condivisa, ma un complesso di norme, che consentono al parlante di fare la scelta linguistica di volta in volta più adatta (o meglio adeguata) allo scopo che vuole raggiungere e alle condizioni in cui avviene la comunicazione.

Questo per quanto riguarda l'italiano d'oggi. Ma la linguistica italiana ha anche una dimensione storica, dalla quale non si può prescindere, sia perché la variazione nel tempo è uno dei fattori più importanti di variazione della lingua (basta pensare alla 'distanza' tra l'italiano di Petrarca o di Boccaccio e quello che usiamo noi oggi), sia perché proprio la dimensione storica è indispensabile per capire le caratteristiche dell'italiano d'oggi, delle sue strutture e dei suoi usi. Da una parte, infatti, le strutture dell'italiano odierno sono il risultato dell'evoluzione delle forme linguistiche e dei contatti con altre lingue e dialetti, dall'altra le caratteristiche dell'uso che oggi si fa della lingua sono la conseguenza di fattori storici anche remoti, come la tardiva unificazione linguistica dell'Italia, il mutare dei rapporti fra le classi sociali, la storia dell'alfabetizzazione, il problema del Mezzogiorno ecc.

Poiché il passato serve per spiegare il presente, iniziamo la trattazione con un breve profilo della storia linguistica dell'italiano.

Parte prima
Uno sguardo alla storia

1. Dal latino ai volgari

1.1. Le radici latine

Verso la metà del primo millennio avanti Cristo l'Italia era occupata da popoli di due stirpi: Mediterranei, stanziati sulla nostra penisola da almeno due millenni, e Indoeuropei, emigrati dall'Europa centro-orientale fra il 2000 e il 1500 avanti Cristo. Erano Mediterranei i Liguri, stanziati nell'Italia nord-occidentale, i Retii, in Italia nord-orientale, i Piceni e gli Etruschi, nell'Italia centrale, i Sicani nella Sicilia nord-occidentale, i Sardi in Sardegna. Erano Indoeuropei – accomunati da tratti culturali e linguistici simili, per la loro origine comune – i Veneti, stanziati sul litorale dell'Alto Adriatico, i Galli (che occupavano l'attuale Lombardia e l'Emilia Romagna), gli Umbri (nell'Italia centrale), i Latini, i Volsci, gli Osci (nell'Italia meridionale), i Messapi (nella Puglia settentrionale), i Siculi. Vi era inoltre nella Sardegna meridionale e nella Sicilia occidentale uno stanziamento antico di Punici, di stirpe semitica, che provenivano da Cartagine.

Nel secolo VIII avanti Cristo una tribù dei Latini – che occupavano una parte del Lazio meridionale, dal Tevere al Capo d'Anzio – aveva fondato Roma, e a partire dal secolo successivo aveva iniziato una politica fortunata di scambi e commerci, ma anche di annessioni e conquiste, che ne avrebbe fatto ben presto un popolo potentissimo. Quando venne a contatto con le parlate delle popolazioni vicine, quello che nel secolo VIII era un dialetto parlato in una piccolissima area da una popolazione dedita quasi esclusivamente alla pastorizia si arricchì da una parte del linguaggio del-

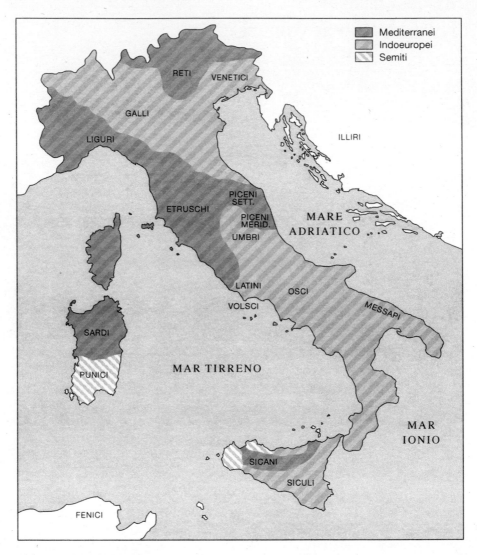

Fig. 1 L'Italia nel VI secolo a.C.

la tecnica, della filosofia, delle lettere filtrato dalle popolazioni di grande cultura (Greci ed Etruschi), dall'altra della terminologia militare, tecnica, commerciale, burocratica, necessaria per governare un territorio di dimensione europea. La lingua parlata dai Latini divenne così una lingua di dominio e di cultura – fra l'altro, con un'importante produzione letteraria –, e accompagnò le sorti vittoriose dell'espansionismo romano, sino a diventare nel giro di pochi secoli la lingua ufficiale di tutto l'impero.

Dal latino, com'è noto, si originarono successivamente le lingue neolatine o romanze: italiano, francese, spagnolo ecc. e i molti, moltissimi dialetti tuttora parlati nei paesi di lingua romanza. Come mai da un'unica lingua ne sono nate tante, così diverse l'una dall'altra?

Noi conosciamo il latino attraverso la sua letteratura; ma per rispondere a questa domanda, che riguarda le origini stesse della lingua italiana, non ci dobbiamo rifare al latino di Plauto, di Cicerone, di Svetonio, o degli altri autori classici. Come tutte le lingue di cultura, anche il latino letterario seguiva dei modelli linguistici e stilistici, rispettava norme che si tramandavano pressoché identiche, col passar dei secoli, non solo a Roma ma in tutte le regioni latinizzate: così il latino letterario di Catone (secoli III-II a.C.) non è molto diverso da quello di Lucio Anneo Seneca (secolo I) o di sant'Ambrogio (secolo IV), e quello di Tito Livio (veneto) è pressoché uguale a quello di sant'Agostino (africano) o di Prudenzio (iberico).

Dobbiamo invece rivolgere la nostra attenzione al cosiddetto 'latino volgare', cioè al latino effettivamente parlato, nei secoli della latinità, nelle regioni soggette alla dominazione romana. 'Latino volgare' è un'etichetta generica che non designa 'un' latino diverso da quello letterario che conosciamo, ma comprende *l'insieme delle varietà d'uso* del latino, che si sono alternate e si sono succedute nei diversi secoli, nelle diverse regioni, nelle diverse circostanze d'uso. Il latino volgare infatti comprende:

a) varietà spaziali: ognuna delle regioni via via conquistate da Roma imparò e parlò un 'suo' latino, cioè un latino che risentiva delle caratteristiche di pronuncia delle parlate usate precedentemente nella stessa area: si ebbero così un 'latino di Gallia' (cioè una varietà di latino con caratteristiche provenienti dalle parlate prelatine della Gallia), un 'latino d'Iberia' e così via;

b) varietà cronologiche: poiché il latino, come tutte le lingue vive, era soggetto a mutamenti nel tempo, colonizzazioni successive portarono nelle province stadi diversi di latino: un latino arcaico in quelle che furono colonizzate per prime, un latino innovativo in quelle raggiunte per ultime, o in quelle più vicine alla capitale e perciò investite da ondate di sempre più fresca latinità;

c) varietà stilistiche: sono i registri (o 'stili') a disposizione di chi parla, e che vengono selezionati a seconda della situazione, dell'interlocutore, della 'nobiltà' dell'argomento. Con l'espressione *sermo cotidianus* Cicerone designava il registro 'basso' a disposizione dei parlanti, cioè il registro della quotidianità, degli affetti famigliari, dell'informalità, e lo contrapponeva al latino aulico, formale, delle arringhe, dei discorsi solenni ecc.;

d) varietà sociali: sono le varietà legate ai diversi ceti e gruppi sociali; ad esempio, il *sermo vulgaris* e il *sermo plebeius* – le espressioni sono ancora di Cicerone –, cioè le parlate delle classi inferiori, e il *sermo rusticus*, ossia il latino parlato nelle campagne (anzi, 'i latini' delle campagne, visto che la variazione sociale si somma alla variazione spaziale: nelle campagne dell'agro romano si parlava certo un latino diverso da quello delle campagne di Padova o di Treviri).

Quest'ultima è la varietà più importante, ma è anche la meno documentata. I fatti di lingua erano annotati e tramandati esclusivamente in funzione storica e letteraria, perciò sono arrivate sino a noi le scritture colte, erudite, raffinate, che erano ritenute degne di essere tramandate ai posteri, mentre ci sono pervenute pochissime testimonianze delle scritture dei semi-colti, delle scritture funzionali – cioè prodotte per le necessità di tutti i giorni –, delle scritture sgrammaticate, dialettizzanti ecc., che erano volutamente scartate perché considerate di stile 'basso'. Proprio queste, viceversa, oggi ci interesserebbero di più, perché ci informerebbero sul latino parlato anche dalle classi inferiori.

Le poche – preziosissime – testimonianze delle varietà 'basse' di latino, che sono state tramandate fino a noi per circostanze occasionali, sono costituite da:

a) *iscrizioni* su tavolette cerate, papiri, suppellettili, sarcofagi, muri (ad esempio i graffiti di Pompei);

b) *lettere private*, relative a piccole faccende di tutti i giorni;

c) *formule magiche* (soprattutto le formule delle *tabellae defixionum*, usate per gettare il malocchio sui rivali);

d) *annotazioni di insegnanti e di grammatici*, fatte per stigmatizzare l'uso di forme non accettabili, proprio perché provenivano dalle varietà più 'basse', cioè dal parlato. Il caso più famoso è quello dell'*Appendix Probi*, risalente probabilmente al III-IV secolo: un'operetta in cui un maestro scrupoloso fa un elenco di 227 forme latine 'sbagliate', e annota a fianco di ciascuna la forma classica raccomandata. I due elenchi sono affiancati, secondo lo schema 'A non B': *viridis* [forma prescritta] non *virdis* [forma respinta perché 'sbagliata'], *columna* non *colonna*, *calida* non *calda*, *speculum* non *speclum*, *oculus* non *oclus*, *vinea* non *vinia* ecc.

È superfluo aggiungere che a noi interessa, oggi, proprio la serie delle forme che il maestro riprovava, perché forniscono la testimonianza preziosissima – altrimenti ricostruibile solo per congettura – del passaggio dal latino (VIRIDIS[1], COLUMNA, CALIDA, SPECULUM, OCULUS, VINEA) a quelli che sarebbero stati i dialetti e le lingue romanze (in italiano: *verde, colonna, calda, specchio, occhio, vigna*).

Abbiamo anche testimonianze indirette di latino volgare in alcune opere letterarie. Ricordiamo:

a) il *Satyricon*, probabilmente di Petronio (secolo I), o forse più tardo (secoli II-III): è intriso di *sermo plebeius* tutto l'episodio della cena di Trimalchione, dove l'autore fa la parodia del modo di parlare di un neo-ricco dell'epoca, incolto e volgare. Qui ritroviamo, fra l'altro, molti dei fenomeni respinti come sbagliati dall'*Appendix Probi*; alcune parole ricorrono addirittura tali e quali, come ad esempio *caldam* (latino *calidam*);

[1] Per semplicità riportiamo gli etimi latini al nominativo, anziché all'accusativo – proprio o analogico – privato della -M finale.

b) molte opere di autori cristiani, che utilizzarono le varietà 'basse' del latino a volte per mancanza di cultura – come nel caso dell'autore anonimo dell'*Itinerarium Egeriae* (del IV secolo circa) –, a volte, al contrario, in piena consapevolezza, con lo scopo di farsi meglio capire dagli 'umili'. Il caso più illustre di uno scrittore colto, anzi coltissimo, che, rivolgendosi a un pubblico ampio, usava volutamente termini e costrutti di latino 'basso', largamente comprensibili, è quello di Sant'Agostino, il quale dichiarava esplicitamente «è meglio che i grammatici ci rimproverino piuttosto che il popolo non ci capisca» (*In Psalm.* 138, 20). Un esempio: Agostino scrive in latino, ma usa la parola *captivus* non più col significato del latino classico "prigioniero" bensì col significato del latino 'basso' – passato poi in italiano – "malvagio".

1.2. Le caratteristiche del latino volgare

Alcune caratteristiche strutturali erano comuni a tutte le varietà del latino volgare e le contrapponevano alla varietà 'alta' del latino: sono proprio le caratteristiche che ritroveremo in tutti i volgari romanzi. Vediamo le più importanti.

FONOLOGIA
Il fenomeno più rilevante riguarda il sistema vocalico. In latino le vocali toniche erano complessivamente dieci, distinte in due serie: lunghe e brevi. È difficile capire l'importanza di questa distinzione – relativa alla lunghezza, o durata, del suono – per noi, che parliamo lingue in cui essa non è più presente: per averne un'idea, si può pensare al sistema consonantico, nel quale questa distinzione in parte è rimasta. In italiano *caro* e *carro* sono due parole diverse, che designano concetti diversi (come accade in spagnolo per *pero* "però" e *perro* "cane"): questa funzione distintiva sul piano del significato è data proprio dalla differente lunghezza (o durata) di *r* nelle due parole. Nel sistema vocalico latino la lunghezza aveva una capacità di distinzione simile, anzi ancor più sistematica e generalizzata, perché coinvolgeva non solo le consonanti ma anche le vocali toniche (cioè accentate). Il quadro completo delle vocali era il seguente[2]:

$$\bar{I} \; \breve{I} \; \bar{E} \; \breve{E} \; \bar{A} \; \breve{A} \; \breve{O} \; \bar{O} \; \breve{U} \; \bar{U}$$

Data una parola, la stessa vocale, nella stessa posizione, a seconda che fosse lunga o breve, poteva dare luogo a significati diversi: HĪC "qui" e HĬC "questo", LĒGO "lego" e LĔGO "leggo", PĀLUS "palo" e PĂLUS "palude", PŌPULUS "pioppo" e PŎPULUS "popolo", FŪGIT "fuggì" e FŬGIT "fugge".

---

[2] Il segno ¯ sovrascritto indica che la vocale è lunga; il segno ˘ indica che è breve.

Ma già durante l'impero il sistema si incrinò, e alla distinzione per durata si sostituì la distinzione per timbro (cioè per grado di apertura): *le vocali lunghe si articolarono come chiuse e le brevi come aperte*. Alla base di tutti i sistemi vocalici romanzi ne troviamo perciò uno di questo tipo³:

I i é è A à ò ó u U

Partendo da tale schema di base, nelle diverse regioni romanze si realizzarono differenti processi di fusione fra due o più vocali contigue. La fusione più generalizzata, diffusa nei secoli IV-V in tutta l'area romanza (tranne che nel sardo e nel romeno), riguarda – oltre alle due vocali centrali aperte – *é* e *i*, che si fusero in *é*, e *ó* ed *u*, che si fusero in *ó*, secondo questo schema:

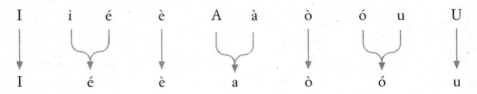

Qualche esempio:

Ī > I > i: MĪLLE > *mille*
Ĭ > i > é: PĬLUS > *pelo*
Ē > é > é: TĒLA > *tela*
Ĕ > è > è: LĔCTUS > *letto*
Ā > A > a: FĀBULA > *fabula*
Ă > à > a: MĂRE > *mare*
Ŏ > ò > ò: ŎCTO > *otto*
Ō > ó > ó: SŌL > *sole*
Ŭ > u > ó: CRŬX > *croce*
Ū > U > u: MŪRUS > *muro*

Il sistema a sette vocali si diffuse, in Italia, quasi dovunque, tranne che in alcune aree particolarmente conservative (Sardegna e area meridionale estrema: Sicilia, Calabria meridionale, Puglia meridionale). In Toscana, in particolare, si ebbero ulteriori evoluzioni: *e* e *o* in sillaba libera (cioè in sillaba che termina per vocale) dittongarono rispettivamente in *ie* e *uo*: *piede*, *ruota*.

Un'altra caratteristica fonologica del latino volgare riguarda le consonanti. Già a partire dall'antichità, ma in modo via via più diffuso e generalizzato a partire dal II-I secolo a.C., le consonanti finali furono pronunciate in modo via via

³ Indichiamo con le maiuscole le vocali chiuse. Su *e* e su *o* l'accento acuto indica chiusura, l'accento grave indica apertura.

più attenuato, e il processo continuò nei secoli seguenti, con un'intensità tanto crescente da dar luogo, infine, a parlate – come quelle dell'Italia centro-meridionale – nelle quali non solo sono definitivamente cadute le consonanti finali, ma è cambiata la struttura delle parole, che ora – salvo prestiti e poche eccezioni – escono sempre in vocale.

MORFOLOGIA E SINTASSI

Sono molti i fenomeni che caratterizzano oggi la lingua italiana e affondano le loro radici non nel latino classico ma nel latino volgare.

a) Nel latino classico l'ordine 'normale' delle parole nella frase semplice era: soggetto-oggetto-verbo (tipo *Paulus-Petrum-amat*); nel latino volgare, invece, l'ordine era già quello che ancora oggi troviamo nelle parlate romanze: soggetto-verbo-oggetto (tipo *Paolo-ama-Pietro*).

b) Nel latino classico i nomi, gli aggettivi e i pronomi non avevano una forma unica: ogni nome o aggettivo aveva più forme flesse, che si raggruppavano in casi. Ad esempio il sostantivo 'rosa' aveva quattro forme, che ricoprivano sei casi:

Caso	Forma	
nominativo	*rosă*	*la rosa* (soggetto)
genitivo	*rosae*	*della rosa* (complemento di specificazione)
dativo	*rosae*	*alla rosa* (complemento di termine)
accusativo	*rosam*	*la rosa* (complemento oggetto)
vocativo	*rosă*	*o rosa!* (complemento di vocazione)
ablativo	*rosā*	*la rosa* (complementi vari)

Nel latino volgare il numero dei casi si ridusse. Quasi certamente verso i secoli III-IV il sistema era ormai limitato a due soli casi: caso soggetto (il vecchio nominativo) e caso obliquo. Nell'italiano, come nelle altre lingue romanze, il processo arrivò alle estreme conseguenze, e il sistema dei casi fu abbandonato. Al suo posto subentrò lo schema: (preposizione) + (articolo) + nome: *domus Pauli* è diventato "la casa di Paolo", *domus magistri* "la casa del maestro".

c) Come si vede dagli ultimi esempi, nel latino classico c'erano le forme flesse ma non c'era l'articolo. L'articolo italiano deriva dalle voci latine UNUS "uno" e ILLE "quello", che nel corso dei secoli persero via via il valore, rispettivamente, di numerale cardinale e di aggettivo dimostrativo per assumere il valore di articolo, con i significati che hanno oggi in italiano; *un*, *uno*, *una*; *il*, *lo*, *la*, *i*, *gli*, *le*. Il processo era già presente nel latino volgare: nel citato *Itinerarium Egeriae* e in vari documenti d'uso pratico *ille*, oltre che come dimostrativo, era già usato, saltuariamente, con la funzione di articolo.

d) La morfologia del verbo perse alcune forme sintetiche e si arricchì di nuove forme analitiche, prima sconosciute: al futuro *cantabo* "canterò" si sostituì *cantare habeo* (che significava "devo cantare": si noti che anche oggi, parlando, molti di noi dicono "domani devo partire" piuttosto che "domani partirò"). Da questa forma, mutata successivamente per sviluppo fonetico e contratta, sono poi derivati i futuri delle diverse lingue romanze: in italiano *cantaràio* > *cantarào* > *cantarò* > *canterò*. Lo stesso vale per il passivo (*amor* > *amatus sum* > *sono amato*) e per i tempi del passato, che si arricchirono del passato prossimo, prima inesistente: *habeo cantatum* > *ho cantato*. Nacque il condizionale, formato con lo schema *cantare habui / hebui* > *canterei*.

e) Nel latino volgare, e poi nelle parlate romanze, è praticamente assente il genere neutro: le parole del neutro sono passate al maschile (nella maggioranza dei casi) o al femminile (così è accaduto per i neutri plurali come *labra* "labbra" e *digita* "dita").

2. La nascita dei volgari in Italia

2.1. Le prime testimonianze

A partire dagli ultimi secoli dell'impero romano, la distanza fra latino classico e latino volgare aumenta progressivamente, col venir meno del potere unificatore di Roma. Mentre il latino dell'uso letterario continua a seguire (o meglio, cerca di seguire) le regole del latino classico, il latino volgare si allontana sempre più dalla sua matrice storica.

Nella crisi generale e irreversibile dell'impero la diffusione della cultura – prima irradiata da Roma – subisce gravi rallentamenti e interruzioni, e il latino, nei territori conquistati, finisce per essere sempre meno conosciuto. Sono molti i semi-colti che scrivono in un latinetto imparato – male – a scuola, dove lo hanno studiato come si studia una lingua straniera, diversissima dalla lingua materna. Nella scrittura affiorano sempre più numerosi i volgarismi, i quali non sono altro che la testimonianza delle diverse realtà linguistiche locali.

Non c'è una data in cui muore il latino e nasce l'italiano, o lo spagnolo o il francese: c'è invece un graduale trapasso del latino nei diversi volgari, che interessa durante il corso del Medioevo tutte le aree di quello che era stato il grande impero di Roma. Dovunque, il latino è ormai lingua 'alta' usata da poche persone istruite (che sono peraltro bilingui: conoscono e usano sia il latino che la parlata locale) mentre le persone incolte, che sono la stragrande maggioranza, usano una variante 'bassa', che si allontana sempre più dalla sua matrice storica per prendere la forma, che nei secoli successivi si definirà sempre meglio, di volgare romanzo. In questa situazione – che tecnicamente si chiama diglossia –

nasce la necessità di scrivere, o far scrivere, testi che possano essere compresi anche da persone poco istruite. Nascono così e si diffondono sistemi scrittorii che hanno ancora una robusta base latina ma presentano sempre più ampie infiltrazioni volgari: si afferma – nell'alto Medioevo – una *scripta latina rustica*, cioè un sistema scrittorio misto a prevalenza latina, che si arricchisce poi gradualmente di elementi volgari sino a dar luogo a varie *scriptae volgari*, ormai di base volgare con residue forme latine.

Troviamo molte forme volgari nei documenti medievali di mercanti – che dovevano fare ordinazioni, fatture, conti, scrivere a corrispondenti lontani –, negli scritti di religiosi destinati alla divulgazione, persino nei documenti notarili, là dove il notaio deve riportare fedelmente testimonianze verbali che sono rese – ovviamente – in volgare.

Tutte le *scriptae volgari* hanno tre caratteristiche in comune. Sono:

• *linguisticamente ibride*, cioè sono il risultato della mescolanza di
– forme latine (per lo più forme tarde di latino volgare),
– forme del volgare romanzo locale,
– forme di altri volgari dotati di particolare prestigio: provenzale, franciano, napoletano (secondo le aree);

• *instabili*. Pensiamo alla grafia: con il venir meno della norma latina sono 'saltate' tutte le convenzioni per rendere graficamente i suoni in modo convenzionale, omogeneo e compatto, e così ogni scrivente – o ogni scuola scrittoria – elabora un suo personale sistema di corrispondenze fra segno e suono. Accade così che il sistema, nel suo complesso, si rivela altamente mutevole, soprattutto per la resa dei suoni complessi, come i suoni che noi oggi trascriviamo *gn*, *gl*, *z*, *c*, *ch*, *ci*, *gi*, *qu*;

• fortemente *caratterizzate come prodotti locali*. Sempre sul piano della fonetica, ogni *scripta* si trova a risolvere il problema di rappresentare i suoni specifici dell'area – come ad esempio quelli che in alfabeto fonetico si rappresentano con i grafemi [ø, y, ə, ʒ, ɖ] – per i quali non è disponibile alcun modello: nascono così soluzioni locali per problemi locali, che differenziano notevolmente le *scriptae* delle diverse aree linguistiche.

Le *scriptae volgari* si diffondono, nelle diverse regioni, in tempi diversi: prima in Umbria e nel Lazio (secoli IX-X), poi via via nelle altre aree. In Toscana troviamo testi mercantili in volgare nei secoli XII-XIII.

In Italia le prime testimonianze del volgare risalgono all'alto Medioevo e provengono da varie parti della penisola (e delle isole).

L'«INDOVINELLO VERONESE»

La più antica testimonianza è l'*Indovinello veronese* (fine del secolo VIII-inizio del IX):

Se pareba boves, alba pratalia araba,
albo versorio teneba, et negro semen seminaba.

("Si spingeva innanzi i buoi, arava bianchi prati, teneva un bianco aratro, e seminava nero seme.")

La soluzione dell'indovinello è: lo scrivano. I *bovés* sono le due dita che stringono la penna in punta, gli *alba pratalia* sono le bianche pagine del foglio di pergamena, l'*albo versorio* è la penna d'oca, bianca, e il *negro semen* è quello dell'inchiostro.

Come si vede, l'intelaiatura è ancora tutta latina: *boves*, *alba*, *et*, *semen* sono parole in tutto e per tutto latine. Ci sono però anche volgarismi lessicali, come *parare* "spingere innanzi" e *versorio* "aratro" (questo termine si usa ancora oggi in dialetto, proprio nell'area veronese) e volgarismi morfologici: *negro* (la *i* tonica latina breve è già diventata *e*), *araba / teneba / seminaba* (è caduta la *-t* finale della terza persona dell'indicativo imperfetto), *albo versorio* per *album versorium* (è caduta la distinzione fra caso diretto e caso obliquo).

L'ISCRIZIONE DELLA CATACOMBA DI COMMODILLA
Appartiene all'area centrale l'iscrizione della catacomba di Commodilla (inizi del secolo IX):

Non dicere ille secrita a bboce.

("Non dire le secrete [= le preghiere segrete della messa) a voce alta."]

Si notino in particolare l'imperativo negativo (che in latino sarebbe stato *noli dicere*), *ille* con funzione di articolo e *a bboce*, dove il rafforzamento fonosintattico *bb* è un tratto tipico dell'area centro-meridionale.

I PLACITI CAMPANI
Sono i documenti più importanti perché attestano, per la prima volta, l'uso consapevole del volgare in documenti ufficiali. Provengono dall'area meridionale: sono stati redatti a Capua, Sessa Aurunca e Teano nel 960 e nel 963. I placiti ("decisioni del giudice") riportano la testimonianza resa da alcune persone davanti al notaio Atenolfo, nel corso di una causa per il possesso di certe terre contese tra il monastero di San Benedetto di Montecassino e un privato. Il notaio redige il verbale in latino ma all'interno del verbale riporta la testimonianza in volgare, così com'era stata pronunciata. Trattandosi di tre testimoni, la ripete tre volte:

Sao ko kelle terre, per kelle fini que ki contene, trenta anni le possette parte Sancti Benedicti.

("So che quelle terre, per quei confini di cui qui [= in questo documento] si parla, trent'anni le possedette la parte [= il Monastero] di San Benedetto.")

Oltre ad alcuni caratteri generali dei volgari romanzi, come la caduta delle consonanti finali, si notino caratteristiche specifiche delle parlate campane:

* *contene* presenta la *e* tonica non dittongata (in toscano si ha "contiene");
* *ko* (da QUOD latino), *kelle* (da ECCU(M) ILLAE, donde il toscano "quelle") e *ki* (da ECCU(M) HIC, donde il toscano "qui") presentano lo stesso fenomeno: la perdita della *u* nella labiovelare *qu*;
* la forma *sao* è quasi sicuramente antica, di area meridionale (fu poi soppiantata da *saccio*);
* il tipo lessicale *fini* per "confini della proprietà" è ancora oggi usato in Campania.

Come si vede, ogni area cerca di riversare nella scrittura le regole che governano la sua lingua parlata. Da questi primi documenti si può intravvedere molto bene l'esistenza, in Italia, di diverse aree linguistiche, ciascuna delle quali ha una sua varietà di volgare. In certe occasioni si comincia a voler utilizzare questo volgare anche nella scrittura, con la piena consapevolezza del fatto che si tratta di una lingua 'altra', nuova, diversa dal latino.

2.2. Il policentrismo linguistico e culturale

Il secondo millennio dopo Cristo comincia dunque con una situazione linguistica di questo tipo: in tutta Italia si parlano i volgari romanzi, ma nello scrivere si cerca ancora di seguire la norma latina. Tuttavia, anche nella scrittura comincia a farsi largo la necessità di utilizzare la lingua usata effettivamente, cioè il volgare.

Nei secoli XI, XII, XIII molti volgari, legati a scuole scrittorie di centri culturalmente importanti ed economicamente fiorenti, acquistano dignità di lingua e vengono impiegati sia per testi funzionali e per documenti ufficiali che per scritti letterari.

Si espande l'uso del volgare nei testi d'uso pratico, dapprima in Toscana e a Venezia, poi in Lombardia, in Emilia e via via nelle altre regioni. Sono soprattutto lettere di mercanti, memorie, testi di carattere amministrativo e tecnico, prodotti da persone alfabetizzate appartenenti a quella che è ormai la classe media, una borghesia di base mercantile che si è affermata come la classe 'forte' della compagine sociale soprattutto nelle aree più dinamiche e avanzate del Centro-nord.

I centri più vivaci, inoltre, elaborano tradizioni scrittorie – anche letterarie, e soprattutto poetiche – in cui il volgare ha uno spazio sempre più ampio. Fra i centri maggiori ricordiamo:

* Milano: lo scrittore più importante è Bonvesin de la Riva, autore di poemetti didascalici sia in latino che in volgare. È in volgare quella che viene rite-

nuta la sua opera maggiore, il *Libro delle tre scritture*, dove si anticipano temi che saranno trattati poi da Dante: nella *Scrittura negra* si descrivono le pene dei peccatori all'Inferno, nella *Scrittura dorata* si descrivono le gioie della beatitudine in Paradiso, la *Scrittura rossa* contiene invece la storia della Passione di Cristo. Bonvesin de la Riva è l'esponente più illustre di un filone di poesia moraleggiante che si sviluppa nell'area lombardo-veneta e che annovera, fra gli altri, il cremonese Gerardo Patecchio, Uguccione da Lodi e Giacomino da Verona.

• Genova: la personalità più spiccata è quella del poeta conosciuto come l'Anonimo Genovese (XIII-XIV secolo), autore di *Poesie* di argomenti diversi: temi morali, vite di santi, vicende politiche.

• Bologna: qui opera Guido Faba, maestro di retorica, che per primo tenta l'applicazione della retorica al volgare proponendo, nei suoi *Parlamenta et epistolae*, dei modelli di discorso pubblico in volgare.

• Palermo: in Sicilia all'inizio del XIII secolo nasce la prima vera scuola poetica in volgare, la raffinata Scuola poetica siciliana, con Giacomo da Lentini, Stefano Protonotaro, Cielo d'Alcamo, Guido delle Colonne, re Enzo. La Scuola poetica siciliana riprende temi e immagini della prestigiosa poesia trobadorica, usando un volgare depurato dai tratti siciliani più vistosi, e arricchito da latinismi e provenzalismi: sono accorgimenti degni di una lingua che non vuole restare confinata in una piccola area ma ambisce a imporsi su un palcoscenico più ampio.

• Firenze: la produzione della Scuola poetica siciliana è ripresa e imitata in Toscana, dove una ricca classe borghese esprime inedite e forti richieste di cultura. I componimenti dei poeti siciliani sono copiati da copisti fiorentini, che danno una patina di fiorentinità al testo; e attraverso questa variante toscanizzata i componimenti della Scuola siciliana vengono imitati dai poeti della Scuola di transizione, i cosiddetti siculo-toscani: Guittone d'Arezzo, Bonagiunta da Lucca, Chiaro Davanzati di Firenze e altri. In Toscana fiorisce poi lo Stilnovo, con Guido Guinizelli (in realtà bolognese), Guido Cavalcanti, Lapo Gianni, Dante Alighieri e in Toscana nascerà – fra Due e Trecento – la poesia realistica, con Cecco Angiolieri e Folgòre da San Gimignano.

La situazione, come si vede, è di un vivace policentrismo: sono attivi molti centri, e ciascuno è orientato alla ricerca della dignità letteraria per il suo volgare.

2.3. La mappa dei volgari nel 'De vulgari eloquentia'

Questa situazione, in fondo, non è altro che il riflesso della frantumazione linguistica della penisola: essa è divisa in aree anche molto differenziate, e ogni area al suo interno si articola ancora in sub-aree, sino alla differenza / opposizione fra comune e comune, villaggio e villaggio, anche a pochi chilometri di distanza.

Fig. 2   L'Italia linguistica di Dante (da Pullè 1927).

Quanti erano i volgari? È difficile dirlo, ma ce ne possiamo fare un'idea abbastanza precisa grazie alla testimonianza di un linguista d'eccezione, Dante Alighieri. Nel trattato *De vulgari eloquentia* (1303-1304) egli identifica sul territorio italiano almeno quattordici volgari: fra i più importanti, procedendo da nord a sud: il friulano, il lombardo, il ligure, il romagnolo, il romano, le varietà meridionali, siciliane e sarde. Come si vede bene dalla rappresentazione su carta delle divisioni dantesche (necessariamente molto approssimativa), il quadro dei volgari tracciato da Dante (cfr. Fig. 2) riflette – sia pure a grandi linee – una partizione molto simile a quella che è oggi la carta dialettale d'Italia (cfr. Fig. 7).

Dante aggiunge, nel suo testo, una considerazione molto importante:

Ciascuno di tutti questi volgari si diversifica in se stesso, come per esempio nella Toscana Senesi e Aretini, nella Lombardia Ferraresi e Piacentini; e anche in una città medesima osserviamo una tal quale differenziazione [...]. Se volessimo calcolare e le varietà principali e le secondarie e le terziarie del volgare d'Italia, anche in questo piccolissimo angolo del mondo ci avverrebbe di giungere non solo a mille varietà, ma più oltre ancora[1].

Dunque le varietà di volgare sono innumerevoli, e ciascuna domina su una piccola zona. L'unità politica d'Italia è ben lontana, e il fiorentino – anche se può già vantare una produzione culturale di tutto rispetto – è ancora, soltanto, uno dei mille volgari, né più illustre né più apprezzato di tanti altri. Proprio Dante concorrerà, con la sua opera, a porlo al centro della scena culturale e linguistica italiana, dal Trecento in poi.

[1] Dante Alighieri, *Tutte le opere*, a cura di L. Blasucci, Sansoni, Firenze 1965, p. 215 (traduzione di A. Marigo).

3. Dante, Petrarca, Boccaccio
e l'affermazione del fiorentino

Abbiamo già detto che la lingua delle classi colte, in Italia, ha una storia diversa e separata da quella delle classi inferiori. Seguiamo il filone della lingua colta, che tipicamente si ritrova nella produzione letteraria.

3.1. Dante (1265-1321)

Nel *De vulgari eloquentia* Dante descrive la partizione dell'Italia linguistica reale, identificando quattordici volgari parlati nella penisola, poi sposta la sua attenzione sul problema della ricerca di un volgare più elegante degli altri, per assumerlo a volgare illustre. Non lo trova. Nessuno dei volgari esistenti ha i requisiti necessari: nessuno è *illustre* – cioè letterariamente raffinato, in quanto lingua di un'arte magistrale – né *cardinale* – tale che intorno ad esso, come la porta sui suoi cardini, girino tutte le altre parlate – né *aulico* – cioè degno di una reggia, se l'Italia ne avesse una – né *curiale* – cioè degno del tribunale supremo, se in Italia ci fosse. Il policentrismo linguistico e culturale rende irrealizzabile il sogno di una cultura e di una lingua unica, per tutta l'Italia. È invece possibile, secondo Dante, che questo risultato si ottenga con l'impegno della sola classe relativamente omogenea, quella degli intellettuali.

Egli stesso agisce come intellettuale, situandosi nel solco delle maggiori tradizioni letterarie (Scuola siciliana, Dolce stil novo). Sfrutta la sua conoscenza enciclopedica, l'esperienza di vita che lo porta a contatto con corti, parlate, ambienti diversi, in giro per l'Italia, e nella *Commedia* utilizza il suo fiorentino con un'inedita mescolanza di stili e di registri, dal più aulico e arcaizzante al più popolare, fino al plebeo, e lo arricchisce da una parte con i più raffinati prodotti della tradizione colta latina e medievale (soprattutto francese, provenzale e siciliana), dall'altra con forme coeve provenienti dall'area toscana non fiorentina, o addirittura dall'Italia settentrionale.

In questo modo il volgare fiorentino, attraverso il lavoro letterario, acquista la pluralità di usi, la potenzialità espressiva, la raffinatezza stilistica di una grande lingua di cultura. Non dimentichiamo che si tratta di un'operazione colta, fatta da un uomo di cultura: il prodotto perciò non è una lingua nazionale (che vorrebbe dire una lingua dell'uso generalizzato, della vita di tutti i giorni, nelle diverse classi sociali): per questa, come si è visto, non sono ancora mature le condizioni storiche. Quella che Dante elabora – riuscendo a realizzare il suo stesso progetto – è una lingua 'per i colti', uno strumento per gli intellettuali. Dopo Dante gli intellettuali, precedentemente uniti dalla prospettiva culturale ma divisi per lingua e tradizione, dispongono dunque di un potente strumento linguistico, capace di unificare le classi colte di tutta la penisola.

La fortuna di Dante fu subito grandissima, e con essa si accrebbe enormemente il prestigio letterario del toscano. La *Commedia* infatti ebbe una grande diffusione – e questa fu la vera novità – anche a livello popolare: veniva recitata a memoria e cantata anche dagli illetterati, da fabbri e garzoni, e così la sua diffusione non fu riservata alle classi più acculturate ma avvenne tanto per tradizione scritta (oggi disponiamo di quasi 600 copie manoscritte, eseguite nel periodo compreso fra la morte del poeta e l'invenzione della stampa) quanto per tradizione orale. Le prime aree di diffusione della *Commedia* furono l'Emilia, dove Dante aveva trascorso gli anni dell'esilio, e il Veneto, ma alla fine del Trecento si può dire che la *Commedia* era conosciuta in tutta Italia, in strati anche 'bassi' della popolazione.

La forza di penetrazione del toscano divenne poi travolgente, quando alla gloria di Dante si aggiunsero quella di Francesco Petrarca e quella di Giovanni Boccaccio.

3.2. Petrarca (1304-74)

Le scelte linguistiche del Petrarca sono diverse da quelle di Dante. Dante utilizza tutto l'arco delle possibilità espressive del volgare, comprese le espressioni plebee (si pensi al realismo espressivo di certi passi dell'Inferno, all'uso di parole come *puttana*, *laida*, *tigna*, *merda*, *cul*, proprie dei registri più 'bassi' della lingua); al contrario, Petrarca persegue l'ideale di una lingua 'alta', raffinata, elitaria, debitrice più alla poesia latina e provenzale che al toscano parlato. Egli è l'intellettuale alla ricerca della lingua 'illustre', sia essa latino o volgare; fra latino e volgare dà la preferenza al primo, e anzi rifiuta il latino 'corrotto' delle cancellerie e dei notai dell'epoca, ma intesse il suo dialogo letterario direttamente con i classici (Cicerone, Livio, Seneca). Per quanto riguarda il volgare, utilizza il fiorentino eliminandone, come s'è detto, ogni elemento che ritiene 'basso'. Il suo lessico poetico si riduce a poche parole impreziosite e rarefatte, ricche di risonanze letterarie, di vaghezza semantica, di sottile lirismo.

Per questa via Petrarca si fa precursore del vasto movimento di riscoperta della classicità – e quindi, per la lingua, di piena valorizzazione delle varietà più illustri del latino – che a cavallo fra il secolo XIV e il secolo XV ricaccerà il volgare nell'ombra. Coerentemente, per quanto riguarda il volgare, Petrarca è l'iniziatore del filone più colto e rarefatto della lingua poetica italiana. Come vedremo, la sua scelta, che intenzionalmente isola l'intellettuale dalla realtà materiale, avrà notevoli conseguenze sulla storia della lingua italiana fino quasi ai nostri giorni.

3.3. Boccaccio (1313-75)

Dante e Petrarca offrono alla lingua italiana due diversi modelli della lingua poetica; Boccaccio – con il *Decameron* – crea il modello per la lingua della prosa: un modello ricco, plastico, duttile, potenzialmente disponibile per una grande varietà di scelte. Il suo è un volgare fiorentino dalle cento tastiere, adatto allo stile grave dell'argomentazione filosofica, a quello disteso e fine dell'avventura cortese, allo stile umile delle avventure più sordide; al ritmo disteso della 'cornice' e a quello concitato della narrazione di avventure incalzanti, all'eloquenza dell'oratoria e alla grammatica frammentaria del parlato-parlato. Troviamo – nelle 'cornici' e nelle novelle della decima giornata – una prosa d'andamento latineggiante, con incastri di subordinate e legami logici complessi, inversioni nell'ordine delle parole ecc.; ma troviamo anche, per la prima volta, una vera e propria simulazione del parlato, caratterizzata da fenomeni come il *che* polivalente, l'anacoluto, la concordanza a senso, i segnali discorsivi ecc. (cfr. Parte seconda, § 5.2.). Il destinatario del *Decameron* è infatti un pubblico vario: non è costituito solo da intellettuali ma anche da mercanti e borghesi (del resto vi si trattano temi cari alla cultura di queste classi sociali). Boccaccio, insomma, si colloca su posizioni opposte rispetto a quelle del Petrarca.

3.4. Perché proprio il fiorentino?

Con la fine del Medioevo si era affermata, specialmente nelle repubbliche marinare, la borghesia commerciale e finanziaria, una classe sociale che comprendeva addetti all'industria, al commercio e alle attività bancarie: commercianti e imprenditori da una parte erano arrivati al governo del comune, dall'altra erano diventati il gruppo di riferimento di ogni iniziativa finanziaria e avevano trascinato le economie dei piccoli e grandi potentati dal dissesto, a cui sembravano condannate all'alba del secondo millennio, a una posizione solida. In altre parole, la nuova borghesia mercantile e finanziaria si era impadronita sia del potere politico che del potere economico.

Questa rivoluzione socioeconomica aveva portato con sé trasformazioni radicali – a volte spontanee, a volte imposte con la forza – negli ordinamenti statali, giuridici, amministrativi, e nella cultura, nell'arte, nella lingua. La cultura delle nuove classi al potere non era più quella letteraria di lingua latina, monopolizzata dai chierici, ma era una cultura laica, borghese, tecnica: le scuole pubbliche, aperte soprattutto nelle città, furono i veicoli di questa nuova cultura. Attraverso le scuole, ideate per dare ai figli degli uomini d'affari gli strumenti culturali per il loro lavoro, si diffuse in Italia, insieme al francese – che era allora la lingua della comunicazione internazionale – anche il toscano. Infatti le classi dominanti non erano più portatrici del latino, ma dei volgari, che utilizzavano anche in forma scritta nei libri di mercatura, negli inventari, nei libri di bordo, nelle lettere commerciali ecc., in modo via via sempre più generalizzato. E le loro scuole riflettevano, ratificavano e perpetuavano la nuova scelta di lingua.

Mentre, dunque, le 'tre corone' (Dante, Petrarca, Boccaccio) crearono le condizioni per l'affermazione del toscano come varietà-guida, o meglio come varietà egemone, per gli usi colti, le vicende economiche e sociali completarono l'opera portando in primo piano il toscano anche per gli usi pratici della vita quotidiana, per l'economia, la burocrazia e il diritto.

Ma perché, fra le molte varietà, si affermò proprio la varietà fiorentina? Perché nel secolo XIV si erano create condizioni eccezionalmente favorevoli per Firenze, grazie alle quali la città godette di una preminenza assoluta, in Italia, in diversi campi.

a) *In campo economico.* Tra la fine del secolo XIII e il XIV Firenze conobbe uno sviluppo economico straordinario: gli istituti di credito gestiti da banchieri come i Peruzzi e i Bardi diventarono potenze economiche di livello europeo, tanto che il fiorino – la moneta d'oro di Firenze – fu per lungo tempo la moneta forte d'Europa.

b) *In campo politico.* Per tutto il Quattrocento Firenze ebbe un ruolo di primo piano fra le grandi città italiane ed europee, dapprima sotto la guida di una forte oligarchia di mercanti e banchieri, poi sotto la signoria dei Medici. Con la pace di Lodi (1454) Firenze divenne l'ago della politica italiana: la pace in tutta la penisola fu conservata soprattutto per merito di Lorenzo de' Medici, detto il Magnifico.

c) In campo culturale. La vita culturale risentì favorevolmente di questa felice congiuntura. Il periodo che va dagli ultimi anni del secolo XIII al Cinquecento fu per Firenze un momento di eccezionale vitalità artistica, nel quale operarono i maggiori architetti, scultori, pittori della storia dell'arte italiana. Tra la fine del Duecento e la prima metà del Trecento troviamo pittori come Giotto e i suoi allievi e scultori come Arnolfo di Cambio; tra la fine del XIV secolo e gli inizi del successivo operano a Firenze, contemporaneamente, Lorenzo Ghiberti, Filippo Brunelleschi, Donatello e Masaccio. Verso la metà del secolo XV lavorano come architetti Leon Battista Alberti, Michelozzo, Benedetto da Maiano, Giuliano da Sangallo; fra i pittori troviamo, ancora tra loro contemporanei, Paolo Uccello, Andrea del Castagno, Filippo Lippi. Alla fine del Quattrocento operano, nello stesso arco di tempo, Sandro Botticelli, Leonardo e Michelangelo.

Un rinnovamento edilizio accorto diede alla città il volto bellissimo e inconfondibile che ancora adesso la rende famosa nel mondo: si pensi a Santa Maria del Fiore, con il Campanile di Giotto, a Santa Maria Novella, a Santa Croce, al Palazzo della Signoria. Senza contare, nel settore delle lettere, il prestigio immenso di cui godettero già nel corso del secolo XIV le 'tre corone': Dante, Petrarca, Boccaccio. Su queste solide basi economiche, politiche e culturali fu il toscano di base fiorentina a diffondersi e ad affermarsi, fra i secoli XIV e XV, praticamente in tutti gli usi scritti, letterari e non letterari (cronache, prediche, libri di conti, lettere commerciali ecc.), ben al di fuori della Toscana, in moltissimi degli Stati e staterelli d'Italia.

3.5. La diffusione negli usi sia pratici che letterari

Le persone colte nella scrittura cominciavano a utilizzare, a fianco del latino, un volgare: il toscano, nella varietà fiorentina. Naturalmente c'erano ampie oscillazioni: alcuni seguivano fedelmente il modello toscano trecentesco, altri cercavano semplicemente di eliminare dal proprio volgare le parole più vicine al dialetto o le forme che sentivano come più colloquiali, e le sostituivano con forme toscane; altri cercavano una lingua intermedia tra il loro volgare e il toscano. Qua e là, poi, spuntavano forme e costrutti latini.

Questi 'impasti' linguistici erano a volte ricercati a volte involontari, e ricorrevano sia in documenti privati che in documenti ufficiali. Ecco un esempio di impasto di elementi toscani, dialettali piemontesi, latini, nel paragrafo finale degli ordinamenti di una Confraternita di Dronero (Cuneo), databili alla metà del Quattrocento:

Duncha azascun desíre e cerche ("ognuno desideri e cerchi") *de salvar* ("di osservare") *questa regula, azò che* ("affinché") *quand noy sarema al passar de questa vita, che noy possen aver la gloria de vita eterna senza tochar le pene de lo inferno e quelle del purgatorio, per la passion del Nostr Segnor Yhesu Crist. Amen.*

Dalle *scriptae volgari* del Medioevo (cfr. § 2.1.) si passò gradualmente a vere e proprie coinè[1] regionali o sovraregionali, nelle quali le caratteristiche linguistiche locali erano sempre più evanescenti, mentre il latino e il toscano vi erano presenti in quantità che variavano a seconda del grado di cultura di chi scriveva, della presenza o assenza di tradizioni forti (ad esempio cancelleresche, o letterarie) e del periodo storico.

Ebbero grande importanza nella diffusione di impasti linguistici a forte base toscana due istituzioni molto diverse tra di loro: le *cancellerie* e le *confraternite* religiose. Nelle cancellerie operavano funzionari molto colti, padroni di un latino raffinato ma anche aperti alla cultura espressa dal volgare, che, alla ricerca di una coinè utile per gli scambi epistolari fra le diverse cancellerie, usavano e diffondevano – per trafila colta – impasti di latino e di volgare ricchi di forme volgari non municipali. Le confraternite religiose – formate da laici – conobbero il periodo della massima espansione nei secoli XIII-XIV, diffondendosi dall'Italia centrale – soprattutto dall'Umbria – in tutte le direzioni; con loro si diffusero – per trafila incolta, o semi-colta – laudari, libri di preghiere, statuti e ordinamenti scritti anch'essi in coinè latino-toscane-locali (si veda l'esempio piemontese citato sopra) che, col passar del tempo, si colorirono sempre più di forme toscane.

L'affermazione del fiorentino non fu tuttavia generale, continua e costante. Sul versante letterario l'espansione fu più lenta soprattutto quando, nel XV secolo, trionfò l'Umanesimo. Gli umanisti, cultori dei classici e soprattutto della latinità, teorizzarono il disprezzo del volgare, che ritenevano utile solo per gli usi pratici ma indegno di essere tramandato ai posteri, e perciò indegno di un uso letterario. L'Umanesimo, in questo modo, spinse a una netta divaricazione negli usi: il latino – addirittura ciceroniano – doveva essere dedicato alla cultura, cioè a usi letterari e paraletterari, mentre il volgare (peraltro infarcito, almeno negli usi scritti al di fuori dalla Toscana, di forme latineggianti e toscaneggianti) doveva essere riservato alle scritture della vita pratica: tutt'al più alle lettere, ai libri di famiglia, alle cronache.

Ma ormai non era più tempo di ritorno all'imitazione passiva della lingua dei classici: erano maturate le condizioni per un processo che si sarebbe rivelato, al contrario di quanto aveva teorizzato l'Umanesimo, irreversibile: la diffusione

---

[1] Per coinè si intende una lingua comune che si diffonde in un territorio più o meno ampio, sovrapponendosi alle parlate locali (cfr. § 7.6.).

del volgare di base fiorentina, e la sua estensione anche a usi molto più ampi e differenziati che quello letterario.

Anzi, quasi per contrappasso l'Umanesimo finì per accelerare questo processo. Nella seconda metà del XV secolo l'"Umanesimo volgare' teorizzò la possibilità di usare il volgare anche per le opere letterarie: Leon Battista Alberti prevedeva per il volgare – una volta che fosse stata 'regolata' la sua grammatica – un uso simile a quello del latino nell'antichità. Proprio gli umanisti, educati al culto di una lingua basata sul rispetto di un'unica norma, stabile e immutabile (com'era ad esempio il latino di Cicerone per la lingua latina) impostarono la questione del volgare come ricerca di una norma stabile per un idioma che, come abbiamo visto, era invece caratterizzato dalla variabilità: lo stesso Alberti confidava tanto nelle possibilità di un volgare 'regolarizzato' che scrisse la prima *Grammatica del toscano* (1440), una delle prime grammatiche delle lingue neolatine, basata non su modelli trecenteschi ma sul fiorentino colto dell'epoca.

Alla corte dei Medici, impregnata di cultura aperta alla modernità ma sostanzialmente classicheggiante, prevalse invece il modello tosco-fiorentino 'classico', e la norma fu identificata nella lingua dei grandi scrittori fiorentini del Trecento, che del resto erano amati e apprezzati negli ambienti colti di tutta la penisola. Si accelerava così un processo di regolarizzazione, che fu poi ulteriormente agevolato dall'invenzione della stampa (potente fattore di stabilizzazione della norma). Grazie all'effetto congiunto di questi fattori storici, il toscano di base fiorentina si dotò ben presto delle caratteristiche fondamentali che fanno di una parlata una vera e propria lingua: la *codificazione*, il *riconosciuto prestigio*, la *funzione unificatrice*, la *funzione separatrice* (cfr. Parte seconda, § 2.1.).

D'altra parte gli intellettuali, mentre promuovevano il toscano di base fiorentina a lingua, confermavano i dialetti locali nella loro dimensione prettamente municipale: così, nelle diverse regioni d'Italia cominciò a svilupparsi la consapevolezza di una netta distinzione fra la *lingua*, usata soprattutto per scrivere documenti e testi letterari, da far conoscere in un territorio esteso, e il *dialetto*, usato per comunicare oralmente in un territorio limitato, nelle diverse circostanze della vita quotidiana. In seguito a questa presa di coscienza, i volgari non toscani gradualmente – e in tempi e modi diversi nelle diverse aree – 'retrocessero' alla funzione di dialetti. È per questo motivo che oggi si colloca la nascita dei 'dialetti' in Italia proprio a partire dall'affermazione del toscano come lingua nazionale, cioè a partire dai secoli XV-XVI.

4. Il Cinquecento

Una spinta decisiva alla diffusione del modello toscano è data dall'invenzione della *stampa*, che permette una larga e rapida circolazione delle opere di Dante, Petrarca, Boccaccio, ormai apertamente proposte come modelli di lingua. Tra il 1470 e il 1472 sono pubblicate le prime edizioni a stampa del *Canzoniere* di Petrarca e del *Decameron* di Boccaccio, oltre a tre diverse edizioni della *Divina Commedia*.

Le caratteristiche del testo a stampa costringono gli editori – e i grammatici – a porre in primo piano un problema che prima era rimasto sullo sfondo: quello della *norma ortografica*. Le grafie locali – che risentivano delle caratteristiche dialettali ed erano perciò oscillanti, alternanti, varie – lasciano rapidamente il posto a un'unica norma grafica (con oscillazioni minime), che viene modellata sulle 'tre corone'.

Ma il problema della norma non riguarda solo la grafia: riguarda anche le scelte linguistiche di fondo. Una volta accettato il dominio del toscano di tipo fiorentino sugli altri volgari, bisogna sciogliere un altro nodo, che abbiamo già visto presente nell'Umanesimo volgare: quale fiorentino? Si deve seguire rigorosamente il modello dei grandi scrittori del Trecento, o bisogna tener conto del fiorentino contemporaneo (come suggeriva, ad esempio, Leon Battista Alberti)? O si deve seguire un modello eclettico?

L'invenzione della stampa

Intorno al 1430, a Magonza (Mainz), Johann Gutenberg – di professione orefice – inventò la stampa a caratteri mobili. Quindi si associò con un ricco concittadino e aprì, intorno al 1450, un'officina tipografica. Da questa officina uscì, nel 1456, il primo libro a stampa: la *Bibbia Mazarina* (così detta perché uno degli esemplari più noti è conservato nella Biblioteca Mazarina di Parigi) o delle quarantadue linee.

Per stampare Gutenberg usava un torchio a vite, ispirato al torchio che usavano i vignaioli per pigiare le uve del Reno. Era formato da un telaio di legno e da due piani orizzontali, uno fisso e uno mobile. Sul piano inferiore, fisso, si appoggiava la forma, cioè la 'pagina' composta di caratteri mobili inchiostrata con un tampone, poi sulla forma si appoggiava il foglio di carta bianco e su questo – mediante un albero a vite – si faceva scendere il piano superiore, detto 'di pressione'.

Con questo tipo di torchio Gutenberg riusciva a produrre al massimo 300 fogli a stampa al giorno (e la giornata lavorativa era di quattordici ore...). L'invenzione di Gutenberg aveva però aperto la strada all'epoca della riproducibilità tecnica dei testi, che avrebbe consentito di ottenere un numero di copie via via sempre più elevato nell'unità di tempo. La possibilità di ottenere rapidamente un numero altissimo di copie di ogni opera abbatté il costo del prodotto 'libro', che da prodotto elitario, anzi di nicchia, divenne così accessibile a larghi strati di popolazione, con conseguenze epocali sulla diffusione della cultura, che ne fu enormemente agevolata.

Per quanto riguarda l'aspetto tecnico dell'invenzione, il torchio inventato da Gutenberg rimase pressoché immutato per quattro secoli: fu superato solo dalla linotype, inventata nel 1886 a Baltimora (Stati Uniti) da un orologiaio tedesco, Ottmar Mergenthaler. La linotype a sua volta fu poi soppiantata dalla fotocomposizione, messa a punto intorno al 1970 e utilizzata ancora oggi, insieme a tecniche ancora più avanzate.

4.1. La questione della lingua

Il Cinquecento è un secolo decisivo per le sorti del toscano: diventerà una lingua nazionale dell'uso, o resterà la lingua dei letterati, dei poeti, degli uomini di corte? E quale toscano – ovvero, quale fiorentino – si affermerà? La prima parte del secolo è caratterizzata da dispute animate su questi argomenti, cioè dalla cosiddetta 'questione della lingua'. Si confrontano principalmente tre posizioni, che sostengono tre diversi modelli.

a) Il modello trecentesco. L'alfiere è Pietro Bembo (1470-1547), veneziano, che illustra questa teoria nelle sue famose *Prose della volgar lingua* pubblicate nel 1525: vi propugna l'imitazione del Petrarca per la poesia e del Boccaccio per la prosa (escluse le parti del *Decameron* in cui prevalgono le varianti stilistiche più 'basse'). Non considera Dante come un modello perché, nel suo scorrere fra registri e varietà, ha attinto anche agli stili più 'bassi', usando parole «brutte, rozze, immonde». D'altra parte il modello del Bembo esclude rigorosamente anche la lingua dell'uso, perché egli vuole assicurare ai dotti uno strumento raffinato, elitario, prestigioso: «la lingua delle scritture, Giuliano [si tratta di Giuliano de' Medici, figlio di Lorenzo], non dee a quella del popolo accostarsi, se non in quanto, accostandovisi, non perde gravità, non perde grandezza». La lingua, per il Bembo, è lingua scritta e letteraria, strumento universale destinato ai posteri, anzi all'eternità, e dunque deve staccarsi dall'uso presente e deve superare la variabilità propria delle lingue dell'uso, attraverso una rigida codificazione. Bembo stesso dà rigide prescrizioni grammaticali, con l'intento di regolamentare e unificare l'italiano che dovranno usare i letterati d'ora in poi: ad esempio è lui a prescrivere che i pronomi *lui* e *lei* non si debbano impiegare come pronomi soggetto (uso che invece era frequente) e che la prima persona plurale del presente indicativo non debba uscire in -*amo* né in -*emo* (com'era nell'uso toscano dell'epoca) ma sempre in -*iamo* (non *amamo*, *valemo*, *leggemo*, ma *amiamo*, *valiamo*, *leggiamo*).

b) La lingua cortigiana. Il Calmeta, autore di un trattato intitolato *Della volgar poesia*, pur accettando la base fiorentina trecentesca (soprattutto Dante e Petrarca), propone di integrarla con gli apporti di altre corti, e soprattutto della corte papale, dove si è realizzato un bell'amalgama (un 'mescolamento') delle parlate di diversi paesi. In modo non dissimile Baldassarre Castiglione, mantovano, nel dialogo *Il Cortegiano* ipotizza una lingua che si basi sul toscano ma tragga la sua bellezza ed eleganza «dalla consuetudine del parlare dell'altre nobili città d'Italia [...] dove concorrono omini savii, ingeniosi ed eloquenti e che trattano cose grandi di governo, de' stati, di lettere, d'armi»; e in questa lingua possono entrare anche parole ormai diffuse di origine francese e spagnola. E Giangiorgio Trissino, vicentino, interpreta il *De vulgari eloquentia* – erroneamente – come portatore della teoria di una lingua mista, alla quale contribuiscano forme provenienti da «tutte le lingue d'Italia»: una 'lingua illustre' per l'Italia, della quale il fiorentino sia solo una parte. In sostanza questa teoria, pur riconoscendo la centralità del toscano, rimette in gioco anche gli altri volgari: ma resta esplicitamente e dichiaratamente al livello delle corti. Anch'essa si muove all'interno di un ideale aristocratico di lingua armonica ed elegante, cioè di una lingua astratta, di un prodotto dell'intelletto piuttosto che di un'attenta considerazione della realtà.

c) Il fiorentino parlato. La tesi a sostegno di questo modello parte dal presupposto della naturale bellezza e superiorità del fiorentino rispetto agli altri volgari. I suoi principali sostenitori sono Claudio Tolomei (autore del *Cesano de la lingua toscana*, in cui sostiene la sostanziale omogeneità linguistica della Toscana) e, soprattutto, Niccolò Machiavelli. Questi, nel *Discorso intorno alla nostra lingua* (1524) sostiene che la lingua della *Commedia* è genuinamente fiorentina e che il fiorentino cinquecentesco è la continuazione di quello del Trecento. L'aspetto più originale di questa teoria è la centralità della distinzione fra parlato e scritto a seguito della quale Machiavelli, pur riconoscendo la grande importanza di scrittori come Dante, Petrarca e Boccaccio, mette in rilievo l'importanza del parlato: anche del parlato 'popolare', al quale lo stesso Machiavelli attinge nelle sue opere.

Fra le varie teorie prevale quella del Bembo, cioè una concezione aristocratica della lingua, che implica una concezione aristocratica della figura e del ruolo dell'intellettuale. L'affermarsi della posizione bembesca segna un momento importantissimo nella nostra storia linguistica: sancisce la divisione /contrapposizione fra la lingua letteraria dei colti, dei dotti, degli intellettuali, una lingua basata sull'imitazione di scrittori classici e perciò tendenzialmente immobile, senza evoluzione, e la lingua dell'uso, del popolo, per sua natura dinamica, poliedrica, in continua evoluzione.

Questa scelta bloccherà l'evoluzione della lingua scritta – almeno di quella letteraria – 'ingessandola' per quasi quattro secoli.

4.2. Dialetto, italiano e latino negli scrittori del Cinquecento

Le conseguenze di una siffatta soluzione della questione della lingua si fanno subito avvertire.

La recente invenzione della stampa dà subito grande notorietà e diffusione alle teorie del Bembo, e insieme alle teorie diffonde anche la norma grammaticale e il canone tipografico (usi del corsivo, degli accenti, degli apostrofi, dei segni d'interpunzione) messi a punto dal Bembo stesso. A partire dal 1525, data di pubblicazione delle *Prose della volgar lingua*, nascono e hanno grande fortuna non solo in Italia ma anche all'estero grammatiche, vocabolari e lessici della lingua, scritti sulla scorta delle indicazione di Pietro Bembo. Il fiorentino letterario del Trecento diventa così la lingua di riferimento, di studio e di imitazione di tutti – o quasi – i letterati.

Le opere degli autori più importanti sono addirittura sottoposte a una revisione linguistica in direzione bembesca. È esemplare il caso di Ludovico Ariosto, di origine emiliana: l'*Orlando furioso* nella prima edizione (1516) è ricco di forme del 'padano illustre', che vengono attenuate nella seconda edizione (1521) e soprattutto nella terza (1532; si notino le date: le *Prose della volgar lingua* erano uscite sette anni prima): *rota e scola* diventano "ruota" e "scuola", *vene* e *tepide* diventano "viene" e "tiepide", *exempio* è sostituito da "esempio" e *iumenta* da "giumenta", *andavo* e *potevo* sono sostituiti da "andava" e "poteva" (secondo la norma del toscano arcaico prescritta dal Bembo); *caval* dal petrarchesco *destrier*.

Grazie a quello che oggi definiremmo il potere mediatico della stampa nel corso del XVI secolo si perviene a una lingua letteraria unitaria: e si dà molto peso al rispetto della sua grammatica (linguistica, retorica, tipografica), tanto che nell'editoria acquista un ruolo importante la figura del *correttore editoriale*, incaricato proprio della revisione dei testi letterari, attraverso la quale si garantisce sempre il rispetto formale e sostanziale del canone bembesco.

Mentre il versante letterario si orienta decisamente verso l'adozione integrale di un volgare 'normato', il versante dei testi tecnici e d'uso pratico – che non è stato toccato da interventi di regolarizzazione – continua invece a presentare oscillazioni, amalgami, intarsi, soluzioni di compromesso tra la lingua nazionale e gli usi locali. La coinè veneta è ben presente, ad esempio, nella prosa di Andrea Palladio, architetto veneto (1508-80), così come forme regionali locali intessono la prosa delle scritture notarili, amministrative, burocratiche (testamenti, inventari, istruzioni, gride) e soprattutto la prosa dei semi-colti: lettere e memorie di artigiani, commercianti, servitori, briganti poco alfabetizzati. Costoro scrivono in quello che oggi definiamo 'italiano popolare' (Parte seconda, § 4.1.2.): un italiano intriso di forme del parlato (e dunque di forme dialettali, di costrutti come l'anacoluto, il tema sospeso, la dislocazione a destra e a sinistra ecc.), giocato su registri diversi, caratterizzato dalla coesistenza di forme dotte e popolari, colte e regionali, molto irregolare nel sistema grafico e nella punteggiatura.

Torniamo al versante letterario. Con la consapevolezza della lontananza e dell'autonomia del dialetto dalla lingua, in contrapposizione alla letteratura in lingua nasce la letteratura dialettale. Dopo la 'riforma' del Bembo chi scrive in lingua italiana fa automaticamente una scelta di campo: rifiuta il dialetto. E i dialetti – compreso il fiorentino dell'uso – diventano integralmente disponibili per scelte diverse, ad esempio da parte di scrittori che – contrariamente agli ideali bembeschi – cercano lo strumento espressivo adatto a una rappresentazione realistica, o comica. In teatro il dialetto – soprattutto con le sue varianti più rustiche – consente di caratterizzare con evidenza immediata certi personaggi di ceto 'basso', o di scarsa o nulla istruzione, rispetto ad altri – di classe sociale elevata – ai quali si mette in bocca l'italiano, consente di creare l'atmosfera naturale di certi ambienti popolari, di toccare corde più intime o più umoristiche, in definitiva consente di coinvolgere lo spettatore anche più e meglio di molti testi in lingua.

In certe aree il dialetto occupa posizioni anche più avanzate. In Piemonte e in Lombardia, ad esempio, è poco avvertita la necessità di adeguarsi alle prescrizioni del Bembo: si sviluppa piuttosto una produzione letteraria e paraletteraria imperniata molto di più sulla parlata del centro-guida – rispettivamente, Torino e Milano – che su una lingua 'nazionale'.

Questa vitalità delle parlate dialettali anche per gli usi letterari spiega la fioritura di grandi scrittori in dialetto che caratterizza questo secolo. Ricordiamo, fra i maggiori, Angelo Beolco detto il Ruzante (dialetto rustico arcaico di Padova), Giangiorgio Alione (dialetto astigiano in bocca ad alcuni personaggi, francese in bocca ad altri, milanese e 'lombardo' ad altri ancora), Giulio Cesare Croce (dialetto bolognese). Nella Toscana stessa fiorisce la letteratura 'rusticale', che utilizza il vernacolo per scopi espressivi e parodistici: avrà le sue espressioni migliori nei primi anni del Seicento, con *La Tancia* e *La fiera* di Michelangelo Buonarroti il giovane.

Ma la realtà linguistica del secolo non è solo costituita da italiano e dialetti. C'è anche il latino, che non è affatto morto: anzi, è scritta in latino la maggior parte delle opere che si pubblicano in questo secolo. In latino si insegna in tutte le università (la prima cattedra di 'toscana favella' viene istituita a Siena solo nel 1589), si celebra la liturgia (il Concilio di Trento – 1545-63 – vieta l'uso del volgare), si scrive di filosofia, di matematica e di medicina. Gli stessi autori che usano l'italiano attingono, per altre opere, al latino, che fra i dotti acquista persino la dignità di lingua internazionale: è la lingua degli scritti scientifici, fino a Galileo Galilei e anche molto oltre. Grazie a questa sua vitalità anche il latino – magari storpiato – è utilizzato in opere teatrali con fini comici, per caratterizzazioni opposte al dialetto: delinea personaggi tronfi e saccenti, noiosi e un po' superbi come dovevano essere gli intellettuali dell'epoca, visti 'dal basso'.

La 'letteratura maccheronica'

Fra il tardo Quattrocento e la prima metà del Cinquecento l'Italia era caratterizzata da una situazione di plurilinguismo: c'era il latino classicheggiante degli umanisti, c'era il latino ecclesiastico, c'era il latino 'imbarbarito' che si usava nelle lezioni universitarie e nelle cancellerie, c'erano il toscano letterario e quello parlato, e c'erano i dialetti, non solo parlati ma ben presenti – con impronte lessicali e sintattiche anche marcate – nelle scritture pubbliche, private e letterarie.

Questa compresenza di lingue e dialetti favorì la diffusione di un genere letterario particolare, che si basava proprio sulla mescolanza intenzionale e caricaturale di latino, volgare letterario e dialetti: la *letteratura maccheronica*, che utilizzava il cosiddetto latino maccheronico. Un linguaggio inventato, costituito da lessico in parte volgare, in parte dialettale, in parte latino, organizzato secondo una sintassi e una morfologia latine.

Nacque in ambiente universitario a Padova. La denominazione stessa di 'maccheronico' rivela la volontarietà del gioco linguistico: 'maccherone' era un grosso gnocco, e *macaròn*, in veneto, era un uomo con il cervello grosso, o meglio grossolano. *La Macharonea*, l'opera di Tifi Odasi che diede il nome a questa letteratura, raccontava appunto le avventure – o meglio le disavventure, le beffe subite, la dabbenaggine – di personaggi grossolani, un po' grotteschi, per lo più di campagna, spesso derisi da borghesi di città. L'autore di gran lunga più raffinato fu Teofilo Folengo (1491-1544), noto con lo pseudonimo di Merlin Cocai, autore delle *Maccheronee*

⇨

Per quanto riguarda la distribuzione nella società dei due codici d'uso – italiano e dialetto – bisogna segnalare una conseguenza importante del bembismo: la scelta elitaria del fiorentino fa sì che esso non diventi, in realtà, la lingua della classe media. Del resto, Firenze e la Toscana hanno perso il ruolo centrale che avevano avuto nella politica e nell'economia italiane, e così chi vuole imparare l'italiano deve farlo studiando sui libri. L'italiano, di conseguenza, rimane la lingua di poche persone colte, le quali peraltro – al di fuori della Toscana – lo utilizzano tuttora solo per gli usi scritti. Il parlato è in pratica interamente dialettale, in tutta Italia. Così, la forbice si allarga: da una parte l'italiano letterario resta 'bloccato' nell'imitazione di scrittori vissuti due secoli prima, quasi fosse una lingua morta, dall'altra i dialetti – come tutte le lingue vive – cambiano, si rinnovano continuamente, misurandosi con nuove parole e nuovi costrutti, di altre lingue e di altri dialetti.

(la prima redazione è del 1517, l'ultima – postuma – del 1552) e del *Caos del Triperuno* (1527), scritto in volgare con lunghi inserti latini e maccheronici.
Nel latino delle *Maccheronee*, ad esempio, è tracciato il ritratto di prete Jacopino, che

andando scholam multos passaverat annos,
quod numquam poterat marzam comprendere letram

e poi, ordinato prete,

massaram numquam voluit conducere vecchiam,
dicens quod foedant bava stillante menestram.

Aveva scelto invece una domestica giovane

de cuius zetto stampaverat octo putellos,
nam de clericulis dicebat habere bisognum,
qui secum 'kirie' cantent, 'oraque pro nobis''[1].

---

[1] «Quando andava a scuola ci aveva passato molti anni / perché non aveva mai potuto capire una lettera marcia [...]. Non aveva mai voluto prendere una serva vecchia / dicendo che le vecchie insozzano la minestra con la bava che perdono dalla bocca [...]. E dal suo stampo aveva stampato otto bambini, perché diceva che aveva bisogno di chierichetti / che cantassero con lui il 'kirie' e l''ora pro nobis'» (Baldus, libro VIII, vv. 537-38, 623-24, 626-28).

5. Il Seicento e il Settecento

Nel Seicento Firenze torna al centro della storia linguistica, con due fatti di segno diverso: da una parte, l'attività dell'Accademia della Crusca (che 'frena' lo sviluppo naturale della lingua), dall'altra la nascita, con Galileo, di una prosa scientifica in volgare (che imprime un'accelerazione all'ammodernamento della lingua scritta). Il rinnovamento alle strutture della lingua italiana, avviato dalla prosa scientifica di Galileo, prosegue e si amplia nel secolo successivo, sotto la spinta di importanti cambiamenti del costume, che prefigurano le grandi trasformazioni sociali del secolo successivo. Il Seicento e il Settecento si configurano così come secoli cruciali per la storia della lingua italiana.

5.1. L'Accademia della Crusca

La linea indicata dal Bembo nel Cinquecento viene ripresa e portata avanti nel secolo successivo da una grande impresa, destinata a sua volta a influenzare notevolmente la storia della nostra lingua letteraria. Verso la fine del secolo XVI Leonardo Salviati fa di quella che era un'allegra compagnia di giovani ('i crusconi', cioè quelli che fanno discorsi a vanvera) un'Accademia, con il compito di creare uno strumento fondamentale per la diffusione delle teorie bembesche, alle quali egli crede fermamente: un vocabolario, in cui raccogliere tutte le parole e i modi di dire trovati nelle 'buone scritture' anteriori al 1400; un vocabolario ottenuto con spogli accurati di testi scritti del Trecento fiorentino e toscano, in cui ogni scrittore potrà trovare l'elenco delle voci 'autorizzate'. Ovviamente, le voci che non vi sono comprese si devono ritenere non accettabili in un'opera letteraria.

All'epoca, è la più grande impresa lessicografica d'Europa, e si crea intorno ad essa un grande clima d'attesa. Quando, nel 1612, esce a Venezia il primo volume del *Vocabolario degli Accademici della Crusca*, l'opera ha già una forte patina di arcaicità, perché ha imboccato la strada del fiorentinismo trecentesco, prevedendo solo un ampliamento del canone degli autori previsto dal Bembo: ci sono Petrarca e Boccaccio ma c'è anche Dante, insieme a tutti gli altri che hanno scritto in fiorentino prima del 1400; dei toscani non fiorentini vi sono accolte poche parole, ritenute particolarmente belle e significative. Solo eccezionalmente si è fatto ricorso ad autori 'moderni', come Lorenzo de' Medici, Poliziano, Machiavelli: su 183 autori solo ventisette sono i 'moderni', per giunta utilizzati unicamente per integrare le lacune del *Vocabolario*. Lo stesso criterio di eccezionalità e di completezza presiede all'accoglimento di – poche – voci del fiorentino dell'uso vivo, non sostenute da testimonianze d'autore.

Il *Vocabolario* conosce diverse edizioni – la seconda è del 1623 – e ha un grande successo internazionale, tanto che diventa il modello di riferimento per gli altri grandi vocabolari delle lingue moderne d'Europa, come ad esempio i dizionari dell'Académie française. Le voci sono via via incrementate, ma la richiesta – continuamente affiorante, dall'interno e dall'esterno dell'Accademia – di inserire voci dell'uso e voci della scienza e della tecnica, di arti e di mestieri è sempre respinta. Per tutto il secolo – e anche oltre – il *Vocabolario* è un potente strumento di rafforzamento della linea letteraria, trecentesca, elitaria, scelta nel secolo precedente per la lingua scritta colta nel nostro paese.

Non si pensi però che tutti gli scrittori rispettino i dettami della Crusca. C'è un'ampia corrente di letterati che proclama la superiorità dei 'moderni' sugli 'antichi', dell'uso linguistico contemporaneo sulla tradizione trecentesca, dell'accettazione di apporti linguistici da altre aree rispetto alla chiusura nei confronti di ciò che non è toscano, anzi fiorentino (perché bisogna usare *moccichino*, che non si capisce fuori da Firenze, e non *fazzoletto*, che è compreso quasi in tutta Italia?). La poesia barocca, del resto, non rispetta il canone della Crusca: accoglie numerose voci dall'uso contemporaneo e da lingue straniere – soprattutto francese e spagnolo –, persino dai dialetti; usa uno stile tutt'altro che petrarchesco; utilizza immagini tutt'altro che rarefatte e idealizzate (la donna con gli occhiali, la zoppa, la lavandaia ecc.).

Anche nella prosa – ricca di artifici retorici come la coeva poesia barocca – l'opposizione al tradizionalismo cruscante è vigorosa ed esplicita: soprattutto nella prosa storica, nella prosa narrativa, nell'oratoria abbondano i vocaboli che prima erano estranei alla lingua letteraria. La lingua della burocrazia si arricchisce di neologismi amministrativi, di arcaismi e soprattutto di termini dialettali. E ancor più è lontana dalle posizioni del Bembo la prosa della lingua dell'uso: in una relazione scritta a Napoli all'inizio del secolo si legge: «tutte le taverne che faranno *cocina* e teneranno tavola de comodità da *mangniare*, pagaranno un tanto per ciascheduna taverna [...] tutti li *potecari* de l'arte lorda, come sono quelli che vendeno lardo, *cascio*, *presotta*, *salcicioni*, ovvero altra *robba* salata che si conviene a lo loro mistiero, pagaranno un tanto per ciascheduna *poteca*»[1].

5.2. Galileo Galilei e la prosa scientifica

Nel Seicento l'italiano si diffonde, fra le persone colte, con nuovi strumenti: nascono le prime *gazzette* e le prime pubblicazioni periodiche, che ospitano per lo più lavori eruditi. La disponibilità di testi scritti per un numero relativamente alto di fruitori pone problemi nuovi, alcuni dei quali sono destinati a segnare la storia di interi settori della nostra lingua.

Lo sviluppo delle scienze fisiche e naturali, sommato con la più ampia circolazione dei testi scientifici – sino ad ora scritti in latino – pone un problema nuovo: come rinnovare il lessico per designare i nuovi strumenti, le nuove scoperte, le nuove nozioni? Continuare ad attingere al latino, caricando di nuovi traslati le parole già note, o attingere al grande e inutilizzato patrimonio del toscano, così come si è venuto configurando nelle 'prose minori', negli scritti delle ultime generazioni, nell'uso – quasi solo scritto – che ne fanno le persone colte quando comunicano fra di loro?

In favore della prima scelta c'è la necessità di utilizzare una lingua di comunicazione nota agli scienziati di tutta Europa, in favore della seconda c'è la maggiore trasparenza delle parole per un numero di gran lunga più elevato di persone. In altre parole, la scelta di fondo avviene non solo fra due lingue ma fra due concezioni diverse della scienza: una scienza di élite e una scienza con maggiori potenzialità di diffusione anche fra i meno colti, una scienza aristocratica e una scienza, per così dire, 'democratica'.

Il maggiore scienziato del secolo è, appunto, Galileo Galilei (1564-1642), e questi sceglie il rinnovamento: preferisce il volgare al latino, e fa ampio ricorso al parlato. Nel *Saggiatore* (1623) fa parlare in latino il suo avversario, e confuta le sue tesi in italiano, dando luogo a un dialogo-contrasto fra le due lingue, a cui corrispondono rispettivamente la visione tradizionale e quella più moderna della scienza. Abbandona termini generici ed equivoci per introdurre un lessico più preciso, appunto scientifico, tramite l'uso di vocaboli non ancora utilizzati nella comunicazione fra dotti, vocaboli presi dal volgare e rigorosamente ridefiniti.

[1] Citato da Migliorini 1962: 415.

Ne nasce una prosa nuova, concreta, precisa, tutta cose e rigore argomentativo, idealmente rivolta a un pubblico laico: essa si oppone alla tradizionale prosa astratta, generica, aulica – in una parola pre-scientifica – usata sino ad ora, che aveva come interlocutore ideale un pubblico di chierici.

Quando gli serve una parola nuova, Galileo ricorre alla tecnificazione di termini già in uso, utilizzando per lo più delle metafore: come *ciambella* "la superficie che resta, tratto un cerchio minore dal suo concentrico maggiore", *macchie solari* (espressione preferita rispetto alle concorrenti *helioscopia e *celispicio), *momento* "incremento istantaneo e costante della velocità", *impeto* "il grado di velocità che la palla si trova ad avere acquistato", *pendolo, bilancetta* ecc. Evita, tutte le volte che è possibile, termini formati con elementi greci o latini: così, a *telescopio* preferisce *cannocchiale* (composto da *cannone + occhiale*). Si organizza in una sintassi che è già caratterizzata da quella che ancor oggi è la sua caratteristica fondamentale, lo stile nominale (Parte seconda, § 6.2.1.).

Galileo segna, con il suo rinnovamento della lingua, il punto più alto di penetrazione del parlato nella cittadella del trecentismo, accanitamente difesa dalla Crusca. Ma in questo secolo vi sono anche altri fronti di assedio alla stessa cittadella:

• *le scritture pratiche*: in tutta Italia i bandi, le relazioni, i vari documenti e atti della burocrazia, gli inventari, le lettere private ecc., dato il loro carattere e la loro destinazione, si infarciscono di termini dialettali o vicini al dialetto;

• *la letteratura dialettale*: un po' in tutta la penisola fiorisce una letteratura dialettale di alto livello: si pensi a *Lo cunto de li cunti* di Giambattista Basile, napoletano, e all'opera del milanese Carlo Maria Maggi, che tocca tutti i registri linguistici dell'uso, dall'italiano aulico al dialetto più stretto.

Acquista così un significato particolare, quasi un valore storicamente simbolico, il fatto che la terza edizione del *Vocabolario* della Crusca, uscita nel 1691, mostri infine un'apertura della Crusca ai 'moderni': segnala con una sigla particolare le voci fiorentine arcaiche – riconoscendo così che non sono più proposte come modelli da imitare – e inserisce nel canone non solo una cinquantina di autori 'moderni' ma addirittura alcuni non toscani, come Torquato Tasso (nato a Sorrento, cresciuto a Napoli, a Roma e alla corte di Ferrara), capofila dell'anti-tradizionalismo, e Jacopo Sannazzaro (napoletano).

5.3. Il Settecento

Nel Settecento avvengono cambiamenti importanti nella storia e nel costume italiano. Due sono fondamentali.

• Si organizzano e si riorganizzano, almeno nell'Italia settentrionale e centrale, le *scuole*, nelle quali si insegna ormai l'italiano: l'area più avanzata in questa direzione è il Lombardo-Veneto, dove la dominazione austriaca impone addirittura – con un secolo e mezzo di anticipo sulle altre regioni d'Italia – l'istruzione elementare obbligatoria, che porta la lingua italiana non solo in tutti i paesi e in tutte le città ma anche in tutte le famiglie. Fra le conseguenze indirette della diffusione dell'italiano attraverso la scuola vi è la pubblicazione di numerose grammatiche e manuali della lingua italiana.

• Si diffondono soprattutto nei centri grandi e medi *giornali* e *gazzette*, che avviano un'opera di grande divulgazione della lingua e della cultura presso i ceti medi acculturati.

Per effetto di questi due fenomeni la lingua si trova a misurarsi con la concretezza delle cose, in modo diffuso e perentorio come non era mai accaduto prima: ne scaturisce un diffuso orientamento verso un italiano 'funzionale', cioè fatto più per comunicare notizie e scambiare informazioni che per scrivere componimenti in prosa o in poesia.

Sul versante scientifico si affermano scienze nuove, come l'economia politica (si pensi a maestri come Antonio Genovesi e Pietro Verri), la nuova storiografia (fra i grandi bisogna ricordare almeno Ludovico Muratori e Pietro Giannone), le scienze naturali (il metodo sperimentale si è imposto definitivamente, e gli esperimenti di Luigi Galvani e di Alessandro Volta aprono orizzonti sconfinati). Tutte queste scienze hanno in comune un'esigenza: disporre di termini chiari, precisi, e di una sintassi che consenta la stringatezza dell'argomentazione scientifica. Anche questa esigenza orienta verso una lingua più precisa e concreta: la prosa diventa più asciutta, il lessico annacqua il suo nucleo di letterarietà arricchendosi di terminologie scientifiche; e attraverso questa via la nostra lingua si avvicina alle grandi lingue d'Europa, perché – come osserverà Giacomo Leopardi – a partire da questo secolo le voci pertinenti alle discipline scientifiche per la maggior parte sono le stesse in tutte le lingue colte d'Europa, eccetto piccole modifiche, per lo più nella desinenza.

Di queste trasformazioni si rendono conto anche i lessicografi: tramontata definitivamente l'epoca della coincidenza fra lingua italiana e lingua letteraria, si introducono finalmente nei vocabolari le terminologie delle arti e dei mestieri, della tecnica e della scienza. La punta più avanzata della modernizzazione in fatto di lessicografia è segnata da D'Alberti di Villanuova, il quale a fine secolo compila un *Dizionario universale critico enciclopedico della lingua italiana* che comprende anche un gran numero di voci dell'uso, colte dalla viva voce degli artigiani e degli operai toscani dell'epoca.

La cultura italiana si immerge in un bagno di razionalismo, che dura per tutto il secolo. Il razionalismo entra in Italia attraverso la cultura e la lingua francese, perciò l'italiano del Settecento si permea di parole, di espressioni, di costrutti francesi.

Questi grandi fenomeni sociali e culturali hanno dunque effetti linguistici convergenti. Insieme spingono la lingua verso direzioni ben diverse da quelle a cui l'avevano indirizzata le teorie del Bembo e le prescrizioni della Crusca: spingono verso l'abbandono della bella ma vuota retorica e dell'imitazione dei classici, in favore della chiarezza e della precisione, nel lessico come nella sintassi. Inoltre favoriscono la diffusione dell'uso dell'italiano come lingua di cultura: una data significativa è il 1754, anno in cui Antonio Genovesi, rompendo una tradizione secolare, tiene in italiano le sue lezioni universitarie alla cattedra di Economia politica, appena istituita a Napoli (la prima in Europa).

Si profila alle coscienze dei parlanti una nuova distinzione: non più la lingua dei letterati da una parte e la lingua degli illetterati dall'altra, ma tre livelli distinti:

1) la lingua dei letterati, con la sua retorica, le sue metafore ardite, le sue vaghezze, i suoi perfezionismi formali;

2) la lingua della comunicazione scientifica, tecnica, filosofica, che ha come caratteristiche essenziali la precisione e la chiarezza;

3) la lingua di tutti i giorni, il parlato.

5.4. «Il Caffè» e il 'caso Goldoni'

Nella seconda metà del Settecento si apre fra gli intellettuali una disputa vivacissima sull''infranciosamento' dell'italiano. Essa vede in primo piano, a sostegno della modernità, Milano, la città che – insieme a Napoli – per tutto il secolo occupa, in Italia, la ribalta della storia, come centro dell'Illuminismo italiano e focolare d'irraggiamento di quel processo di laicizzazione che è la caratteristica storica profonda di questo periodo.

Sono lombardi i collaboratori della rivista «Il Caffè» (1764-66) – in primo luogo Alessandro Verri, Cesare Beccaria e Melchiorre Cesarotti – che rifiutano in blocco la tradizione e non solo difendono l'ingresso delle parole francesi nell'italiano, considerando «ch'ella è cosa ragionevole, che le parole servano alle idee, ma non le idee alle parole», ma sostengono che è assolutamente naturale «prendere il buono quand'anche fosse ai confini dell'universo, e se dall'inda, o dall'americana lingua ci si fornisse qualche vocabolo ch'esprimesse un'idea nostra, meglio che colla lingua italiana, noi lo adopereremo» (Alessandro Verri).

Avversario dei polemisti del «Caffè» è Carlo Gozzi, che a Venezia rappresenta l'ala più radicalmente conservatrice dell'anti-Illuminismo in nome del recupero della tradizione aristocratica. Gozzi rifiuta con sdegno l''infrancesarsi' della lingua, perché ritiene il francese «maggior guastatore, rovesciatore e difformatore dell'eccellente idioma nostro». È un giudizio politico più che linguistico: il suo scopo è quello di contrastare l'avanzata della cultura illuministica e borghese, che appunto in Francia traeva le sue origini. Anche la difesa strenua della lingua toscana ha un valore politico: è la difesa di un modello di cultura aristocratico, elitario, quasi mitico.

La polemica è accesa, e dura a lungo; ma ormai i tempi del cambiamento sono maturi. I modelli culturali, di fatto, non sono più quelli suggeriti dalla Crusca, e in un clima illuministico dominato dall'idea della libertà grammaticale e stilistica in nome della ragione sono largamente accettati il rinnovamento lessicale, le neoformazioni, il rinvigorimento della lingua attraverso l'apporto dei dialetti e delle lingue straniere – soprattutto il francese – e dei lessici speciali propri delle discipline tecniche e scientifiche. La sistemazione teorica di questo diffuso atteggiamento, basato sulla consapevolezza dell'evoluzione linguistica, sulla necessità del rinnovamento lessicale, sulla complessità e dinamicità del repertorio linguistico (nel quale sono compresi tanto i dialetti che i linguaggi tecnico-scientifici e le lingue straniere), si trova nel *Saggio sopra la lingua italiana* di Melchiorre Cesarotti (1785), opera ampia, complessa e matura – dal punto di vista della linguistica moderna – che prende definitivamente le distanze dalle idee della Crusca e legittima pienamente l'ingresso dei forestierismi (soprattutto dei francesismi, legati alla scienza e alla filosofia d'oltralpe) nella lingua italiana.

Sul finire del secolo, con un gesto storicamente significativo, il granduca Pietro Leopoldo emette un decreto con il quale di fatto sopprime l'Accademia della Crusca (1783).

In questo secolo si verifica anche, in letteratura, il 'caso Goldoni', che porta alla ribalta una soluzione linguistica inedita al problema della lingua. Carlo Goldoni (1707-93), veneziano, non sceglie né il dialetto né la lingua. Le ragioni sono chiare: da una parte vive in una città aperta a contatti con tutto il mondo, che gli ispira apertura e tolleranza, dall'altra egli pensa al pubblico delle sue commedie, e perciò fa le sue scelte linguistiche «ad intelligenza anche della plebe più bassa che vi concorre». Sta di fatto che quando nelle sue commedie scrive in lingua usa un italiano privo di ogni letterarietà, lontano da ogni purismo, e anzi intriso di forme del parlato, e quando fa parlare i suoi personaggi in dialetto usa una sorta di linguaggio 'superdialettale', basato sul veneziano, ma ricco di forme provenienti da altri dialetti dell'Italia settentrionale. È la prima proposta concreta di un'integrazione, con fini sia espressivi che comunicativi, fra le varietà e i registri a disposizione, pensata per un pubblico di dimensione non locale né regionale ma nazionale.

Che cosa succede, intanto, all'italiano non letterario? La lingua della prosa, in primo luogo della prosa funzionale (giornali, riviste, saggi), perde le forme più paludate, si arricchisce di molti forestierismi e delle terminologie delle nuove scienze: filosofia politica, economia politica, diritto; si semplifica nella sintassi, in qualche caso si avvicina ad alcune forme del parlato. Insomma, nel Settecento affondano le vere radici dell'italiano moderno.

6. L'Ottocento

Gli eccezionali avvenimenti storici a cavallo tra la fine del Settecento e gli inizi dell'Ottocento hanno, fra altre mille conseguenze, anche riflessi molto importanti sulla lingua italiana: sul suo uso effettivo e sul dibattito teorico che, come vedremo, in questo secolo riprenderà in forme nuove e non resterà limitato ai letterati, ma si estenderà alla storia civile e culturale d'Italia.

6.1. Napoleone e i francesismi nell'italiano

Cambiamenti strutturali avvengono nella vita politica e amministrativa. Napoleone esporta nell'Italia dei cento staterelli il modello francese, fortemente centralista, e lo applica tanto all'organizzazione amministrativa quanto a quella scolastica, giuridica, politica. La Repubblica Cisalpina, nell'Italia settentrionale, ha così uno statuto unitario; tutti i territori soggetti all'influenza napoleonica (dalla Cisalpina al Regno di Napoli) adottano il nuovo Codice civile che, superando la storica confusione e sovrapposizione di norme adottate in periodi diversi, dà finalmente a tutti i cittadini una legislazione unica, chiara, valida per l'intero territorio, tutelando l'eguaglianza dei cittadini di fronte alla legge. Sono unitari – e garantisti – anche il Codice del commercio, il nuovo Codice amministrativo ecc.

La vita culturale – intensamente sollecitata dai fermenti libertari di fine Settecento – ha una brusca accelerazione: riviste e giornali si moltiplicano e incidono sempre più sullo 'spessore' culturale dei ceti medi, sono istituite nuove scuole e università e altre sono potenziate. Queste nuove dinamiche culturali vanno tutte nella direzione del superamento dei municipalismi e delle separatezze, verso una circolazione ampia delle idee e l'unitarietà istituzionale.

In questo quadro di 'francesizzazione', un po' spontanea un po' forzata, il prestigio della lingua francese si accresce smisuratamente. Si rinnovano del tutto interi settori del linguaggio, come il linguaggio politico e quello scientifico, e alcuni addirittura nascono *ex novo*, come il linguaggio-gergo della burocrazia (il termine stesso 'burocrazia' è di origine francese). Entrano così nell'italiano parole come *importazione* ed *esportazione, progresso, pregiudizio, contratto sociale, stato di natura, fanatismo, cittadino, democrazia, massa, patriota, mozione, corporazione* e altre, legate allo 'spirito del tempo' e divenute fondamentali nel nostro lessico otto-novecentesco. Il francese entra anche nella vita di tutti i giorni, dall'abbigliamento alla cucina all'arredamento: è in questo periodo che entrano nell'italiano termini come *toilette, ragù, pasticceria, rondò, mobiliere*. E nelle aree più vicine alla Francia (Piemonte, Lombardia), nelle classi medio-alte, diventa la lingua della conversazione, alternandosi in questa funzione al dialetto.

Ma l'egemonia francese è un conto, la politica linguistica di Napoleone un altro: contraddicendo di fatto l'apertura al nuovo e al moderno che la 'francesizzazione' della società e dei costumi ha portato con sé, ma coerentemente con il centralismo che ispira tutta la sua azione riordinatrice in Italia, Napoleone prende misure per imporre la centralità di una sola varietà linguistica, il toscano, *le plus parfait* dei dialetti d'Italia: stabilisce che in tutti gli atti pubblici e privati il toscano potrà essere usato a fianco del francese, ripristina l'Accademia della Crusca (1808), istituisce un premio per le migliori opere in lingua italiana ecc.

6.2. Il purismo

La centralità del toscano ha anche altri sostenitori, ben più oltranzisti di Napoleone, e anzi fieramente contrari a ogni penetrazione di vocaboli francesi in Italia. Sono i *puristi*, sostenitori di una sorta di patriottismo linguistico che rifiuta prestiti da ogni lingua, e soprattutto dal francese.

Il più noto è padre Antonio Césari, padovano (1760-1828), che Giacomo Leopardi definirà «un Bembo dell'Ottocento». In effetti il Césari sostiene che, per reagire all'imbarbarimento della lingua italiana avvenuto nel Settecento, bisogna prendere a modello gli scrittori del Trecento: la sua posizione, insomma, è simile a quella che ha sostenuto Pietro Bembo per risolvere la questione della lingua nel primo Cinquecento, cioè ben tre secoli prima (cfr. § 4.1.). Anzi, a ben vedere, è ancora più radicale, perché Césari accetta come modelli non solo Petrarca e Boccaccio, ma anche molti altri poeti e prosatori di quel secolo, in quanto secondo il suo parere «tutti in quel benedetto tempo del 1300 parlavano e scrivevano bene». Un altro fervente purista è Basilio Puoti, napoletano (1782-1847), che affianca al modello trecentesco quello del 'dotto Cinquecento'. In tutti prevale comunque l'idea che ci sia stato, nel passato, un periodo aureo in cui la lingua italiana è stata perfetta, e che dopo di allora non ci sia stato altro che progressivo decadimento e corruzione (come si vede, sui puristi opera – più o meno consapevolmente – il modello storiografico romantico).

Il purismo corre ancora sui vecchi binari del dibattito interno al mondo letterario. Ma ormai il problema di una lingua per tutti gli italiani, e per tutti gli usi, è uscito dal chiuso delle conventicole letterarie (a partire, come si è visto, dallo stesso Napoleone), e sta diventando un problema sociale, educativo, culturale di grande rilevanza.

6.3. Manzoni scrittore e teorico della lingua

Il passaggio dalla dimensione letteraria alla dimensione sociale del problema è rappresentato in modo emblematico dalla storia del pensiero manzoniano sul problema della lingua.

Le preoccupazioni iniziali di Alessandro Manzoni sono decisamente letterarie. La ricerca di una lingua accessibile ad ampi strati di popolazione, e nello stesso tempo tanto elaborata da poter trattare argomenti di interesse non ristretto all'orizzonte municipale, approda – nella prima stesura del suo romanzo, il *Fermo e Lucia* del 1823 – a una lingua, per così dire, eclettica, che comprende tanto parole e costrutti toscani (sia letterari che dell'uso, borghese e popolare) quanto voci lombarde (usate soprattutto per caratterizzare alcuni personaggi), francesismi e latinismi. Ma il risultato non lo soddisfa, e nella seconda stesura, che intitola *Promessi sposi* (1827), rende più omogeneo l'impasto linguistico: elimina tanto gli eccessi di letterarietà (latinismi), quanto gli eccessi di dialettalità. Sostituisce i lombardismi che caratterizzavano i personaggi più umili con voci 'basse' del toscano letterario, avvalendosi per le sostituzioni dei testi da una parte degli autori toscani del Cinquecento e del Seicento e del *Vocabolario* della Crusca, nell'edizione del 1806 (un'edizione ispirata ai principi del purismo), dall'altra del *Vocabolario milanese-italiano* di Francesco Cherubini (1814).

Dopo il soggiorno a Firenze Manzoni rimedita ancora sulle sue scelte linguistiche, alla luce di una teoria generale della lingua, e scrive due trattati sull'argomento: *Della lingua italiana*, iniziato nel 1830, e *Sentir messa* (1836), veri e propri trattati di filosofia del linguaggio, nei quali espone due concetti rivoluzionari:

a) la lingua è strumento comune della sociabilità;

b) l'uso è arbitro e signore delle lingue.

Manzoni abbandona definitivamente l'impostazione tradizionale – letteraria – del problema della lingua, e lo imposta invece come problema di tutta la società italiana: bisogna cercare una lingua che possa essere «il mezzo d'intendersi Italiani con Italiani», e secondo lui la soluzione di questo problema non può essere che *la lingua dell'uso vivo* di una sola città, nella sua varietà più ricca e articolata. Questa città, per ragioni storiche, per convenienza, per facilità a essere accettata, è Firenze. La scelta finale di Manzoni è dunque in favore dell'italiano parlato dai fiorentini colti.

L'edizione dei *Promessi sposi* del 1840-42 riflette questa scelta teorica: Manzoni sottopone il romanzo a una revisione totale, che riguarda anche la veste linguistica, e per questa si avvale di alcuni consulenti fiorentini. Lavora in tre direzioni:

• abbandona definitivamente le forme arcaiche, o di uso solo letterario: *cangiando > cambiando, veggio > vedo, pargoli > bambini*;

• abbandona le forme dialettali: *inzigare > aizzare, tosa > ragazza*;

• orienta le scelte linguistiche verso le forme colloquiali del fiorentino colto: *confabulare > chiacchierare, ambedue / ambo / entrambi > tutt'e due, adesso* (sentito come lombardo) *> ora*.

Ma si tratta di scelte, per così dire, giudiziose: quello che domina è l'orientamento alla concretezza, all'efficacia narrativa, all'idea di una lingua viva. Manzoni non cerca la precisione del fiorentinismo a tutti i costi, ma l'effetto di naturalezza e di espressività, tanto che in molti casi per dare più espressività alla sua scrittura rinuncia al fiorentinismo autentico. Non è la scelta di un grammatico ma di un grande scrittore.

La rivoluzione manzoniana consiste nell'aver avvicinato la lingua scritta alla lingua parlata, e nell'aver preso piena consapevolezza del fatto che non bisogna associare l'idea di lingua a «un concetto indeterminato e confuso d'un non so che letterario» ma invece all'«idea universale e perpetua d'un istrumento sociale», che bisogna «sostituire la questione sociale e nazionale a un fascio di questioni letterarie».

6.4. Manzoni e la politica linguistica dell'Italia unita

Manzoni si impegnò anche in prima persona per la realizzazione del suo progetto: un'Italia linguisticamente unita, in cui il fiorentino dell'uso fosse la lingua nazionale, sia scritta che parlata. Con l'autorità morale che gli derivava dalla sua fama di scrittore ma anche, nei primi anni dell'unità d'Italia, con l'autorità politica datagli dall'esser nominato presidente della Commissione Broglio (Emilio Broglio era il ministro della Pubblica istruzione), creata per individuare i mezzi idonei a unificare linguisticamente l'Italia, Manzoni propose una serie di provvedimenti concreti, che avrebbero dovuto raggiungere l'obiettivo di diffondere in tutta Italia «la buona lingua e la buona pronunzia»:

• la redazione di un "vocabolario del linguaggio fiorentino vivente" da diffondere nelle scuole;

• la redazione di vocabolari dialettali per apprendere l'italiano partendo dai vari dialetti;

• l'invio di maestri toscani per tutta la penisola, a insegnare agli altri quella che per loro era la lingua madre;

• l'invio di maestri non toscani a Firenze, per impararvi l'italiano.

Questi provvedimenti non ebbero il successo sperato. Il *Novo vocabolario della lingua italiana*, a cura di Giambattista Giorgini, che realizzava l'indicazione manzoniana, cominciò a uscire nel 1870, ma non godette di molta fortuna; vocabolari dialetto-italiano furono compilati e pubblicati, ma non fu mai dimostrato che chi doveva imparare, o approfondire, la lingua ne abbia tratto giovamento; il programma di fiorentinizzazione affidato ai maestri toscani, infine, non fu mai attuato (né, forse, era concretamente realizzabile), così come non ebbe realizzazione pratica l'invio di maestri non toscani a Firenze.

Le condizioni oggettive della nazione non erano quelle che immaginava Manzoni. La sua proposta si sarebbe potuta realizzare se l'Italia avesse già avuto un tessuto unitario di base; se le poche, grandi città del Nord (alle quali soprattutto pensava Manzoni) e la quasi totalità dei paesi delle immense campagne dove regnava la miseria – al Nord come al Sud, al Centro come nelle isole – avessero avuto lo stesso retroterra culturale, gli stessi problemi; se ci fosse stato un sistema scolastico efficiente, centralmente ben controllato, e un italiano di base fosse stato già patrimonio di una classe sociale, o di uno strato culturale significativo. Invece l'Italia era ancora – e restò per molto tempo – un'accozzaglia di culture e di modi di pensare, di comportarsi, di parlare radicalmente diversi.

La borghesia emergente delle grandi città – quella che aveva voluto e gestito il processo di unificazione politica – possedeva un livello di alfabetizzazione ben superiore a quello dei contadini e dei braccianti che popolavano le campagne, dove lottavano per la mera sopravvivenza. La scuola, sentita peraltro in quasi tutta Italia – e soprattutto nel Mezzogiorno – come un sopruso dello Stato che sottraeva forza lavoro alla vita dei campi, era poco frequentata (la legge Casati del 1859 prescriveva l'obbligatorietà delle scuole elementari, ma le cifre dell'evasione scolastica furono subito imponenti: nel 1871 nell'Italia meridionale e insulare gli analfabeti superavano l'80%, e nel 1901 erano ancora compresi fra il 60% e l'80%) e versava in condizioni disastrose: per restare ai problemi della lingua, le ispezioni ministeriali rivelarono ben presto l'impreparazione grave degli insegnanti, spesso ai limiti dell'analfabetismo, tanto che la maggior parte di loro parlava in dialetto a scuola e incontrava difficoltà nella scrittura.

L'Italia del 1861, non dimentichiamo, registrava al primo censimento ufficiale il 78% di analfabeti, cifra da considerare approssimata per difetto, date le condizioni di semi-alfabetizzazione, o di analfabetismo di ritorno, di gran parte dei già alfabetizzati. Tullio De Mauro ha calcolato che nel 1861 – anno dell'unità d'Italia – al di fuori della Toscana e di Roma avevano appreso l'italiano non più di 160.000 persone. Anche considerando i toscani e i romani, che si potevano dire italofoni 'naturali' per la loro origine geografica, si arriva in tutto e per tutto a 600.000 italofoni, su una popolazione di circa 25.000.000 di abitanti: nemmeno il 2,5% degli italiani conosceva l'italiano!

La soluzione manzoniana, insomma, aveva il grandissimo pregio di avere dato al problema la giusta dimensione scolastica e sociale, ma ancora una volta era una soluzione pensata 'a tavolino' da uno scrittore: di grande spessore sociale, razionale e illuminata ma difficile da far accettare e diffondere fra le masse.

6.5. Graziadio Isaia Ascoli (1829-1907)

L'insufficienza della proposta manzoniana fu lucidamente identificata da un grande linguista della seconda metà dell'Ottocento, il goriziano Graziadio Isaia Ascoli. Ascoli era un dialettologo, e dal contatto con la realtà del parlato quotidiano aveva imparato a diffidare delle imposizioni normative, e a credere invece nella forza dei cambiamenti linguistici guidati dall'evoluzione storica e dalle trasformazioni sociali. La sua osservazione di fondo era: non si trasforma la società partendo dalla lingua, ma al contrario si arriva all'unificazione e alla diffusione generalizzata della lingua attraverso la trasformazione della società.

Nel famoso *Proemio* alla rivista da lui fondata, l'«Archivio Glottologico Italiano» (1873), Ascoli mette in rilievo il fatto che manca nella storia d'Italia una generale «comunità di pensiero», cioè una vasta e continua circolazione della cultura. Egli paragona la situazione linguistica italiana a quella francese e tedesca, e rileva che sono ben diverse: in Francia l'egemonia storica di Parigi ne ha fatto la capitale naturale, sicché tutta la nazione «si commuove, e in pianto e in riso, così come la metropoli vuole; e quindi è necessariamente dell'intiera Francia l'intiera favella di Parigi». In Germania «l'unità intellettuale e civile» conseguente all'unificazione culturale e linguistica operata dalla Riforma luterana – e in particolare, per quanto riguarda la lingua, dalla traduzione della *Bibbia* in tedesco a opera di Lutero – ha supplito a una frammentazione di ceti, di Stati, di religioni anche superiore a quella italiana. La strada da seguire dovrebbe essere, per noi, quella della Germania.

Ascoli riassume lucidamente i problemi che hanno impedito alla storia d'Italia di evolversi in una direzione di tipo tedesco, denunciando il «doppio inciampo della civiltà italiana: la scarsa densità della cultura e l'eccessiva preoccupazione della forma»: il primo inciampo ha bloccato e blocca la circolazione della cultura fra le classi sociali e fra le diverse aree culturali e linguistiche, mentre il secondo ha allontanato sempre più la lingua comune, che si è evoluta in funzione delle necessità comunicative, dalla lingua letteraria, che è stata divorata dal terribile cancro della retorica.

Se così stanno le cose, non si risolve nulla prescrivendo l'adozione del fiorentino: Firenze non ha la forza d'attrazione, l'egemonia storica e il prestigio di una capitale, perciò non può imporre la sua parlata, neppure se è sostenuta dalla scuola. Una lingua unitaria si avrà solo per evoluzione naturale, quando ci sarà una vita nazionale vera e propria, ricca di scambi, aperta al progresso civile, sensibile al progresso scientifico, immune dalla retorica. È in questa direzione che si deve agire. Bisogna diffondere l'italiano, certo, ma senza fare crociate contro i dialetti, che sono le culture di base della nostra nazione. Bisogna, in sintesi, trasformare la questione della lingua nell'impegno sociale per diffondere la cultura e il metodo scientifico nella comunità nazionale, rispettando le culture locali.

Oggi, con il senno di poi, possiamo dire che la diagnosi dell'Ascoli era quella giusta, ma all'epoca non diede risultati apprezzabili se non, paradossalmente, proprio sul piano letterario. L'attenzione particolare per i dialetti, fecondata dal clima letterario 'naturalista' di fine secolo, portò a una loro rivalutazione nella prosa letteraria verista: per fare due esempi, la lingua dei *Malavoglia* di Giovanni Verga fu volutamente e sistematicamente intessuta di forme e strutture del dialetto siciliano, così come quella della *Bocca del lupo* di Remigio Zena fu intrisa di dialetto ligure.

Nella scuola, invece, la volontà di allargare le basi dell'istruzione era tutt'altro che ferma. Anzi, sotto la guida della Chiesa, si impose una volontà fieramente conservatrice, che teorizzava l'inutilità di insegnare l'italiano a «tutti cotesti branchi di zotici contadinelli, di garzonetti di bottega, di monelli da strada», perché «sarebbe per la massima parte e quasi totalità un lavar la testa all'asino»: lo studio dell'italiano andava invece riservato ai «giovinetti di civile condizione» (così scriveva la rivista «Civiltà cattolica»).

Si capisce bene come, in un contesto simile ma per motivi diversi, non abbiano avuto successo nella scuola italiana né la proposta manzoniana (che pure disponeva degli strumenti del potere) né la teoria ascolana (che disponeva delle argomentazioni più solide). È vero che grammatiche e vocabolari come quelli di Policarpo Petrocchi – verso la fine dell'Ottocento – cominciarono ad accogliere forme e strutture dell'uso vivo, e che il successo di libri per l'infanzia di autori toscani, come *Pinocchio* di Carlo Collodi (1883), o non toscani ma manzoniani, come *Cuore* di Edmondo De Amicis (1886), contribuì a diffondere tra i giovanissimi la conoscenza del fiorentino dell'uso vivo; ma è anche vero che testi scolastici come *Il Giannetto* e *Il Giannettino*, che diffondevano un modello molto tradizionale della lingua, di impronta puristica, ebbero un altissimo indice di penetrazione, in tutte le scuole elementari d'Italia, fino agli inizi del XX secolo.

In generale si può dire che nella scuola italiana si affermò non la dottrina di Alessandro Manzoni, ma la versione deteriore dei suoi epigoni e imitatori, il cosiddetto 'manzonismo'. Sono in gran parte da addebitare al trionfo del manzonismo due 'vizi', che affondano le loro radici nelle teorie del Manzoni, ma che Manzoni non avrebbe mai avallato:

a) il fiorentinismo esasperato;

b) la lotta senza quartiere ai dialetti.

Basta pensare che i programmi ministeriali imposti alle scuole di ogni ordine e grado furono tutti fermamente anti-dialettali (i più spinti in questa direzione furono i programmi del 1905; bisogna arrivare addirittura al 1978 per trovare una certa attenzione per i dialetti come patrimonio linguistico e culturale dei bambini, da rispettare) e che, di conseguenza, furono risolutamente anti-dialettali – e fiorentinocentriche – tutte le grammatiche scolastiche adottate nelle scuole fino alla fine del XX secolo.

Questi orientamenti di fondo si radicarono nella scuola italiana e per lungo tempo la caratterizzarono: lo Stato realizzò nell'arco di mezzo secolo un gigantesco programma di alfabetizzazione delle masse, che abbatté la percentuale degli analfabeti dall'umiliante 75% del 1861 al discreto – per l'epoca – 40% del 1911, ma le realtà regionali erano estremamente differenziate (al Sud e nelle isole le percentuali dell'analfabetismo restarono altissime: nel 1931 gli analfabeti erano ancora compresi fra il 40% e il 60%, a causa di una costante e massiccia evasione dall'obbligo scolastico); inoltre l'etichetta di 'alfabetizzato' nascondeva quasi sempre una realtà di semi-analfabetismo, sia perché la scolarizzazione della stragrande maggioranza degli italiani si fermava alle elementari, sia perché veniva effettuata come mero obbligo in un ambiente rigorosamente dialettofono, con strumenti didattici inadeguati e con scarsa o nulla collaborazione delle famiglie degli alunni, sicché cinque anni di scuola non erano certo in grado di assicurare il possesso attivo della lingua.

Ancora: l'insegnamento della lingua italiana venne impartito attraverso scelte pedagogiche che protrassero nel tempo il carattere elitario e nel complesso classista che il nostro sistema educativo aveva ereditato dall'Ottocento. Di fatto, nonostante lo sforzo poderoso dello Stato italiano per combattere l'analfabetismo, non avvenne – o avvenne con grande ritardo – l'accesso alla lingua e alla cultura proprio di quelle masse – dialettofone – che più ne avevano bisogno. E poiché, come osservava Ascoli, senza l'elevazione culturale delle masse non si poteva avviare il processo di unificazione linguistica reale del paese, questo tardò sino all'istituzione di una vera e propria 'scuola di massa'.

7. Verso l'unificazione linguistica reale

Furono vicende storiche estranee alla scuola – e, ovviamente, alla letteratura – accadute a cavallo fra i due secoli a muovere la società civile nella direzione auspicata dall'Ascoli. Una decisa azione unificante della scuola sarebbe avvenuta molto più tardi, a cose fatte, e allora il suo contributo sarebbe stato determinante: stiamo parlando degli anni Sessanta del Novecento, quando fu istituita la scuola media dell'obbligo, cioè proprio quella 'scuola di massa' che mancava al compimento del processo di unificazione linguistica.

Tra la seconda metà dell'Ottocento e la prima del Novecento accaddero eventi di portata storica che, coinvolgendo grandi masse di italiani, li misero in vario modo – come vedremo – in relazione stretta e continua fra di loro: si realizzarono così di fatto quell''operosità', quell''attività civile', quell''unione di intenti e di affetti', cioè, in ultima analisi, quella circolazione e quella solidarietà culturale che Ascoli aveva trovato nella storia del popolo tedesco e aveva additato agli italiani come strada obbligata per giungere infine all'unità linguistica reale.

7.1. L'emigrazione

Un primo fattore di unificazione reale fu costituito dalle migrazioni, interne ed esterne. L'emigrazione italiana verso l'estero e le migrazioni interne, dalle regioni meridionali al Piemonte e alla Lombardia, caratterizzarono il movimento demografico italiano fin dai primi anni dell'unità, e diedero luogo a spostamenti ingenti di intere popolazioni, soprattutto a cavallo fra i due secoli (e ancora, successivamente, negli anni 1950-70). Le cifre sono imponenti: se nel 1870 gli espatri erano 120.000, nel 1890 furono 220.000, nel 1900 arrivarono a 310.000 e alla fine del primo decennio del Novecento sfiorarono gli 800.000. Si trattava quasi sempre di giovani e di persone di mezza età, lavoratori non specializzati, che appartenevano alle classi più misere (anche se non mancarono casi diversi, come ad esempio quelli degli emigrati dell'area biellese, in buona parte dotati di competenze specialistiche). Con questi imponenti flussi migratori si impoverivano le società di partenza, si laceravano tessuti sociali saldissimi, ma – per assurdo – si ponevano anche le basi per un progresso civile che altrimenti avrebbe tardato ancora di più.

Chi emigrava si veniva a trovare in una realtà ben diversa da quella che aveva lasciato: non era più analfabeta e ignorante tra ignoranti e analfabeti, ma era analfabeta, e perciò discriminato, in società dove la cultura era diffusa e fortemente selettiva. Sperimentava sulla propria pelle l'importanza vitale della cultura – come minimo, dell'alfabetizzazione – e trasmetteva questa consapevolezza alla propria famiglia, a chi era con lui e a chi rimaneva in patria. Ne conseguì una spinta 'esterna' alla scolarizzazione, al rapporto con altre culture, alla crescita culturale e civile, che costituì – insieme alle rimesse in denaro – il contributo positivo dell'emigrazione alla storia degli italiani.

7.2. L'urbanesimo

La seconda rivoluzione industriale, a cavallo fra i due secoli, situò le attività industriali (meccaniche, tessili, siderurgiche ecc.) all'interno o nei pressi delle città: lì erano i nuovi posti di lavoro, e lì si trasferirono coloro che nell'industria avevano o cercavano un impiego, soprattutto contadini che abbandonavano terre improduttive, braccianti disoccupati, giovani. Ai primi del Novecento si registrò un considerevole abbandono delle campagne e un incremento della popolazione urbana: si accrebbero soprattutto le città industriali (Torino, Milano, Genova), ma anche quelle con un forte terziario (Roma). Era l'inizio del lento ma decisivo passaggio dalla civiltà agricola alla civiltà industriale, che sarebbe continuato nei decenni successivi e avrebbe subìto infine una brusca accelerazione nel secondo dopoguerra, rendendo il passaggio irreversibile.

La vita in città, ovviamente, offrì stimoli all'arricchimento culturale, indusse alla valorizzazione dell'esperienza scolastica, obbligò all'istruzione in vista della promozione (o anche della semplice accettazione) nella nuova società. Dal punto di vista linguistico, acquistò un peso sempre maggiore la varietà usata in città rispetto alle varietà rurali: l'inurbato salì così il primo scalino di quella scala che lo avrebbe portato dai particolarismi dialettali a forme comprensibili in un'area sempre più grande. Una prima unificazione linguistica avvenne così a livello urbano, provinciale, o addirittura regionale. Ma il parlante era già pronto al passo successivo: il passaggio all'italiano.

7.3. Altri fattori di unificazione linguistica

Anche altre occasioni di vita associata crearono condizioni favorevoli a una reale unificazione linguistica.

a) La diffusione della stampa. Nell'ultimo decennio dell'Ottocento sono nati i primi giornali a tiratura nazionale e ad ampia diffusione, e agli inizi del Novecento sono stati fondati alcuni dei grandi quotidiani nazionali ancora vivi oggi: «La Stampa» e il «Corriere della Sera».

Essi diffondevano una prosa che non era più, non poteva più essere, retorica e paludata, ma essenziale, concreta. Una cultura non scolastica e non togata iniziò così a propagarsi fra i ceti medi (o meglio, medio-alti), contribuendo anche per questa via a quel processo che Ascoli aveva auspicato.

b) La burocrazia e l'esercito. La burocrazia, applicando la riforma napoleonica, distribuì uffici e funzionari su tutto il territorio nazionale, diffondendo attraverso di essi lessici e fraseologie standardizzate, rigorosamente costanti. Nei rapporti col pubblico si era – e si è – obbligati a usare l'italiano. Inoltre il documento burocratico, sempre più spesso in mano a cittadini di ogni classe sociale, diventò anche per chi parlava solo il dialetto un mezzo 'trasversale' di confronto con la lingua. Lo stesso accadde nell'esercito, dove il fenomeno fu ancora più imponente per via della leva obbligatoria su base nazionale: tutti i giovani ventenni furono costretti a convivere per un certo tempo con coetanei e con adulti di altre regioni d'Italia, e l'italiano divenne anche per loro – dialettofoni nativi – una specie di lingua franca. Anche in questo caso, non fu tanto determinante l'uso temporaneo dell'italiano, quanto l'esperienza di vita che mise milioni di cittadini a contatto con altre culture, li sprovincializzò, li predispose a esperienze culturali più mature.

c) La scuola. L'azione unificatrice della scuola non si è esercitata nei tempi brevi che auspicava Manzoni, ma più lentamente, per diverse ragioni storiche. Due tappe sono state fondamentali: l'istituzione della scuola media obbligatoria (1963), che ha aperto la strada a una scuola effettivamente 'per tutti', e il rinnovamento didattico-pedagogico degli anni Settanta, culminato nei nuovi, moderni e democratici Programmi per la scuola media (1979) e per la scuola elementare (1985).

d) Il cinema, la radio e la TV. È più recente, e perciò qui vi accenniamo appena (ne riparleremo nella Parte seconda, § 5.3.), l'azione dei più potenti fra gli strumenti di diffusione dell'italiano: il cinema, la radio e la televisione, che nel primo e nel secondo dopoguerra hanno portato la lingua nazionale in tutte le famiglie con una forza tale che oggi il dialettofono puro non esiste più.

A fronte di queste trasformazioni sociali e culturali, la letteratura è diventata un capitolo secondario della storia linguistica d'Italia. Ed è qui citata, in prospettiva sociolinguistica ed educativa, non tanto per i suoi capolavori quanto – ironia della sorte – per alcuni prodotti letterariamente sottovalutati ma di enorme diffusione: i prodotti della cosiddetta 'letteratura popolare', dai *feuilletons* importati dalla Francia ai romanzi d'avventura di Emilio Salgari o ai romanzi d'appendice di Carolina Invernizio, passando per i romanzi di consumo di Guido da Verona, fino ad arrivare ai fotoromanzi e ai romanzetti 'rosa' dei giorni nostri. Stilisticamente e linguisticamente poveri, grazie a una diffusione sterminata attraverso la stampa 'popolare' (che si giova delle grandi tirature e dei proventi della pubblicità), questi prodotti paraletterari sono stati e sono tuttora insostituibili veicoli di addestramento ed esercizio di lettura. In un'Italia scolasticamente male attrezzata anche la letteratura popolare è stata, ed è, per masse ingenti di semi-alfabetizzati, un forte sostegno all'alfabetizzazione in lingua italiana.

Parte seconda
L'italiano oggi

1. L'architettura dell'italiano

L'italiano odierno è organizzato su tre fasce:

a) un insieme di scelte linguistiche (parole, suoni, costruzioni ecc.) che possiamo definire centrali: formano la 'grammatica fondamentale' del patrimonio storico dell'italiano standard e sono usate da tutti, nei contesti più vari. In questa fascia troviamo tutte le realizzazioni non marcate della lingua, cioè quelle che sono prive di caratterizzazioni particolari, dovute alla regione di provenienza del parlante, al tipo di testo che si sta producendo, alla situazione in cui ci si trova ecc.;

b) più insiemi di scelte linguistiche particolari, marcate, differenziate da diversi punti di vista: geografico, sociologico, stilistico ecc. Ognuno di questi insiemi costituisce una *varietà di lingua*[1];

c) i *dialetti*: non sono usati da tutti su tutto il territorio, e là dove sono ancora usati la loro distribuzione è disuguale, ma costituiscono tuttora una risorsa espressiva e comunicativa molto importante per la comunità italiana.

Le varietà della lingua occupano lo spazio di variazione più ampio: per questo ci soffermeremo su di esse in modo particolare. Esse si dispongono nello spazio linguistico italiano secondo quattro parametri fondamentali:

• l'area geografica ► variazione *diatopica*;

---

[1] Ci sono anche realizzazioni non riconducibili né a questa fascia né a quella descritta sopra: sono le *varianti occasionali*, che sono legate a variazioni individuali – un bell'esempio è costituito da quello che Natalia Ginzburg ha chiamato 'lessico famigliare' – o a mode effimere – ad esempio, i *calembours* di un comico di successo – e non danno luogo a varietà della lingua.

• le caratteristiche sociali del parlante e del gruppo al quale appartiene ▶ variazione *diastratica*;

• la situazione comunicativa in cui si usa la lingua ▶ variazione *diafasica*;

• il mezzo, ovvero il canale attraverso il quale si comunica: lingua scritta, parlata, trasmessa ▶ variazione *diamesica*[2].

I quattro parametri danno luogo a quattro assi, lungo i quali si distribuiscono i fenomeni che fanno capo alle diverse varietà. Ogni asse è un *continuum* che ha ai due estremi due varietà contrapposte.

Si potrebbe pensare che sono assi paralleli, ciascuno indipendente dagli altri, e che ogni varietà trova posto su uno degli assi. Non è così. Per continuare nell'immagine geometrica, dobbiamo pensare lo spazio linguistico nel quale si collocano le varietà della nostra lingua come uno spazio non bidimensionale ma pluridimensionale, attraversato da più assi incidenti: ad esempio tre assi ortogonali e uno trasversale.

In questo spazio vi sono migliaia di punti, che si presentano proprio come le stelle nel cielo: molte sono sparse, moltissime sono raggruppate in nebulose e costellazioni. I punti sono fenomeni linguistici (morfologici, sintattici ecc.), le nebulose sono le varietà della lingua (cioè, appunto, addensamenti di regole e di fenomeni linguistici) e giacciono su uno degli assi. Molti fenomeni però non sono stabilmente collocati all'interno di una nebulosa-varietà; occupano spesso uno spazio intermedio fra i quattro assi, e la loro posizione è determinata dai quattro valori delle distanze da ciascuno degli assi. Di solito il fenomeno in esame viene assegnato all'asse più vicino, ma spesso non mancano i motivi per assegnarlo anche ad altri assi.

Un esempio: *ce l'ho detto* per "gliel'ho detto" è un'espressione che si colloca di solito sull'asse della diastratia, o per meglio dire è marcato diastraticamente come voce dell'italiano popolare, ma è anche caratterizzato in diatopia (è più frequente nell'area nord-occidentale che altrove) e in diafasia (molti lo avvertono come tipico dei registri più informali); *a noi ci piace* è tanto italiano popolare che italiano parlato colloquiale; un'espressione come *gli ho chiamato se veniva* "gli ho chiesto se sarebbe venuto" è marcata in primo luogo diatopicamente (italiano regionale piemontese fortemente dialettizzato) e in secondo luogo diastraticamente (italiano popolare).

Lo stesso si può dire per le varietà: alcune sono schiacciate su uno degli assi, altre intersecano due o più assi. Ad esempio, il parlato delle conversazioni è una varietà diamesica (mentre appare poco marcato sulle altre dimensioni), invece una 'lingua speciale', come ad esempio la lingua della medicina, è marca-

---

[2] A questi quattro parametri bisogna aggiungerne un quinto, importantissimo: quello della variazione *diacronica*. In questa sede non ne teniamo conto perché parliamo di una sola varietà diacronica, quella dell'italiano contemporaneo: dunque il fattore 'tempo' è qui neutralizzato. Per una considerazione diacronica dell'italiano si veda la Parte prima.

'Continuum' e 'gradatum'

Il concetto di *continuum* riferito ai rapporti fra le varietà dell'italiano si può spiegare con un'immagine: le varietà si dispongono su un asse che ha ai suoi estremi due varietà ben distinte, e per certi versi contrapposte; fra le due estremità c'è poi una serie di varietà che sfumano impercettibilmente l'una nell'altra, avendo sempre alcuni – o molti – tratti in comune.

Al concetto di *continuum* si contrappone quello di *gradatum* o *discretum*: secondo questa interpretazione le varietà che si dispongono sullo stesso asse sono tutte ben distinte, e si succedono come i gradini di una scala: passando da una varietà all'altra si scende o si sale, verso uno dei due poli.

Sull'*asse diatopico* troviamo, in ogni regione linguistica, a un estremo l'italiano standard normativo (cfr. § 2.1.) con poche e occasionali forme ricalcate sul dialetto e all'estremo opposto l'italiano regionale fortemente dialettizzante. In mezzo ci sono varietà più o meno vicine all'uno o all'altro polo: fra queste si identifica facilmente un italiano regionale 'alto', vicino allo standard, e uno 'basso', vicino al dialetto.

Italiano standard normativo	Italiano regionale 'alto'	Italiano regionale 'basso'	Italiano regionale fortemente dialettizzante

←——————————————————————————————→

Sull'*asse diastratico* i due poli opposti sono occupati dall'italiano colto ricercato e dall'italiano popolare.

Sull'*asse diafasico* troviamo ai due poli, rispettivamente, l'italiano formale aulico e l'italiano informale trascurato.

Sull'*asse diamesico* i due poli sono occupati, rispettivamente, dagli usi scritti più formali e dal parlato conversazionale non sorvegliato.

Schematicamente:

asse diatopico: italiano standard normativo ←→ italiano regionale fortemente dialettizzante
asse diastratico: italiano colto ricercato ←——→ italiano popolare
asse diafasico: italiano formale aulico ←——→ italiano informale trascurato
asse diamesico: italiano scritto formale ←——→ italiano parlato non sorvegliato

ta non solo in diafasia ma anche in diamesia e in diastratia: infatti viene realizzata prevalentemente come lingua scritta, o come parlato-scritto (cioè come parlato che ha le stesse caratteristiche dello scritto), e viene usata quasi esclusivamente da persone di cultura elevata. Di conseguenza la lingua della medicina viene classificata come varietà diafasica marcata in diamesia e diastratia.

Proviamo a dare una rappresentazione grafica della distribuzione delle va-

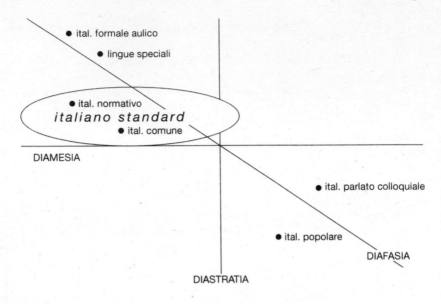

Fig. 3   L'architettura dell'italiano (da Berruto 1993b, con adattamenti).

rietà più note nello spazio linguistico italiano. Poiché lo spazio euclideo è a tre dimensioni, nel nostro schema (cfr. Fig. 3) utilizziamo solo tre dei quattro assi elencati: la dimensione diatopica – qui non considerata – attraversa molte delle varietà.

Come si vede, due quadranti sono vuoti. Il quadrante inferiore sinistro dovrebbe essere occupato dalle varietà diastraticamente 'basse' (cioè usate da parlanti incolti), diafasicamente 'basse' (cioè realizzate in situazioni di grande informalità) e diamesicamente 'alte' (cioè realizzate attraverso scritture molto formalizzate): in realtà i parlanti incolti, utilizzando la lingua in situazioni informali, non usano la scrittura ma il parlato (le rappresentazioni scritte sono eccezionali, e limitate a opere letterarie o paraletterarie). Analogamente, è vuoto il quadrante superiore destro perché le varietà diastraticamente e diafasicamente 'alte' sono realizzate attraverso la scrittura, o attraverso testi di parlato così organizzato e ben pianificato che vengono considerati più vicini allo scritto che al parlato.

2. L'italiano standard

Al centro del diagramma della Fig. 3 – ma un po' spostato verso i poli della scrittura, della formalità e della parte 'alta' della scala sociale – c'è un'ellisse che contiene il cosiddetto 'italiano standard'.

Che cos'è uno standard? Il vocabolario registra due accezioni di questo termine: *a*) «varietà di una lingua assunta come modello dai parlanti e in genere proposta come modello nell'insegnamento»; *b*) caratteristica propria «di una lingua o di un comportamento del linguaggio, largamente accettato come forma usuale» (De Mauro 2000 *s.v.*).

Le due accezioni si riferiscono a realtà che solo in parte coincidono. Il significato *a*) si riferisce a un insieme di regole, norme e precetti elaborati dai grammatici, proposti-imposti dalla scuola con l'etichetta di 'forme corrette' e trasmessi di generazione in generazione dalle grammatiche prescrittive – o normative – scolastiche. Sono norme e precetti scelti con il criterio della rispondenza a un modello ideale, per lo più di tipo conservativo. Nel nostro diagramma abbiamo chiamato questa varietà *italiano normativo* (cfr. § 2.1.).

Il significato *b*) si riferisce invece alla lingua comune correntemente usata dai parlanti di una comunità linguistica, e comprende anche forme non accettate dalle grammatiche prescrittive ma accettate e ricorrenti nell'uso effettivo della lingua. Nel nostro diagramma abbiamo chiamato questa varietà *italiano comune* (cfr. § 2.2.).

2.1. L'italiano normativo

Una lingua, o una varietà di lingua, è standard – nell'accezione *a*) – quando soddisfa queste condizioni:
• è *codificata*, cioè è fatta propria da istituzioni di livello nazionale – ad esempio la scuola – che la tramandano, assicurando che la norma sia costantemente rispettata, ovvero che le trasformazioni siano tenute sotto controllo;
• è dotata di *prestigio*: costituisce un modello da imitare, in quanto è considerato come l'unico corretto;
• ha una *funzione unificatrice* fra i parlanti di varietà diverse: ad esempio fra i parlanti di diverse varietà regionali di italiano, che grazie allo standard si sentono membri di una comunità più grande della loro regione;
• ha una *funzione separatrice*: contrapponendosi ad altri standard nazionali adempie una funzione di simbolo dell'identità nazionale;
• ha una tradizione consolidata di *lingua scritta*;
• è utilizzabile, in particolare, per la produzione di *testi astratti* (testi scientifici, testi letterari ecc.);
• *non è marcata*, cioè non è legata a una specifica varietà di lingua.
L'italiano di base toscana – in particolare fiorentina –, codificato come lingua-modello nel Cinquecento e diventato in seguito lingua nazionale (prima scritta poi parlata), ha quasi tutte queste caratteristiche. Ha il prestigio della lingua tramandata e regolata dall'insegnamento scolastico, è l'unica lingua che usano tutti gli italiani, e che li fa identificare come diversi dai francesi, dai tedeschi ecc., ha una millenaria tradizione di lingua scritta – con una ricchissima letteratura, nobilitata da capolavori conosciuti in tutto il mondo – e viene utilizzata ormai da molti secoli per la produzione di testi scientifici della massima complessità.
Manca tuttavia, all'italiano che usiamo correntemente, l'ultimo dei requisiti che abbiamo elencato sopra: la non-marcatezza. Quasi tutte le nostre produzioni linguistiche – specialmente orali – sono marcate, quale più quale meno, sull'uno o sull'altro asse di variazione.
Soffermiamoci sulla pronuncia. La pronuncia standard, descritta nelle grammatiche normative, è la cosiddetta 'pronuncia fiorentina emendata' (Galli de' Paratcsi 1984), cioè una pronuncia che rispetta le regole fondamentali del fiorentino ma è privata dei tratti specificamente ed esclusivamente toscani, come la gorgia (*la hasa, il pra*θ*o, la hoha hola*: cfr. § 7.2.4.) o le pronunce spiranti delle affricate palatali [tʃ] (*cece* pronunciato quasi come *scesce*) e [dʒ]. Ma anche in questa formulazione 'ridotta' la pronuncia toscana non è rispettata al di fuori della Toscana: nelle altre regioni infatti non sono usati suoni che – in quanto toscani – in teoria dovrebbero essere costitutivi della lingua italiana (cfr. Box *Il fiorentino che non è diventato italiano*). Insomma: la pronuncia fiorentina emen-

Il fiorentino che non è diventato italiano

Fra le caratteristiche del fiorentino che dovrebbero 'transitare' nell'italiano standard e che, invece, nella pronuncia corrente restano limitate all'area toscana (o al più mediana), ricordiamo:

• il vocalismo tonico a sette vocali, con distinzione fra *e* e *o* aperte e chiuse, che dà luogo alle coppie *bòtte* "percosse" – *bótte* "recipiente", *pèsca* "frutto" – *pésca* "il pescare". È sempre realizzata come [ε], cioè come aperta, la *e* del dittongo *je*, dei gerundi in *-endo* e dei participi in *-ente*, delle desinenze *-ella*, *-ello*, *-enza* (*vjene, volendo, ridente, cartella, monello, partenza*); è sempre realizzata come [e], cioè come chiusa, la *e* dell'infinito in *-ere*, della desinenza *-mente*, dei suffissi *-ezza*, *-etta*, *-eggio* (*volere, dolcemente, dolcezza, manetta, maneggio*);

• la distinzione tra la fricativa dentale sorda e quella sonora, in posizione intervocalica: si ha [s] nelle desinenze del passato remoto e del participio passato in *-esi*, *-eso*, *-oso*, *-osi* (*difesi, difeso, corroso, corrosi*) e in una serie di parole: *casa, cosa, riso, naso* ecc.; si ha [z] nelle desinenze del passato remoto e del participio passato in *-usi*, *-isi*, *-uso*, *-iso* (*chiusi, divisi, chiuso, diviso*), nelle parole che iniziano per *es-* (*esempio, esatto*) e in una serie di parole: *caso, mese, rosa, viso, uso, paese, crisi* ecc.;

• il raddoppiamento fonosintattico, cioè la pronuncia rafforzata della consonante iniziale della parola, quando questa sia preceduta da una parola tronca, da un monosillabo accentato, da certi monosillabi non accentati (*e, a, che, ma, va*) o da certe parole piane (*sopra, dove, qualche*): *salì ssopra, è vvero, che ffai, dove ssei*. Ricorre nel Mezzogiorno, ma non nell'Italia settentrionale.

data è una pronuncia studiata a tavolino, una norma astratta ottenuta attraverso somme e sottrazioni di modi effettivi di pronunciare un suono, che ha poco riscontro con la realtà dell'uso.

Infatti pochissime persone parlano come vorrebbero le regole dell'italiano normativo: gli attori e coloro che hanno frequentato scuole di recitazione, alcuni maestri e professori particolarmente sensibili al problema della norma linguistica, e pochi altri (non possiamo neppure includervi i fiorentini, che parlano ovviamente il loro fiorentino 'non emendato'). Secondo stime generose (Canepari 1999) si arriva all'1% della popolazione. Le cose vanno meglio con la morfologia, la sintassi e il lessico, in cui le diverse varietà – ad esempio geografiche – hanno una base comune più consistente. Su questi livelli, tuttavia, nell'ultimo secolo e mezzo è accaduto un altro fenomeno, che ha allontanato l'italiano dell'uso comune dall'italiano normativo: si è andato costituendo e poi arricchendo uno 'standard di fatto' in buona parte indipendente dal fiorentino, e anzi spesso in opposizione ad esso.

Oggi anche l'italiano parlato a Firenze è lontano dallo standard normativo, esattamente come ne sono lontani l'italiano parlato in Lombardia o in Puglia. Forme tipiche e normali in Toscana non circolano nelle altre regioni: sono comprese – per lo più – ma non adottate. Esattamente come accade nelle altre regioni linguistiche.

Ecco ad esempio alcuni termini ed espressioni italiani di area toscana che non sono entrati nell'uso comune: *il tocco* "l'una", *i calamai* "le borse sotto gli occhi", *ramaiolo / coppino / sgommarello* "mestolo", *strusciare* "sfregare", *cannella* "rubinetto", *gruccia* "maniglia della porta", *cencio* "straccio", "strofinaccio", *aghetti / nastri* "stringhe", *carosello / bossolo / dindarolo* "salvadanaio", *sciocco* "scarso di sale", *midolla* "mollica", *caffè basso* "caffè ristretto", *diospero* "cachi", *furia* "fretta", *ci si va?* "ci andiamo?", *sto a lavorare* "sto lavorando".

Alcuni studiosi – toscani – sono di diverso avviso, ma è innegabile che l'italiano toscano non concorda col resto degli italiani regionali per una serie molto nutrita di tratti, e che il più delle volte, nella realizzazione di questi tratti, prevale un modello diverso da quello tosco-fiorentino. De Mauro (1963: 164-67), riprendendo i dati di Rüegg (1956) sui geosinonimi[1] relativi a nozioni d'uso comune in italiano, nota per esempio che fra i quarantasei casi in cui vi è un'espressione comune usata nella maggioranza delle province italiane, ve ne sono ben diciannove in cui la Toscana – da sola, o con altre aree contigue – sceglie una forma diversa da quella che è percepita come 'normale' nella maggior parte del territorio nazionale. Ancora, per quanto riguarda il contributo dato dal toscano all'arricchimento del lessico, calcola che su 378 termini di provenienza regionale compresi e usati in tutta Italia solo cinquantatré siano toscani, contro i 130 romani e i 115 settentrionali, e annota che l'"indice di gradimento', «basato sul numero di questi termini che a fine anni Sessanta si poteva considerare entrato nell'uso effettivo, era del 42% per le varietà lombarda e napoletana, del 38% per la varietà romana, solo del 22% per la varietà toscana» (De Mauro 1963: 177-84).

2.2. L'italiano comune

L'italiano dell'uso comune comprende:

a) tutti i tratti dello standard normativo che sono entrati nell'uso quotidiano effettivo, scritto e parlato, degli italiani;

b) un insieme di forme e di tratti linguistici che provengono dalle varietà sub-standard[2] e che di fatto sono usati e sono quasi generalmente accettati – o in procinto di essere accettati – come forme standard.

---

[1] Vedi oltre, § 3.1.2. con il relativo Box.
[2] Possiamo provvisoriamente definire sub-standard le varietà che nel diagramma di Fig. 3 sono situate sul quadrante inferiore destro.

Considerando questa forte coloritura sub-standard alcuni studiosi danno denominazioni diverse all'italiano dell'uso comune: *neo-standard* (Berruto), *italiano dell'uso medio* (Sabatini), *italiano tendenziale* (Mioni). Ciascuna di queste tre denominazioni mette in rilievo un carattere particolare di questa varietà:

• *neo-standard* indica che essa comprende forme e costrutti che di fatto – anche se non per tutti di diritto – sono entrati recentemente nello standard;

• *italiano dell'uso medio* sottolinea che essa è di uso comune, nella vita di tutti i giorni, sia nel parlato e nelle situazioni informali sia – anche se con minor frequenza – nello scritto, nelle situazioni formali, presso i parlanti colti;

• *italiano tendenziale* evidenzia il fatto che l'arricchimento attraverso forme provenienti dal sub-standard è la direzione principale verso la quale si sta muovendo la lingua italiana.

Elenchiamo di seguito i fenomeni principali che differenziano l'italiano comune dall'italiano normativo.

1) *Dislocazione a sinistra*

Uno dei modi di classificare le lingue del mondo è costituito dall'ordine che hanno le parole nella frase e in altre combinazioni sintattiche. In particolare è importante, per inquadrare la struttura di una lingua, la posizione del verbo (V) rispetto al soggetto (S) e all'oggetto (O). Nell'italiano, come nelle altre lingue romanze, l'ordine normale (o, come si dice in linguistica, 'non marcato') è SVO: ad esempio, *Paolo ama Giulia* (non **Paolo Giulia ama*, né **ama Paolo Giulia*)[3]. Nell'italiano comune si trova una costruzione marcata in cui l'elemento che occupa la posizione O (l'oggetto, ma anche un complemento, o un avverbio, o un'altra 'parte del discorso') è anticipato – appunto, spostato a sinistra, rispetto all'ordine non marcato degli elementi nella frase – ed è poi ripreso nella frase da un clitico (cioè da un pronome atono): in *Giulia, Paolo la ama* si anticipa l'elemento 'Giulia' (posizione O) e lo si riprende con il pronome *la*. Altri esempi: *questa scelta* (oggetto 'spostato') *devi farla* (*-la* ripresa pronominale) *adesso*; *con Giuseppe* (O) *ci* (ripresa) *sono uscita poche volte*; *io le melanzane* (O) *proprio non le* (ripresa) *mangio*; *di questi scandali* (O), *che cosa ne* (ripresa) *pensi?* Un titolo di articolo di giornale (che però, significativamente, riporta un discorso diretto): *Tabacci: 'Le riforme così non le facciamo'.*

In termini grammaticali possiamo descrivere la dislocazione a sinistra come una costruzione in cui un elemento del predicato viene a occupare il posto normalmente occupato dal soggetto, ed è ripreso dal pronome clitico. Questo tratto proviene dal parlato, ed è originato da problemi di organizzazione del discorso. Gli studi sulla comunicazione hanno rivelato che i punti strategici in cui si colloca un'informazione per metterla bene in rilievo sono la 'testa' e la 'coda'

---

[3] Si noti che in latino l'ordine era invece SOV: *Paulus Iuliam amat.*

Tema-rema

In ogni enunciato
– ciò di cui si sta parlando costituisce il *tema* (o *dato*, o *topic*)
– ciò che si dice intorno al tema costituisce il *rema* (o *nuovo*, o *comment*).

Nella frase *Antonio scrive una poesia* il tema è costituito da *Antonio* (si parla di Antonio), il rema è costituito da *scrive una poesia* (che cosa si dice di Antonio? Che scrive una poesia).

Si noti però che non è automatica la corrispondenza tra la posizione sintattica di un elemento, la sua posizione in relazione al focus e il suo ruolo come tema / rema. Prendiamo la frase *questo cellulare, lo ha regalato Mario a Claudia*. Questo enunciato può avere due sensi diversi, pur rimanendo formalmente sempre uguale: utilizzando l'intonazione e variando l'altezza e il volume della voce posso farlo significare:

a) "se vuoi sapere l'origine di questo cellulare, ti dico che lo ha regalato Mario a Claudia": in questo caso il fuoco discorsivo coincide con il tema (il cellulare);

b) "questo cellulare a Claudia non lo ha regalato un altro – ad esempio Giuseppe, come sarebbe naturale – ma proprio Mario": in questo caso il fuoco discorsivo coincide con il rema (Mario).

dell'espressione: in italiano, di norma, la parte iniziale e, rispettivamente, la parte finale. Se nel parlato si vuole mettere in risalto un certo argomento si sfrutta questo principio dislocando a sinistra (o a destra: vedi oltre) l'informazione da evidenziare.

Nella dislocazione a sinistra, dunque, un elemento che secondo l'ordine non marcato non sarebbe in posizione tematica viene portato a tema (cfr. Box *Tema-rema*) e viene poi ripreso con un pronome clitico. A seconda delle prospettive si parla di un fenomeno di *tematizzazione* ("portare a tema un elemento"), di *topicalizzazione* ("portare un elemento nella posizione che normalmente occupa ciò di cui si parla") e di *focalizzazione* ("fare coincidere il focus, cioè il centro di interesse informativo dell'enunciato, con un determinato elemento"). In generale, il senso del procedimento è questo: il parlante anticipa l'argomento che più lo coinvolge emotivamente, ovvero il suo personale centro d'interesse, indipendentemente dal fatto che si tratti di tema o di rema.

Un caso particolare di dislocazione a sinistra è il *tema sospeso*, o *anacoluto*, o *nominativus pendens*, anch'esso ben presente nell'italiano comune. Nel tema sospeso vi è anticipazione del rema e vi è la ripresa attraverso un clitico, ma tra l'elemento anticipato – portato a tema – e il clitico che lo riprende c'è uno iato tanto forte che non viene assicurata la concordanza grammaticale: *questo vino, per star bene, bisogna berne 2-3 bicchieri*. È un tratto molto frequente nel parlato: si trova persino nei *Promessi sposi*, là dove Manzoni vuole riprodurre l'andamento sintattico del parlato: *Lei sa che noialtre monache, ci piace di sentir le storie per minuto* (*Promessi sposi*, cap. IX).

La dislocazione a sinistra sostituisce spesso il passivo, che specialmente nel parlato gode di sempre minore fortuna: *Teresina, l'ha investita un'auto pirata* ("Teresina è stata investita da un'auto pirata"). Nella storia della lingua italiana questa costruzione non è affatto nuova, anzi è antichissima. La troviamo addirittura nel primo documento in volgare – i Placiti cassinesi – che, com'è noto, risale al 960 (cfr. Parte prima, § 2.1.):

Sao ko **kelle terre** (elemento dislocato), *per kelle fini que ki contene, trent'anni* **le** (ripresa pronominale) *possette parte Sancti Benedicti* (soggetto).

2) *Dislocazione a destra*

È una costruzione simmetrica rispetto alla precedente: si parla di 'dislocazione a destra' quando nella parte destra di una frase c'è un elemento che dipende dal verbo della frase, e che è ripreso a sinistra – in altre parole, è preannunciato – da un clitico all'interno della frase. Ad esempio: *lo vuoi, un cioccolatino?* La caratteristica di questo costrutto non è tanto sintattica (la posizione di O è 'normale', a destra) quanto comunicativa: l'elemento che viene dislocato a destra è il tema, ciò di cui si parla (nel nostro esempio, il cioccolatino). Ricordiamo che, invece, l'ordine comunicativo 'normale' prevede prima il tema (ciò di cui si parla) poi il rema (ciò che si dice sul tema).

Con un po' di fantasia, si può immaginare che chi vuole offrire il cioccolatino del nostro esempio costruisca la frase in due momenti: "lo vuoi" accompagnato dal gesto dell'offerta costituisce il primo momento; "un cioccolatino" è un'aggiunta esplicativa, che il parlante fa sia per ragioni di etichetta sia per convergenza comunicativa: è buona norma dichiarare esplicitamente che cosa si sta offrendo. Il referente (il cioccolatino) è già indicato dal clitico *lo*, ma a esplicitarlo si fa cosa conversazionalmente gradita all'interlocutore.

Gli scopi della dislocazione possono essere anche altri, come ovviare a un'esitazione o eliminare un'ambiguità. Queste spiegazioni, naturalmente, si riferiscono all'origine conversazionale della strategia. Ma l'uso della dislocazione a destra è molto ampio, e la sua funzione è spesso – semplicemente – quella della variante stilistica. Al momento attuale la dislocazione a destra è molto diffusa nel parlato anche sorvegliato, mentre è meno diffusa nello scritto, poiché in buona parte è ancora avvertita come un tratto tipico del parlato. Alcuni esempi, nei quali – si noti – varia la funzione sintattica dell'elemento dislocato:

*L'*hai tolto tu, *il tappo* alla bottiglia? (complemento oggetto)
gli ho dato un euro, *al lavavetri* (complemento di termine)
sì, *ci* esco volentieri, *con tuo fratello* (complemento di compagnia)

Anche la dislocazione a destra è tutt'altro che recente: relativamente recenti ne sono le testimonianze letterarie, perché si tratta di una struttura tipica del parlato piuttosto che dello scritto, e nella nostra letteratura un interesse autentico e sistematico per il parlato si registra solo nell'Ottocento. Manzoni, ad esempio, nell'imitare le movenze sintattiche del parlato, usa, fra l'altro, nei *Promessi sposi* anche la dislocazione a destra: *Io l'avrei bene il mio povero parere da darle* (cap. I: Agnese a don Abbondio); *e io, da parte mia, gliene posso raccontare delle belle* (cap. XIV: Renzo all'osteria).

3) *Frase scissa*

È molto diffuso, soprattutto nel parlato, il costrutto del tipo *sei tu che non vuoi!* Anche in questo caso l'informazione è spezzata (scissa) in due, e uno dei due 'pezzi' va a occupare una posizione di primo piano, è messo in rilievo. Partendo dalla frase semplice di base *tu non vuoi* il parlante la segmenta in due, assegna il primo posto all'elemento che vuole mettere in rilievo (in questo caso *tu*, che è soggetto e, dal punto di vista dell'informazione, è rematico) e per rinforzarlo lo eleva al rango di frase affiancandogli la voce verbale *sei*. Il risultato finale è una distribuzione dell'informazione su due unità: *sei tu* (soggetto, ma con funzione di rema) / *che non vuoi* (frase relativa, ma con funzione di tema).

Oltre a nomi e pronomi, naturalmente, si possono portare nella posizione di primo piano anche:

- avverbi: *è così che ti piace?*
- sintagmi verbali: *è leggere che mi annoia, è lavorare in questo modo che mi stanca*
- la negazione: *non è che mi piaccia tanto.*

Si registrano anche frasi scisse di forma interrogativa negativa, per esprimere in forma attenuata, cortese, una richiesta: *non è che mi presteresti la bici?* o per rafforzare una dichiarazione: *non è che io l'abbia, come si suol dire, sgraffignato* (Manzoni, *Promessi sposi*, cap. XIV).

Nelle grammatiche più tradizionali la frase scissa è condannata come un inutile francesismo (*c'est toi qui ne le veux pas*), ma in molte si accetta che venga usata con parsimonia, quando si vuole mettere in risalto il soggetto di una frase. È uno dei tratti del neo-standard più vicini alla piena integrazione nello standard.

4) *'C'è' presentativo*

Anche in questo costrutto l'informazione viene distribuita su due unità frasali. Se nella frase semplice di base *un tale bussa alla porta* si identifica nel soggetto *un tale* l'elemento portatore di una nuova informazione (cioè il rema), lo si porta in posizione di testa e gli si costruisce intorno una vera e propria frase autonoma, che diventa frase principale: *c'è un tale...*; subito dopo si costruisce una frase relativa, con la quale si specifica ciò che fa quel tale:*...che bussa alla porta*. Anche in questo caso, lo spostamento ha fatto sì che il soggetto della frase di base sia diventato rema, e il predicato sia diventato tema. A ben guardare, in effetti, nella frase di base le informazioni sono due, e nell'economia del discorso risulta più maneggevole trasmetterle attraverso una struttura a due membri che attraverso una frase unica.

Altri esempi:

una ragazza ti vorrebbe parlare > *c'è una ragazza che ti vorrebbe parlare*
due problemi devono essere risolti > *ci sono due problemi da risolvere*

5) I tempi verbali

Il sistema dei tempi e dei modi del verbo è da tempo in ristrutturazione. Studiando le variazioni nell'uso e nelle funzioni di tempi e di modi verbali degli ultimi decenni si possono cogliere alcune direzioni generali del cambiamento. La cosa però non è facile, sia – in generale – per l'imprevedibilità di ogni cambiamento linguistico, sia – in particolare – perché al momento la posizione di questi fenomeni è molto varia: oscilla tra l'italiano colloquiale e il neo-standard, con punte di avvenuta accettazione nello standard.

Fra i tempi dell'indicativo, nell'italiano dell'uso comune alcuni sono in espansione, altri registrano una riduzione d'uso anche molto significativa. Questo comporta una redistribuzione dei significati e delle funzioni: se una determinata relazione temporale non può più essere espressa con il tempo verbale che la tradizione storica le ha assegnato, viene espressa con un altro tempo, che non la prevedeva: così quest'ultimo si carica di un nuovo significato. I cambiamenti in atto nel neo-standard consistono dunque nella redistribuzione dei carichi funzionali e di significato tra i tempi verbali, con estensione d'uso di alcuni e riduzione di altri.

Il *presente*, oltre che con il suo valore consueto (indica coincidenza fra momento dell'enunciazione e momento dell'accadimento) e con quello di presente storico, è usato molto spesso con valore di *futuro*, soprattutto nel parlato informale e quando ci si riferisce a un futuro imminente (*domani vado al cinema*) o a fatti che si è certi che avverranno (*nel 2012 le Olimpiadi le fanno a Londra*). Questo uso è ormai accettato da tutti, almeno per i gradi bassi e medi di formalità.

Il *trapassato remoto* (*ebbi amato, fui andato*) è poco usato: lo troviamo quasi esclusivamente in testi molto accurati, ad alto grado di formalità: romanzi di tipo tradizionale, resoconti e relazioni ufficiali, testi storici, professionali ecc. Appartiene a uno standard ormai in via di abbandono.

Passato prossimo e passato remoto. Il passato prossimo è in grande espansione. Nello standard dovrebbe indicare un'azione compiuta da poco ovvero un'azione i cui effetti durano ancora al momento dell'enunciazione; in realtà è molto usato anche per indicare azioni molto lontane dal momento dell'enunciazione (là dove lo standard prevede l'uso del passato remoto), soprattutto nelle varietà regionali settentrionali e nei testi più informali. Diciamo dunque che il pas-

Passato prossimo e passato remoto, Nord e Sud

In una ricerca condotta a Padova e a Bari (Lo Duca e Solarino 1992) su un campione di parlanti adulti colti e semi-colti – con almeno dieci anni di frequenza scolare – si sono riscontrate differenze molto forti fra Nord e Sud nell'uso del passato prossimo e del passato remoto. Nel racconto di fatti autobiografici il passato remoto non compare mai a Padova mentre ricorre nel 67% dei casi a Bari; nel raccontare favole il passato remoto compare nel 9% dei casi a Padova e nel 70% dei casi a Bari. È una differenza molto significativa, che ricorre persino nel racconto di trame cinematografiche, là dove il tempo di gran lunga prevalente – sia al Nord che al Sud – è il presente indicativo. Anche in questo caso c'è una differente distribuzione geografica: il passato remoto compare nel 6% delle realizzazioni a Bari ma non compare mai a Padova.

Anche ricerche più capillari e sofisticate, compiute su tutto il territorio nazionale con strumenti concettuali complessi (Bertinetto e Squartini 1996) confermano una differenziazione netta – anche se con modalità meglio definite e articolate, e con differenze di percentuali non così alte – fra Nord, Centro e Sud nell'uso di questi due tempi verbali.

sato prossimo è in grande espansione, ma è leggermente marcato in diatopia e in diafasia.

Nel parlato informale il passato prossimo può anche acquisire il valore di futuro anteriore: *appena hai finito* (= *"avrai finito"*) *la doccia, la faccio io*.

Per quanto riguarda il passato remoto, «nella conversazione spontanea e nello scritto informale non emerge quasi mai; viene usato però da parlanti colti e semi-colti in contesti formali in riferimento a eventi lontani; funge insomma in questi contesti da forma di registro 'alto'. In parlanti giovani, sempre settentrionali, il passato remoto è confinato a testi narrativi non autobiografici, tipicamente le favole, nei quali comunque è usato in modo instabile, ed è assai meno frequente che in testi analoghi di coetanei del Sud» (Berretta 1993: 210-11). Nello scritto più formale si usa il passato remoto, indipendentemente dall'area geografica.

Insomma, è facile prevedere che l'uso del passato prossimo, già molto ampio, sarà sempre più esteso, mentre il passato remoto, che è marcato e si usa in pochi tipi di testo, tenderà a ridursi progressivamente e inesorabilmente: in altre parole, a parità di funzioni il passato remoto tende a collocarsi tra le forme più arcaiche e connotate, mentre il passato prossimo tende a transitare dall'italiano neo-standard allo standard vero e proprio.

Imperfetto. L'imperfetto viene utilizzato quasi sempre per indicare un'azione iniziata nel passato e poi continuata e ripetuta, ma senza che se ne precisi l'inizio o la fine: *l'estate scorsa andavo al mare tutti i giorni*. Serve dunque molto bene a creare lo 'sfondo' dell'azione indicata nella frase principale. Si veda la frase *andavo al mare, quando ebbi quell'incidente*: sullo sfondo – codificata con l'imperfetto – c'è l'andata al mare, in primo piano – codificato con un passato remoto – c'è l'incidente di cui si parla. L'imperfetto in questo caso rende non il rapporto temporale fra il momento dell'evento e quello dell'enunciazione, ma il suo essere sullo sfondo rispetto all'evento principale.

Nell'italiano contemporaneo, oltre a questo, si registrano altri usi dell'imperfetto:

a) nel periodo ipotetico: la norma richiede il congiuntivo nella protasi e il condizionale nell'apodosi (*se me l'avessi detto prima avrei prenotato anche per te*), ma dall'italiano colloquiale sta arrivando all'italiano comune l'uso dell'imperfetto indicativo in tutt'e due le posizioni: *se me lo dicevi prima prenotavo anche per te*. In questi casi l'imperfetto esprime una modalità particolare: è controfattuale, cioè non si riferisce a una realtà di fatto ma, appunto, all'ipotesi di una realtà che non si è verificata;

b) in altri usi controfattuali: è tipico il cosiddetto 'imperfetto ludico', che usano i bambini quando inventano scenari fantastici – e dunque non-fattuali – per i loro giochi: *io ero un vigile e ti facevo una multa*; *facciamo che eravamo su un'isola deserta...*

c) In usi attenuativi: si usa quando si fa una richiesta e si vuole evitare di apparire bruschi o perentori (ad esempio negli acquisti, dove l'imperfetto cosiddetto 'di cortesia' sta prendendo il posto del condizionale e dell'indicativo: in panetteria non si dice tanto *vorrei* o *voglio* quanto piuttosto *volevo un chilo di pane*), oppure quando si vuole mostrare deferenza: *volevo esprimere la mia solidarietà al ministro per il vile attacco del quale è stato vittima*. L'uso attenuativo è oggi forse il più diffuso, il più vicino a una piena standardizzazione.

Futuro. Come si è visto, il futuro è sostituito sempre più spesso dal presente indicativo. Non è una sostituzione semplice: l'assenza di un'indicazione di tempo verbale pone il problema di segnalare in altro modo che l'evento si svolge nel futuro. La soluzione consiste nell'affidare l'indicazione temporale, invece che al verbo, a un elemento lessicale, o al contesto: in *domani vado a Roma* l'idea di futuro, assente nel verbo, è data dall'avverbio di tempo *domani*; in *a giugno mi sposo* l'idea di futuro è data dalla comune conoscenza della successione dei mesi, confrontata con il momento dell'enunciazione (dico questa frase a febbraio e so che febbraio viene prima di giugno). È una parte dell'informazione che si sposta, dal verbo a un altro elemento grammaticale, o addirittura a un elemento non verbale.

Questo uso è ormai entrato anche nei testi scritti: ad esempio, analizzando un ampio campione di giornali quotidiani Ilaria Bonomi (1993) ha rilevato che il presente indicativo, in riferimento ad azioni collocate in un futuro vicino, compariva in un quarto circa dei casi e sempre – o quasi sempre – si riferiva a un fatto dato per certo.

Il futuro perde parte dei riferimenti tradizionali a eventi futuri ma in compenso acquista altre funzioni, di tipo modale:

• futuro *epistemico*: esprime una congettura, o un'*inferenza*, cioè un'illazione, sia in riferimento al presente (futuro presente) che al passato (futuro anteriore): *sarà vero?, ricorderete tutti che tre anni fa..., di sicuro avrai le tue ragioni, ma..., ho sentito un colpo: sarà stato un tuono*;

• futuro *deontico*: esprime un obbligo, una necessità, una concessione sancita per legge: *chi desidera comunicare con il responsabile dell'Ufficio dovrà munirsi di lasciapassare*; *il minore potrà rimanere a pieno titolo con i genitori adottivi*.

6) I modi verbali

Il congiuntivo. Da qualche tempo è stata notata la tendenza a sostituire, in certe circostanze, il congiuntivo con l'indicativo. Ciò ha preoccupato e preoccupa soprattutto i puristi, che vedono in questo fenomeno un impoverimento della lingua, che perde così un ventaglio di possibilità espressive, riducendo le sue potenzialità.

In effetti l'italiano dell'uso comune presenta un'occorrenza significativa di forme dell'indicativo in luogo del congiuntivo, ma solo in contesti ben precisi: nelle frasi dipendenti, in dipendenza da verbi di opinione (credere, pensare, ritenere ecc.), quando si riferisce a un evento che il parlante non sente come ipotetico, possibile, incerto o probabile (che sono le modalità del congiuntivo) ma come reale (che è la modalità propria dell'indicativo): *mi sembra che hai torto, immagino che tu adesso mi chiedi scusa*. In pratica si tratta la subordinata come se fosse una coordinata, quasi a sottolineare che l'evento di cui si parla è proprio sentito come reale. In generale, questa tendenza rientra nel quadro generale di preferenza per la sintassi basata sulla coordinazione piuttosto che sulla subordinazione.

L'uso dell'indicativo per il congiuntivo è molto diffuso ma non si può dire che sia generale: anche se è ampiamente tollerato, oggi risulta ancora marcato in diatopia, in diamesia e in diafasia, e spesso anche in diastratia. Infatti si verifica:

• molto di più nell'Italia centro-meridionale che al Nord (anche per influsso dei dialetti sottostanti: le parlate meridionali non conoscono il congiuntivo);

• più in testi informali (conversazioni fra amici, bigliettini, SMS, chat) e meno in testi formali (documenti e discorsi ufficiali, testi giuridici ecc.);

• frequentemente nel parlato, ma poche volte nello scritto. Infatti quando lo rileviamo su giornali e riviste ne restiamo colpiti, e qualcuno scrive anche lettere di protesta: questi sono proprio gli indizi specifici della marcatezza diamesica del fenomeno (che è percepito come non adatto allo scritto);

• più presso parlanti incolti che presso parlanti colti.

Di conseguenza questo tratto è accettato come 'normale' da parlanti centro-meridionali, soprattutto quando viene realizzato in testi poco formali o nel par-

Indicativo e congiuntivo, scritto e parlato

La sostituzione del congiuntivo con l'indicativo è relativamente rara negli usi scritti. Nella prosa narrativa è assolutamente eccezionale (Bonomi 1996), ma anche nella lingua dei quotidiani, cioè dei mezzi più inclini ad adottare forme del parlato, è decisamente minoritaria. Secondo i dati raccolti da Ilaria Bonomi (1993), per ogni forma all'indicativo ce ne sono sei al congiuntivo (s'intende, nei contesti in cui i due modi sono intercambiabili): il rapporto scende solo dopo espressioni di opinione che implicano un giudizio di certezza o quasi-certezza ("è sicuro che"), ma anche in questo caso il congiuntivo conserva la maggioranza relativa (dodici congiuntivi contro otto indicativi). Negli usi scritti il congiuntivo appare dunque molto vitale, di uso pressoché generalizzato.

Anche nel parlato, tuttavia, non si può dire che l'indicativo spadroneggi. I numerosissimi testi parlati raccolti nel LIP (Lessico di frequenza dell'Italiano Parlato) mostrano una netta prevalenza dell'indicativo solo nelle frasi rette da costruzioni del tipo "è sicuro che" "è probabile che", di valore epistemico, nelle quali l'indicativo è tre volte più frequente del congiuntivo. Negli altri casi il rapporto è favorevole al congiuntivo, anche se non nella misura che si riscontra nell'italiano dei giornali: la percentuale delle forme al congiuntivo si aggira intorno al 60% (Schneider 1999, Cortelazzo 2001).

lato, ma in altre realizzazioni e a giudizio di altri parlanti è ancora considerato un tratto non-standard.

Le fortune del congiuntivo sono legate anche al fatto che la coniugazione di questo modo verbale spesso presenta delle difficoltà, così che – ad esempio – l'incolto che si trovi a maneggiare un congiuntivo in circostanze per lui impegnative (la scrittura, una situazione formale) cerca di evitarlo, e se lo usa commette degli errori, che consistono per lo più nella *regolarizzazione di forme irregolari*: sono ormai proverbiali gli errori del tipo *vadi, vadino, venghi, venghino* ecc.

Altre irregolarità riguardano le *reggenze*, cioè l'uso dell'indicativo là dove ci vorrebbe un congiuntivo. Si trovano ancora presso gli incolti (in testi scritti: *sebbene tu sei il mio migliore amico*), ma non solo: li realizzano spesso gli studenti, anche di scuole medie superiori e universitari (dall'esercitazione di uno studente universitario: *nonostante l'Italia non è ricca di materie prime*) e si trovano persino in testi scritti formali: sul retro dei bollettini di conto corrente e in istruzioni per il versamento delle imposte si trovano tuttora costruzioni del tipo *qualora il versamento è effettuato*...

Tra le cause della crisi del congiuntivo le principali sono dunque: la marcatezza, la complessità della coniugazione – che provoca la tendenza a semplificare e regolarizzare le forme irregolari – e del sistema delle reggenze – che favorisce l'indicativo –, l'influenza del dialetto, la tendenza generale a costruire periodi basati sulla coordinazione piuttosto che sulla subordinazione.

Il condizionale. Nell'uso comune il condizionale è più vitale del congiuntivo, ma in certe forme complesse tende a essere sostituito dall'imperfetto indicativo: *non pensavo che mi avrebbero bocciato* > *non pensavo che mi bocciavano*; *se avessi avuto tanti soldi mi sarei comprato sette ville in Costa Smeralda* > *se avevo tanti soldi mi compravo sette ville in Costa Smeralda*.

In compenso si sta arricchendo, sempre nell'italiano comune, di alcune funzioni particolari, ormai pressoché standardizzate almeno nel parlato:

• *citazione*. Si usa negli articoli di cronaca, quando si riportano notizie di cui non si è certi: *secondo alcune indiscrezioni il nostro bomber sarebbe in trattative con il Real Madrid*;

• *attenuazione*, nelle richieste: *mi daresti un passaggio?*, scusi, *potrebbe spostarsi? non ci vedo*.

L'infinito. Anche l'infinito è in espansione. Gli usi elencati di seguito sono ordinati per grado decrescente di standardizzazione:

• nelle istruzioni: *tenere lontano dalla portata dei bambini*; *chiudere la porta*, *non gettare oggetti dal finestrino*, *attenersi alle istruzioni* (prevalentemente in usi scritti);

• nelle costruzioni in cui si vuole portare a tema l'azione o l'evento espressi dal verbo: *piacere mi piace, ma...*; *venire a Roma e non poter uscire dall'albergo: mi viene lo sconforto* (prevalentemente nel parlato);

• nel *foreigner talk* (cfr. § 8.2.): *andare dritto, poi girare a destra fino alla piazza*.

7) *Altre tendenze nel sistema verbale*

Quanto alla *diatesi* – cioè al rapporto del verbo col soggetto o con l'oggetto – il passivo è usato solo in testi scritti mediamente o altamente formali, e nel parlato più formale. Di norma le forme passive sono trasformate in attive, per lo più con soggetto impersonale: si scrive *è stato investito* ma si dice *l'hanno investito*. Per fare il passivo, oltre al verbo *essere*, è molto usato il verbo *venire* o, meno spesso, *andare*: *il voto viene espresso con una scheda arancione*; *la scheda va collocata nell'apposita urna* (deontico).

Considerando nell'insieme le tendenze in atto nel sistema verbale, si può dire, in generale, che nel neo-standard il sistema articolato in tempi, modi e diatesi è utilizzato solo parzialmente mentre è molto curata l'espressione delle modalità e dell'aspetto verbale.

È dovuto a questa particolare attenzione per le modalità e per l'aspetto verbale anche l'incremento nell'uso delle *perifrasi*.

Alcune perifrasi esprimono un aspetto verbale:

• *stare* + gerundio: non solo *sto mangiando* (in questo momento compio l'azione di mangiare: aspetto non abituale ma continuo) ma anche *non mi sto ricordando* (aspetto progressivo: riguarda il processo del ricordare, nel corso del suo svolgimento). Probabilmente la diffusione di questo costrutto è agevolata dall'influenza indiretta dell'inglese (dove la forma progressiva è molto usata, e risulta in netta espansione a partire dal Settecento: in inglese si usa *it's raining* "sta piovendo" ma anche *I am understanding* "sto capendo");

• *stare* + *a* + infinito: *stavo a mangiare* "mangiavo" (Italia centrale: aspetto durativo);

• *non stare* + *a* + infinito: *non stare a sottilizzare* (aspetto durativo, forma negativa).

Altre perifrasi rendono le modalità del verbo:

a) modalità deontica: *questo sacrificio va fatto*; *c'è da aspettare un'ora*; *ho da fare molti compiti*; *mi tocca dargli ragione*;

b) modalità epistemica: *ne avevo la possibilità, e l'ho fatto*.

8) Usi del 'che'

Per unire una frase principale e una subordinata l'italiano prevede una gamma molto ampia di congiunzioni, preposizioni, locuzioni (*mentre, quando, perché, siccome, che, per, da...*), che si applicano secondo regole piuttosto complesse. Nell'italiano dell'uso comune, come si è visto, sono in atto processi di semplificazione, che operano in due direzioni: riducono il numero delle congiunzioni più usate e semplificano le regole d'uso. Con la riduzione del numero delle congiunzioni si ridistribuisce il carico funzionale complessivo: l'onere maggiore ricade sulla congiunzione *che*, diventata ormai una congiunzione *passe-partout*. Oltre alle funzioni previste nella grammatica normativa, il *che*, nell'uso comune, può introdurre frasi con il valore di:

• relative temporali: *il giorno che ci siamo incontrati*;
• causali: *sbrigati, che è tardi*;
• finali: *vieni, che ti lavo*;
• consecutive: *vieni, che ti possa lavare*.

Ma la gamma degli usi del *che* è molto vasta, e comprende anche l'introduzione di pseudo-relative (*la vedo che sorride*), di costruzioni enfatiche (*che bella che sei!*), di avvio vivace dell'interrogazione (*che, vuoi uscire con questo freddo?*) ecc.

La grande ampiezza e varietà di impieghi del *che* giustifica la denominazione di '*che* polivalente'. Questa estensione d'uso è molto accentuata nelle varietà sub-standard, e in particolare nell'italiano popolare, dov'è ulteriormente dilatata (cfr. § 4.1.2.): ed è dalle varietà 'basse' della lingua che attualmente sta 'risalendo' verso lo standard. Ma le sue origini sono lontane nel tempo (si risale al Duecento e a Dante). Molto probabilmente questi usi erano molto diffusi nel parlato fin dalle origini della lingua, ma il loro impiego nella scrittura fu stigmatizzato, soprattutto a partire dall'affermazione dello standard fiorentino, nel quale non erano previsti. Si spiega così il fatto che tornino alla luce solo ora, che lo scritto tende ad avvicinarsi al parlato e dunque ad adottarne le strutture (cfr. § 10).

9) *Pronomi*

Il sistema dei pronomi in italiano è molto complesso: per questo motivo, da quando l'italiano si è avviato a divenire lingua di tutti proprio i pronomi sono stati investiti da ampi processi di semplificazione e di regolarizzazione. Ne segnaliamo alcuni fra i più importanti.

• I pronomi soggetto *egli / ella* ed *essi / esse* tendono a essere sostituiti rispettivamente da *lui / lei* e da *loro*. Si noti tuttavia che la situazione è diversa, nello scritto e nel parlato: nel parlato *ella* è del tutto scomparso ed *egli* è rarissimo[4]; invece negli usi scritti *egli* resiste, accanto a *lui* e a *lei* – che ricorrono per lo più nella ripresa del parlato e negli articoli di tono più informale – in un rapporto di circa 1 : 3.

Egli è dunque connotato, oggi, tanto in diafasia (è riservato a testi altamente formali) quanto in diamesia (riservato ai testi scritti).

• Nel complemento di termine il vecchio standard prevedeva un sistema a cinque forme, che si è ridotto a due:

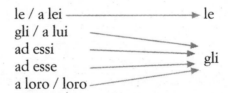

con la prospettiva di un ulteriore conguaglio di *le* su *gli* (non è raro sentire costruzioni del tipo *Ho incontrato Maria. L'ho presa di petto e gli ho detto...*). Studi recenti hanno mostrato che già negli anni Cinquanta del secolo scorso *gli* per *loro* era presente nella saggistica, nei quotidiani, nei romanzi (dove anzi spadroneggiava, specialmente là dove l'autore tendeva a imitare il parlato); ma hanno anche mostrato che il *loro* è tutt'altro che morto: anzi, sui quotidiani prevale largamente, per giunta con tendenza recente all'incremento.

Il sistema a due sole forme, in ogni caso, comincia a essere accettato anche in alcune grammatiche scolastiche.

• Ha avuto un forte incremento l'uso (pleonastico) del *ne*, soprattutto collegato a dislocazioni a destra e a sinistra: *di questo argomento ne abbiamo già discusso, di questo cantante se ne sta parlando molto in questi giorni.*

---

[4] Nell'amplissimo corpus del LIP *ella* non compare mai, mentre *egli* compare trentanove volte (di cui trentatré in testi altamente formali, come lezioni e conferenze). In compenso, *lui* ha ben 764 occorrenze (Renzi 1994).

• Fra i pronomi e gli aggettivi dimostrativi il mutamento più evidente – e ormai pacifico – è la sostituzione generalizzata della serie a tre membri *questo / codesto / quello* con la serie a due membri *questo / quello*. L'uso orale di *codesto* è oggi fortemente marcato in diatopia (toscano), mentre l'uso scritto è marcato in diamesia (si usa solo nella corrispondenza tra enti o uffici, in riferimento al destinatario) e in diafasia (è esclusivo della lingua della burocrazia): una frase come *si rivolge istanza a codesto Ufficio affinché...* è esclusiva dell'uso scritto, della corrispondenza tra uffici e dello stile burocratico.

• *Ciò* è soppiantato da *questo / quello*: nel parlato, anche sostenuto, è più probabile sentire *tutto questo è profondamente ingiusto* e *quello che mi dici mi stupisce* piuttosto che *tutto ciò è profondamente ingiusto* e *ciò che mi dici mi stupisce*. Nello scritto le cose vanno diversamente: *questo* e *quello* col significato di *ciò* sono connotati come forme colloquiali, e persino nello scritto giornalistico *ciò* manifesta tuttora una grande vitalità. Si tratta dunque di un tratto in via di espansione ma ancora marcato in diamesia e in diafasia.

• L'uso di *il quale / la quale* è limitato ai testi scritti più formali; negli altri usi si usa *che* o *a cui, di cui, per cui* ecc.

10) *Congiunzioni*

Anche il quadro delle congiunzioni subordinanti, in italiano, è molto ricco e complesso, e anch'esso subisce fenomeni rilevanti di semplificazione:

• per introdurre le finali, accantonato l'*affinché*, si usa quasi solo il *per* (*gli ho detto di risparmiare per comprarsi la casa*) e il *perché* (*gli ha regalato due euro, perché si prendesse un caffè*);

• per introdurre le causali non si usa più *giacché*, neppure nei testi più formali, e si usa poco *poiché*. Tutti e due sono stati sostituiti da *siccome* e *dato che* (quest'ultimo è più usato nel parlato che nello scritto). Si sente anche spesso *visto che*;

• per introdurre le consecutive si usa spesso *così*: *prendo l'ombrello, così se piove non mi bagno*;

• per introdurre le interrogative, accanto a *perché?* si usa sovente *come mai?*: *Come mai sei rimasto a casa?*

Ne consegue che le congiunzioni più usate assumono funzioni molteplici: in *aspetta che te lo spiego* il *che* ha nello stesso tempo valore finale ("aspetta affinché io te lo spieghi"), consecutivo ("aspetta, così che io te lo possa spiegare"), causale ("aspetta, perché te lo voglio spiegare").

11) *Le tendenze che caratterizzano il neo-standard*

Concludiamo questo capitolo con le parole di Gaetano Berruto (1987:83):

Una prima direzione verso cui pare muoversi l'italiano è [...] la semplificazione e l'omogeneizzazione di paradigmi e l'eliminazione o la riduzione delle irregolarità.

Questo ovviamente non significa che l'italiano stia diventando una lingua 'più semplice': fatti di semplificazione e regolarizzazione concernono sempre un dato microsistema o una data struttura, e spesso si dà che un mutamento semplificante in un microsistema o in una struttura abbia come effetto una ristrutturazione, eventualmente complicante, in un altro microsistema o in un'altra struttura correlati coi precedenti (si pensi per es. che l'eventuale scomparsa del congiuntivo in dipendenza da *verba putandi* può dar luogo all'esigenza di riintroduzione di un avverbiale che esplicita la modalità della frase: *credo che venga* > *credo che probabilmente viene*).

Aggiungiamo che una seconda direzione riguarda strutture più profonde, di tipo piuttosto cognitivo che linguistico. A questa categoria appartiene il lento ma chiaro 'slittamento' dei tempi verbali dall'indicazione del rapporto temporale fra il momento dell'enunciazione e quello dell'azione all'indicazione dell'*aspetto* e della *modalità* (con privilegio per le modalità epistemica e deontica). Questi piccoli ma significativi cambiamenti che avvengono nella lingua, insomma, segnalano i mutamenti più profondi nella lettura e interpretazione della realtà, che caratterizzano la civiltà contemporanea: un po' come accade per le piccole scosse di terremoto, spie superficiali e avvertibili di mutamenti tettonici profondi, che non avvertiamo ma che sono in grado di cambiare la faccia di un'intera regione.

3. L'italiano attraverso le regioni

3.1. Varietà regionali di italiano

L'italiano regionale comprende l'insieme delle varietà della lingua italiana, diversificate diatopicamente[1], cioè in relazione all'origine e alla distribuzione geografica dei parlanti. Ogni varietà si differenzia per un certo numero di tratti sia dalle altre varietà sia dall'italiano standard.

▶▶ 3.1.1. L'italianizzazione linguistica e l'italiano regionale
L'origine dell'italiano regionale è legata all'incontro fra la lingua nazionale e i vari dialetti: i primi prodotti risalgono dunque alla diffusione – elitaria e scritta – del toscano nelle altre regioni d'Italia, a partire dai secoli XV-XVI. Il policentrismo politico e culturale dell'Italia non favorì l'adozione passiva del modello toscano, ma portò piuttosto a più o meno strette convergenze sul toscano, di estensione regionale o sovraregionale (un esempio tipico di coinè sovraregionale è quello delle coinè cancelleresche del Quattrocento: cfr. Parte prima, § 3.5.). Il permanere di condizioni di dialettofonia totale nella popolazione italiana continuò poi a condizionare anche nei secoli successivi l'apprendimento dell'italiano, nei pochi che si trovavano nella condizione di imparare a leggere e scrivere: per fare un esempio – ma le testimonianze non sono poche – nel 1779

---

[1] Il termine diatopico, composto da *dia* "attraverso" e *topico* "relativo ai luoghi", è stato coniato da Coseriu (1973).

il Baretti parlava degli «scannati gergacci mal toscaneggianti» di chi «toscaneggia quel dialetto alla grossa» e dà luogo a «una lingua arbitraria, perché senza prototipo» (cit. in Migliorini 1962: 473). Si trattava in realtà di quelle che noi oggi definiremmo interlingue d'apprendimento, stadi intermedi – per lo più destinati a rimanere tali – dell'apprendimento dell'italiano. Il fenomeno, prima elitario, si estese enormemente nella seconda metà dell'Ottocento: la variabilità geografica della lingua si impose come problema di larga scala, di rilevanza strategica in quanto ostacolava il progetto di unificazione linguistica degli italiani, rischiando di compromettere in modo irreparabile l'unificazione politica e culturale della nazione.

Il parlante dialettofono che imparava l'italiano portava nella nuova lingua intonazioni, suoni, costruzioni, parole della sua parlata materna, realizzando una lingua che risentiva – in modo più accentuato nelle persone meno istruite – del sostrato dialettale. Prendevano così corpo, soprattutto nel parlato, varietà con forti caratterizzazioni piemontesi, lombarde, siciliane ecc., puntualmente condannate dai grammatici e dagli scrittori: agli inizi del Novecento, ad esempio, Edmondo De Amicis deprecava l'uso a Torino di «un italiano compassionevole, d'un tessuto tutto piemontese, ricamato d'ogni specie di idiotismi e di modi di conio gallico» e così ridicolizzava l'italiano dei milanesi: «Ce n'è così anche a Milano di famiglie per bene, nelle quali i ragazzi credon mica di parlar male dicendo scusar senza per 'far senza' e tanto ce n'è per 'tanto fa' e far su il letto e aver giù la voce e su e giù a ogni proposito» (De Amicis 1905: 44).

Ma era un processo inevitabile: proprio la spinta all'unificazione linguistica, passata attraverso la scuola, portò al radicamento nel repertorio linguistico delle varietà di italiano regionale, che furono poi trasmesse di generazione in generazione. I maestri usavano un italiano più o meno fortemente intriso di dialetto, anche quando insegnavano la pronuncia – che loro stessi avevano appreso sui libri, cioè senza modelli di parlato –, e gli allievi, dialettofoni, non potevano non dare alla varietà 'alta' del loro repertorio una forte impronta dialettale. Le generazioni successive, a loro volta, impararono in famiglia – e molto spesso anche a scuola, e nella vita sociale – queste varietà di italiano, che si tramandarono così nel tempo, radicandosi nel repertorio linguistico italiano.

L'italianizzazione linguistica, lentamente, si compiva: ma non attraverso la generalizzazione del modello fiorentino, bensì in una complessa articolazione di varianti che risentivano soprattutto della realtà fondamentale del nostro repertorio: il dialetto.

▸▸ 3.1.2. I geosinonimi

Il risultato di questo processo è sotto i nostri occhi. Prestiamo attenzione al lessico della lingua italiana d'oggi. Vi sono tuttora molte coppie – o triplette, o piccoli gruppi – di parole che hanno lo stesso significato (sono dunque *sinoni-*

I geosinonimi italiani

Il primo studio sui geosinonimi italiani è stato compiuto negli anni Cinquanta del secolo scorso da uno studioso svizzero, Robert Rüegg. In Rüegg 1956 si riportano i risultati di un'inchiesta compiuta in Italia sottoponendo a 124 persone, provenienti da cinquantaquattro province d'Italia, un elenco di 242 nozioni comuni nell'italiano parlato e chiedendo a ogni intervistato, per ogni nozione, quali termini conoscesse e di quali facesse uso (esclusivo, prevalente o alternante).Una sola delle 242 nozioni proposte risultò indicata dallo stesso termine in tutte le cinquantaquattro province: era la nozione "caffè forte" (al bar), designato dovunque dalla parola *espresso*. Per il resto l'11% delle nozioni presentava due sinonimi, mentre addirittura l'88% ne aveva più di due (fino a un massimo di tredici sinonimi per una nozione).

La frammentazione risultò molto forte: quasi nella metà dei casi la parola più usata per esprimere un concetto risultava non usata in 4 o più province. Ma il dato più interessante era questo: in ben 46 casi si rilevò una variante lessicale che era conosciuta in una sola regione, o area, e del tutto sconosciuta nel resto d'Italia. Ad esempio: *santolo* per "padrino" era conosciuto solo in Veneto, ma *compare*, che esprimeva lo stesso concetto, era noto solo al Sud, *monaca* per "suora", *sciocco* per "poco salato", *anello* per "ditale", *in collo* per "in braccio" erano ben vivi in Toscana ma del tutto sconosciuti altrove.

Oltre a fornire un quadro della ricca articolazione regionale della nostra lingua, questi dati fornirono la prova della debolezza della varietà toscana, rispetto al compito di unificazione nazionale che le era stato affidato dalla storia.

mi) ma che hanno una caratteristica particolare: ognuna viene usata non in tutta Italia ma solo – o prevalentemente – in una certa area linguistica. Sono dunque *sinonimi a distribuzione geografica complementare*, o *geosinonimi*.

Qualche esempio: quello che in Toscana e nel resto dell'Italia centrale si chiama *pizzicagnolo* al Nord si chiama *salumiere*; le *macellerie* in Sicilia e nell'Italia meridionale estrema si chiamano piuttosto *carnezzerie*; il frutto che nelle regioni settentrionali si chiama *anguria* si chiama invece *cocomero* e *mellone* al Sud; le *cozze* (parola di area meridionale) sono *mitili* in Toscana, *muscoli* in Liguria e *peoci* nel Veneto; *marinare la scuola* si può dire *bigiare* al Nord, *far forca* al Centro, *bruciare* in Veneto e Friuli, *far sega* a Roma, *far filone* nel Mezzogiorno, *nargiare* in Salento, *buttarsela* in Sicilia e *far vela* in Sardegna.

Perché un tipo lessicale si espande rapidamente in tutto il paese, mentre altri si espandono con più difficoltà e altri ancora restano confinati nell'area di origine? La forza espansiva di un geosinonimo dipende dalla storia dell'oggetto (o del concetto) designato e dal prestigio e dal dinamismo del centro irradiatore: *stracchino* da termine di area lombarda è diventato d'uso generalizzato, in tutta Italia, per la diffusione del prodotto grazie alla sua commercializzazione su larga scala; *lavello* e *lavabo* sembrano prevalere su *lavandino*, ed entrambi hanno surclassato *acquaio*, *secchiaio*, *sciacquatore*, *scafa*, che erano utilizzati in aree diverse con lo stesso significato, a causa dell'unificazione terminologica imposta dalle ragioni del commercio e del marketing.

Proprio per il legame fra la diffusione di un geosinonimo e la struttura e i dinamismi della società, si assiste oggi a un evidente processo di standardizzazione degli usi linguistici (con conseguente riduzione del ventaglio delle varianti geosinonimiche), che è indotto dai processi di ammodernamento e di – inevitabile – omogeneizzazione della società.

▶▶ 3.1.3. Quante e quali varietà di italiano regionale?

In questa fase fortemente evolutiva della nostra società e, dunque, del repertorio linguistico italiano, la variazione diatopica tende a ridursi: tipi lessicali dominanti si diffondono – attraverso le vie del commercio, della pubblicità, dei mezzi di comunicazione di massa – in modo uniforme a scapito di tipi 'indigeni' di area limitata, che non sono sostenuti dagli stessi mezzi; foni e fonemi ricalcati sul dialetto perdono terreno in favore di elementi standardizzati, costrutti avvertiti come scorretti o lontani da quelli in uso nell'italiano comune vedono restringersi l'area di diffusione, ridursi le occasioni d'uso, mutare la loro stessa immagine: assumono infatti connotazioni diafasicamente 'basse' (sono accostati sempre più, nella percezione più diffusa, a parlanti poco scolarizzati, di ceto sociale 'basso', a usi colloquiali, scherzosi, volgari) che ne minano la capacità di espansione.

Questi dinamismi rendono particolarmente difficile la classificazione delle varietà diatopiche, già di per sé tutt'altro che pacifica. Oltre al fatto che – come s'è visto ora – l'area di diffusione di ogni tipo lessicale varia, e dunque rende quasi impossibile tracciare confini attingendo al livello lessicale, vi sono anche altri problemi:

• i confini tra le famiglie dialettali a loro volta non sono ben differenziati ma sono sfumati, mobili, vari, a seconda del fenomeno o dei gruppi di fenomeni che si considerano, del loro 'peso' e della loro estensione;

• non è ben chiaro – o meglio, non c'è accordo tra i linguisti su – quali siano i requisiti minimi, cioè quanti e quali fenomeni siano necessari perché si possa parlare di una varietà, o di una sottovarietà, regionale di italiano.

Inoltre, non sempre l'area di estensione dei fenomeni linguistici che caratterizzano una certa varietà di italiano regionale coincide con l'area di estensione dei corrispondenti esiti dialettali. Si danno anzi casi diversi.

a) Alcuni tratti hanno *un'estensione maggiore* in italiano che in dialetto: ad esempio la pronuncia scempia delle consonanti doppie o geminate (tipo *tera* per "terra") ha nel dialetto un'estensione che comprende l'area gallo-italica e buona parte dell'area mediana, sino al Lazio meridionale. La corrispondente area dell'italiano regionale è un po' più ampia, in quanto comprende quasi tutto il Lazio. Questa differenza si spiega, molto probabilmente, col fatto che la pronuncia scempia è stata adottata a Roma, città che gode di grandissimo prestigio: proprio grazie alla forza irraggiatrice di Roma la pronuncia scempia, in italiano regionale, si è estesa in un'area molto vasta, anche là dove essa non era 'sostenuta' dal sostrato dialettale, e dunque oltre i confini dell'area dialettale corrispondente. Un altro esempio: nella Sardegna settentrionale l'italiano regionale presenta la metafonesi (cfr. § 7.2.6.), che è assente nelle parlate dialettali dell'area ma è presente nella vicina area logudorese, dove ricalca il dialetto. La spiegazione risiede nel maggiore prestigio del logudorese rispetto alla sottovarietà settentrionale: e poiché un tratto proprio di una varietà dotata di alto prestigio ha una forza espansiva maggiore, la metafonia logudorese si è estesa oltre il proprio territorio dialettale.

b) Molti tratti dialettali non sono realizzati in italiano, o hanno *un'estensione minore*: ad esempio l'area dialettale di *sent / tsent* per "cento" abbraccia la famiglia delle parlate gallo-italiche, a eccezione dell'area lombarda, e si spinge verso sud raggiungendo da una parte l'Umbria settentrionale dall'altra la Toscana centro-occidentale. Invece l'area dell'italiano regionale di *sento / zento*, pur considerandone l'estensione massima, è limitata alla fascia centro-meridionale dell'area gallo-italica (e a usi colloquiali-popolari). Fra i due suoni in concorrenza il parlante percepisce l'esito dentale come tipicamente dialettale, e questo rende poco numerose, labili e poco durature le sue infiltrazioni nell'italiano.

c) Alcuni tratti dell'italiano regionale sono *innovativi* anche rispetto ai dialetti di sostrato, cioè non trovano un riscontro immediato nei tratti corrispondenti del dialetto. Ad esempio: nell'italiano del Veneto si sentono le pronunce [dzup:a], [dzap:a], [dzi:o], mentre nei dialetti veneti l'affricata iniziale viene sempre realizzata come sorda: [tsup:a], [tsap:a], [tsi:o]. Ancora: in Emilia Romagna la semivocale /*w*/ spirantizza, cioè diventa una fricativa: *uomo* è pronunciato [vwo:mo] o [vo:mo], mentre in dialetto non ha questa evoluzione. Il fenomeno non è immotivato (non si trova nei dialetti emiliani ma si trova in alcuni dialetti lombardi, vicini) ma per quanto riguarda il rapporto fra italiano regionale e dialetto di sostrato si classifica come una innovazione del primo rispetto al secondo.

Per tutti questi motivi, nel classificare le varietà regionali di italiano è opportuno non fare distinzioni troppo analitiche. Prudenzialmente, ci limitiamo a individuare le tre varietà 'maggiori':

• settentrionale,
• centrale,
• meridionale,

all'interno delle quali segnaliamo alcune sottovarietà importanti:

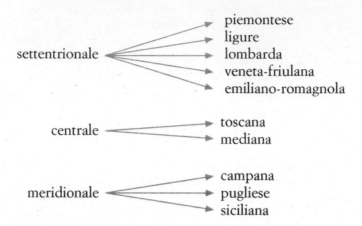

settentrionale
- piemontese
- ligure
- lombarda
- veneta-friulana
- emiliano-romagnola

centrale
- toscana
- mediana

meridionale
- campana
- pugliese
- siciliana

Le varietà toscana e mediana hanno un'importanza particolare, perché hanno come centri irradiatori rispettivamente Firenze e Roma, che per i ben noti motivi storici sono al centro della storia linguistica italiana, e ancora oggi sono considerati da molti i luoghi della lingua-modello, di diritto (Firenze) e di fatto (Roma).

Fra le varietà 'minori' occupa un posto a sé quella sarda, di scarso prestigio e di diffusione limitata all'isola ma fortemente caratterizzata sul piano fonetico e morfosintattico e non assimilabile alle varietà meridionali, con le quali condivide pochissimi tratti.

▶▶ 3.1.4. Il prestigio

L'importanza di una varietà di italiano è legata al prestigio di cui gode. Le nostre varietà regionali sono, sotto questo profilo, molto differenti. Le indagini compiute per rilevare il loro prestigio (Galli de' Paratesi 1984, Baroni 1983, Volkart-Rey 1990) hanno portato a risultati diversi, a seconda del metodo usato, dei punti di rilevamento e soprattutto del momento storico in cui sono state effettuate. Tutte, però, concordano su quattro punti.

a) La varietà più accettata, in generale, è quella *settentrionale*, di base *milanese*: i più la considerano come quella maggiormente vicina a un ipotetico italiano standard. Questo atteggiamento è strettamente legato al ruolo egemonico e trainante dell'economia dell'Italia settentrionale – e in particolare lombarda – rispetto al resto d'Italia, e sembra destinato a protrarsi nel tempo.

b) La varietà *toscana* – di base *fiorentina* – ha perso inesorabilmente il suo prestigio: è valutata molto positivamente solo nella stessa Toscana, mentre altrove gode solo del prestigio residuale fornito dallo stereotipo scolastico, che la associa all'italiano normativo. Le sue caratteristiche peculiari – soprattutto fonetiche – sono spesso valutate come dialettali, o sbagliate.

c) La varietà *romana* ha attraversato un periodo di grande prestigio, che andava dal ventennio fascista – romanocentrico in ogni campo della vita sociale – all'epoca del neorealismo, della radio e dell'affermazione della TV. Ma dagli anni Sessanta-Settanta del secolo scorso la forza espansiva dell'italiano di Roma si è attenuata: il cinema non si identifica più con Cinecittà, la presenza massiccia di personaggi che parlano romanesco o 'italiano di Roma' nelle trasmissioni TV è diventata meno importante perché la TV stessa ha ridotto di molto il suo ruolo di modello – anche – linguistico; l'uso macchiettistico della cadenza romana nei film, infine, spinge ad associare sempre più la varietà romana ad aggettivi come *buffa*, *divertente, simpatica*, che sembrano spostare questa varietà sull'asse diafasico, caratterizzandola come adatta agli usi scherzosi, espressivi, informali. In altre parole, tende a confinarsi nell'orizzonte limitato delle varietà informali, sub-standard.

d) La varietà *meridionale* è senza ombra di dubbio quella dotata di minor prestigio: a causa del persistere – e anzi, per certi versi, dell'aggravarsi – del pregiudizio anti-meridionale, al Centro e al Nord l'accento meridionale viene associato molto spesso all'immagine di una persona poco colta, antipatica: un operaio o un venditore ambulante, per alcuni addirittura un delinquente (Volkart-Rey 1990) e il parlato viene considerato «volgare», «inferiore», «storpiato». La considerazione negativa è molto diffusa anche tra gli stessi meridionali (cosa che non accade nelle altre varietà).

▶▶ 3.1.5. Varietà regionali e livelli di analisi della lingua

Sono più intrise di dialetto – e dunque sono spie più acute di regionalità – le singole parole, i suoni, le costruzioni sintattiche, o i modi di dire?

Già mezzo secolo fa Tullio De Mauro osservava che «si possono ascoltare e concepire innumerevoli frasi dette, in via d'esempio, da un italiano del Settentrione senza che in esse vi sia un solo regionalismo lessicale o sintattico; ma non sono invece molte le frasi, e quasi si potrebbe dire le parole, in cui non sia presente qualcuno dei regionalismi *fonologici* caratteristici della varietà settentrionale» (De Mauro 1963: 171)[2]. In effetti i tratti che più marcatamente contraddistinguono le varietà regionali di italiano sono quelli *intonativi* e *fonologici*, vere e proprie spie della provenienza regionale dei parlanti.

In una scala ideale di marcatezza diatopica dell'italiano, dopo intonazione e fonologia, vengono la sintassi e la fraseologia, poi il lessico, infine la morfologia. Lessico e morfologia risentono poco dell'interferenza dialettale soprattutto perché sono spesso soggetti a consapevole o inconsapevole autocensura: il parlante che voglia parlare un italiano standard cerca di eliminare soprattutto i tipi lessicali dialettali e le forme verbali, le forme del plurale o del femminile ecc., perché a questi livelli più che ad altri percepisce una netta differenza / opposizione fra lingua e dialetto.

[2] Il corsivo è nostro.

Nel descrivere le varietà regionali è dunque opportuno seguire l'ordine di decrescente marcatezza: intonazione e fonologia, sintassi e fraseologia, lessico, morfologia. Tuttavia gli studi sull'intonazione, che sarebbero i più importanti, e quelli sulla fraseologia sono a tutt'oggi poco numerosi, e non abbastanza approfonditi. Raggruppando morfologia e sintassi per i nessi inestricabili che spesso le legano, noi seguiremo perciò l'ordine: fonologia, morfosintassi, lessico.

3.2. L'italiano regionale settentrionale

FONETICA

Caratteristiche fonetiche principali:

• la *a* tonica in sillaba libera e in fine di parola tende a velarizzarsi, soprattutto in Piemonte: *casa* è spesso pronunciato [kɑza][3];

• /n/ intervocalico si realizza come [ŋ] non solo davanti a consonante velare, come in toscano, ma anche in altre posizioni, come ad esempio davanti a confine di parola a cui segua un dittongo ascendente: [uŋ womo, uŋ wovo, koŋ jodjo];

• l'opposizione fra *e* ed *ɛ* e fra *o* e *ɔ* non ha valore fonematico: in altre parole, non c'è opposizione di significato fra [pesca] (l'attività) e [pɛsca] (il frutto) fra [botte] (recipiente) e [bɔtte] (colpi). Per questo motivo si verificano anche delle inversioni rispetto all'italiano normativo: in corrispondenza dello standard [bɛne] si dice [bene];

• le consonanti lunghe o rafforzate tendono a scempiarsi: *pacco* > [pako], *detto* > [deto];

• non c'è mai raddoppiamento fonosintattico: [a k:asa] > [a kaza], ['e f:ɔrte] > ['e fɔrte];

• la /s/ intervocalica è sempre sonora: si ha dunque non solo [roza] e [azilo], come nel Centro-sud, ma anche [kaza], [nazo], ['azino], che nell'Italia centro-meridionale suonano invece [kasa], [naso], ['asino]. In generale, la /s/ intervocalica è quasi sempre sonora al Nord, quasi sempre sorda al Sud e oscillante (a seconda dei contesti lessicali) al Centro;

• l'affricata dentale in posizione iniziale è sempre sonora: così in corrispondenza dell'italiano normativo [tsio], [tsampa] e ['tsok:olo] qui troviamo [dzio], [dzampa], ['dzok:olo].

I tratti che seguono ricorrono ormai raramente, e vanno perciò considerati recessivi:

• le affricate dentali [ts] e [dz] tendono a passare a fricative: [grats:je] > [grasje], [kantsone] > [kansone];

• le palatali /ɲ/ e /ʎ/ tendono a depalatalizzarsi, e a passare alle dentali corrispondenti, rispettivamente [lj] e [nj]: [moʎe] > [molje], [kompa'ɲia] > [kompa'nia];

---

[3] La *a* è qui realizzata come suono intermedio fra [a] e [ɔ].

• la palatale /ʃ/ tende a depalatalizzarsi, e a passare alla dentale corrispondente: [lasjare] per *lasciare*, [fasjo] per *fascio*.

MORFOSINTASSI

Alcuni tratti della morfosintassi:

• si usa sistematicamente il passato prossimo in luogo del passato remoto (cfr. § 2.2.);

• davanti a pronomi possessivi, quando ci si riferisce a nomi di parentela, non si usa l'articolo determinativo: *mia mamma, sua zia*;

• i nomi di persona femminili – ma spesso anche quelli maschili – sono preceduti dall'articolo determinativo: *la Giovanna, la Maria*, ma anche *il Gianni, il Bobo*;

• si usano costrutti particolari – ricalcati naturalmente sul dialetto – per rendere la negazione: *(non) fa mica caldo, crede mica* "non crede", *si può no* (diafasicamente 'basso', molto informale);

• si rafforzano gli avverbi *solo* e *soltanto* con *più*, con valore temporale: *ho solo più dieci euro*. È un tratto specificamente piemontese;

• le congiunzioni temporali e modali sono rafforzate con il *che*: *quando che piove si allaga tutto, mentre che camminavo ho preso una storta* (registro informale);

• gli aspetti verbali hanno realizzazioni diverse dallo standard: *sono dietro a mangiare* "sto mangiando", *non stare a perder tempo* "non indugiare", *non pensarci su* "non esitare", *fa che chiudere* "chiudi, senza indugiare" (sentito ormai come dialettale);

• il pronome personale oggetto *me, te* è usato anche come soggetto: *chi comanda qui sono me* (tratto ormai recessivo).

LESSICO

Fra i termini di larga circolazione in Italia ma tuttora connotati come settentrionali ricordiamo[4]:

vera	anello matrimoniale	*messa bassa*	messa non cantata
paletò	cappotto	*ometto*	gruccia
giocare a prendersi	giocare a rincorrersi	*busecca*	trippa
giocare a nascondersi	giocare a rimpiattino	*braghe*	calzoni
anguria	cocomero (rosso)	*sottana*	gonna
pianoterra	pianterreno	*travagliare**	lavorare
*moleta**	arrotino	*gerbido*	terreno produttivo
sberla	schiaffo		ma incolto

[4] Sono contrassegnate con l'asterisco le forme recessive, ormai avvertite dai più come fortemente dialettali.

Hanno invece caratterizzazioni regionali forti, cioè sono riconosciuti come termini specificamente piemontesi o lombardi:

Piemontesi		Lombardi	
pelare	sbucciare	*ho dietro un libro*	ho con me un libro
riga	scriminatura	*fiacca*	stanchezza
somigliare	sembrare	*ravioli*	agnolotti
stomaco	petto, seno	*sfera*	lancetta dell'orologio
tiretto	cassetto	*ganascia*	mascella
niente del tutto	per niente	*michetta*	panino
guardaroba	armadio	*far i mestieri*	riordinare
cabaré	vassoio	*pisquano*	sciocco
avanzare	risparmiare	*balordo*	sciocco, stravagante,
lea	viale		piccolo delinquente
tampa, piola	osteria	*baùscia*	fanfarone
cicchetto	rimprovero	*ghisa*	vigile urbano
Fare schissa /		*trani*	osteria
tagliare / fare			
magno / fare			
magnuso	marinare la scuola		

3.3. L'italiano regionale centrale: la varietà toscana

Rispetto alle altre varietà diatopiche della lingua, l'italiano regionale toscano gode di uno statuto particolare. In Toscana il repertorio linguistico è sostanzialmente monolingue. Il parlante non dispone di codici diversi (dialetto, coinè, varietà regionale, varietà standard), ma di una varietà 'alta' e di una 'bassa' di italiano, e perciò percepisce la parlata del suo paese – che per queste caratteristiche non si chiama *dialetto* ma *vernacolo* – come una variante locale, rustica, della lingua.

Nonostante la valutazione altamente positiva che i parlanti toscani danno della loro parlata, e nonostante l'assoluta rilevanza storica, letteraria e culturale dell'italiano di base toscana, nel corso del Novecento questa varietà ha visto venir meno il suo prestigio. Di conseguenza, i suoi tratti caratteristici, che fino alla prima metà del Novecento erano presentati nelle grammatiche scolastiche come tratti della lingua italiana, e dunque come modelli da imitare, sono retrocessi alla dimensione locale, e al di fuori della Toscana sono oggi percepiti come regionali (o provinciali) oppure – dato il loro impiego, in passato, nelle opere letterarie – come letterari, aulici, o arcaici, o affettati.

FONETICA

L'italiano regionale toscano è caratterizzato da:

• un vocalismo tonico a sette vocali, nel quale le semichiuse e semiaperte, anteriori e posteriori, sono fonemi[5]: [atʃ:et:a] "strumento per tagliare il legno" ~ [atʃ:ɛt:a] "voce del verbo *accettare*", [kolto] "istruito" ~ [kɔlto] "voce del verbo *cogliere*";

• l'alternanza fra sibilante sorda e sonora, che dà luogo a un'opposizione fonematica: [fuso] "strumento per filare" ~ [fuzo] "voce del verbo *fondere*";

• la realizzazione dell'affricata dentale in due varianti, sorda e sonora: si dice ['ts:uk:ero] e [ts:io] ma [dzero] e [prandzo]. La sonora tende a generalizzarsi, in quanto è generalmente avvertita come più elegante, moderna;

• la gorgia, ovvero la pronuncia aspirata delle occlusive sorde intervocaliche: [kwɛl:a hasa] [il saφone] [il praθo]. La pronuncia aspirata di -*k*- è diffusa in tutta la Toscana, mentre la pronuncia aspirata di -*p*- e -*t*- è presente soprattutto nell'area centro-orientale, che ha come centro Firenze;

• l'inserimento della *i*- prostetica davanti a parole che iniziano con *s* + consonante: *in istrada*, *in Ispagna*;

• l'inserimento di una vocale epitetica in parole che terminano in consonante: [tram:e] "tram", [bus:e] "bus", [koɲ:ak:e] "cognac";

• la soluzione di gruppi consonantici 'difficili', cioè non previsti dal sistema fonologico toscano, mediante epentesi vocalica: [ingilɛse] "inglese", [ameleto] "Amleto", o mediante assimilazione: [am:osfera] "atmosfera", ['ten:iko] "tecnico", [arim:'etika] "aritmetica", [edz:ema] "eczema";

• la pronuncia fricativa delle affricate palatali [tʃ] e [dʒ]: [pjaʃɛre] "piacere", [ʒɛnte] "gente", ['aʒile] "agile";

• la pronuncia affricata della fricativa dentale dopo *n, r, l*: [pentso], [kortso], [faltso].

MORFOSINTASSI

Alcune caratteristiche morfosintattiche:

• sistema dei dimostrativi a tre termini: *questo, codesto, quello. Codesto* indica un oggetto vicino all'ascoltatore, ed è entrato nell'italiano comune solo nell'uso burocratico: *mi rivolgo a codesto Ufficio per...* (cfr. § 2.2.);

• uso delle forme *me* e *te* in funzione non di complemento ma di soggetto: *te sei bravo, lo dici te*;

• uso della costruzione *noi si* + verbo alla terza persona singolare, in corrispondenza della prima persona plurale: *noi si esce* "noi usciamo", *noi si va* "andiamo";

• uso, nella coniugazione dei verbi, di forme che nello standard non sono

---

[5] Il fonema è la più piccola unità di suono con valore distintivo, cioè in grado di individuare significati diversi alternandosi nella stessa catena fonica: la serie *pane / nane / rane* individua i fonemi /p/, /n/, /r/.

mai entrate e sono dunque censurate: *dasti* "desti", *stassi* "stessi", *dicano* "dicono" *dichino* "dicano";

LESSICO

Fra le parole e le espressioni che, non essendo entrate nell'italiano comune, caratterizzano oggi la varietà regionale toscana ricordiamo:

acquaio	lavandino	*gota*	guancia
albero	pioppo	*grullo*	ingenuo, sciocco
anello	ditale	*il tocco*	ore tredici
appigionasi	affittasi	*infreddatura*	raffreddore
babbo	papà	*mesticheria*	negozio di vernici
balocco	giocattolo	*midolla*	mollica
bruciate	castagne arrostite	*moccichino*	fazzoletto da naso
cannella	rubinetto	*mota*	fango
cencio	straccio	*piattola*	scarafaggio
chiasso	vicolo	*pigione*	affitto
chicche	dolciumi	*pusigno*	sonnellino
diaccio	freddo	*quartiere*	appartamento
figliolo	figlio	*regio*	re (nelle carte da gioco)
gattoni	orecchioni	*sciocco*	poco salato

3.4. L'italiano regionale centrale: la varietà mediana

Con la denominazione 'varietà mediana' si indica la varietà di italiano parlata nell'Italia centrale, a esclusione della Toscana. Comprende il Lazio, l'Umbria, le Marche e ha come centro principale Roma. Dopo il Risorgimento – e dunque nel periodo di diffusione 'forzosa' della lingua unitaria in tutta la penisola – Roma ha goduto (e gode tuttora) dell'enorme prestigio che le è derivato non solo dalla sua storia passata ma anche dalla sua nuova funzione di capitale d'Italia. L'italiano d'impronta romanesca – non molto lontano, almeno nelle strutture fondamentali, dalla varietà toscana proposta come modello a tutti gli italiani – si è così diffuso in tutta l'Italia mediana, e si è fatto conoscere – e accettare – anche nel resto del paese.

La diffusione attiva ma soprattutto passiva – in altre parole, la conoscenza e l'accettazione – della varietà romana di italiano regionale conobbe un incremento notevole nel periodo fra le due guerre grazie al ruolo di assoluta centralità assegnato a Roma dal regime fascista, e divenne massiccia nel secondo dopoguerra, quando fu sostenuta da due potentissimi strumenti di diffusione della lingua: la radio (e poi, dal 1953, la televisione) e il cinema. Nel dopoguerra la maggior parte degli studi della RAI fu trasferita da Torino – dove era nata – a Roma, e a Roma si trovavano gli studi di Cinecittà: radio e cinema, divenute ben presto popolari in tutta Italia, parlavano in gran parte l'italiano di Roma, e nel cinema il romanesco – attenuato nelle sue forme più caratterizzanti proprio per essere compreso in tutta Italia – fu utilizzato ampiamente (a fianco del siciliano, del napoletano e occasionalmente di veneto e lombardo) per ottenere effetti di comicità, di (neo-)realismo, di facile caratterizzazione dei personaggi. Fra la seconda metà dell'Ottocento e la seconda metà del Novecento l'italiano di Roma fu dunque la varietà leader, dotata di una forza espansiva che non solo assicurava la copertura pressoché integrale dell'area mediana ma estendeva la sua connotazione di prestigio a tutta l'area centro-meridionale e, sia pure in forma attenuata, persino all'Italia settentrionale.

FONETICA

Fra i *caratteri specifici dell'area mediana* ricordiamo:
• la pronuncia scempia della vibrante doppia (o geminata): [bira] "birra" [tera] "terra";
• la pronuncia palatale della sibilante davanti a consonanti occlusive e nasali: [aʃpet:o] "aspetto", [ʃkat:a] "scatta", [ʒbaλ:o] "sbaglio", [ʒmetti] "smetti";
• la pronuncia prevalentemente sorda dell'affricata dentale: [prantso] (che in toscano si pronuncia [prandzo]), [rontsino] ([rondzino]).
Alcuni fenomeni appartengono *sia alla varietà mediana che a quella toscana*:
• il vocalismo tonico a sette vocali. La distribuzione di *e* e di *o* aperte e chiuse è però spesso diversa dal toscano: nell'area mediana si pronuncia [kolɔn:a] e ['let:era] mentre nell'area toscana si pronuncia, rispettivamente, [kolon:a] e ['lɛt:era];
• l'inserimento di una vocale epitetica in parole che terminano in consonante: [tram:e] e [bus:e];
• la pronuncia fricativa delle affricate palatali [tʃ] e [dʒ]: [pjaʃɛre] e [ʒɛnte];
• la pronuncia affricata della sibilante dopo *n, r, l*: [pentso], [kortso].
Altri tratti, infine, appartengono *sia alla varietà mediana che a quella meridionale*:
• l'allungamento delle consonanti [b] e [dʒ] in posizione intervocalica: [rɔb:a] ['fradʒile];
• il rafforzamento fonosintattico della consonante in inizio di parola: [la b:arka] [a t:orino];
• la realizzazione sempre sorda della sibilante in posizione intervocalica: [rosa] e [viso] in corrispondenza del toscano – e settentrionale – [roza] e [vizo];
• l'apocope dei nomi personali, quando sono usati – nel registro famigliare – come appellativi: [do't:o] "dottore!", [al'bɛ] "Alberto!", [an'to] "Antonio!".

MORFOSINTASSI

Il tratto generalmente sentito come tipico dell'italiano regionale di base romana è costituito dal suffisso *-aro*. Discende dal latino -ARJU e indica mestieri, attività, qualità – per lo più negative – di una persona. Grazie alla sua vitalità e alla sua alta produttività ha dato luogo sia a varianti diatopiche (med. *benzinaro*, sett. *benzinaio*) che a veri e propri tipi lessicali autonomi, che non hanno corrispondente in altre aree, dove si sono diffusi anche se sono per lo più percepiti come 'romaneschi': *palazzinaro, borgataro, pallonaro* "fanfarone", *pataccaro* "imbroglione".

Altri tratti *specifici dell'area mediana*:

• uso del *che* enfatico nelle frasi interrogative: *che, mi presti cento euro?* (questo tratto è ora connotato come diastraticamente 'basso' all'interno della stessa parlata romanesca);

• uso di *a* per *in* nei complementi di stato in luogo: *abita a via Arenula*;

• uso di *da* dopo il verbo *dovere*: *mi deve da dare un sacco di soldi*.

Sono molto numerosi i fenomeni che appartengono *sia alla varietà mediana che a quella meridionale*, tanto che molti studiosi preferiscono non distinguere fra queste due varietà e parlare genericamente di italiano centro-meridionale. Tra i fenomeni comuni a tutta l'Italia centro-meridionale si annoverano:

• collocazione dell'aggettivo possessivo dopo il nome a cui si riferisce: *la paura mia, il quaderno tuo*;

• uso di *mia, tua, sua* concordati con sostantivi maschili plurali: *sono fatti tua!*;

• uso del cosiddetto 'oggetto preposizionale', cioè aggiunta di una preposizione al complemento oggetto, dopo un verbo transitivo: *hanno investito a sua sorella, ho chiamato a te!*;

• resa dell'aspetto durativo del verbo con costrutti particolari, come: *stai ancora a scrivere?* "stai ancora scrivendo?", *stava a dire* "stava dicendo";

• uso della costruzione *che* + verbo + *a fare* nelle interrogative, in luogo del *perché*: *che ridi a fare?* "perché ridi?".

LESSICO

Fra i termini di larga circolazione in Italia ma tuttora connotati come 'romaneschi' ricordiamo:

fesso	stupido	*scostumato*	maleducato
inghippo	inganno, imbroglio	*zompare*	saltare
borgata	quartiere di periferia	*pizzardone*	vigile urbano
caciara	confusione, cagnara	*pizzicarolo*	salumiere
capoccia	testa	*scafato*	scaltro
fregnaccia	fandonia, sciocchezza	*sfondone*	erroraccio
magnaccia	protettore, ruffiano	*tombarolo*	chi viola tombe
pennichella	sonnellino pomeridiano		alla ricerca di
pischello	ragazzo inesperto		reperti archeologici

3.5. L'italiano regionale meridionale

L'italiano regionale meridionale ha come centri egemoni Napoli, sul versante tirrenico, e Bari, su quello adriatico. Comprende anche la sottovarietà meridionale estrema (Puglia meridionale o Salento, Calabria centro-meridionale e Sicilia), che ha un sostrato dialettale diverso.

FONETICA

Molti tratti che caratterizzano l'area meridionale vanno in realtà classificati come centro-meridionali, in quanto sono presenti anche nell'area mediana (cfr. § 3.4.). Fra quelli specifici dell'italiano regionale meridionale segnaliamo:

• il frequente passaggio delle vocali atone [e] ed [o] – soprattutto finali – a indistinta: *panǝ e salamǝ*;

• la realizzazione dei dittonghi [je] e [wo] come se fossero ['ie] e ['uo]: *piede* e *buono* sono pronunciati ['piede] e ['buono] (con accento rispettivamente su *i* e *u*);

• inserimento della semivocale [j] dopo le consonanti palatali: [tʃjeko] (o [tʃieko]), [ʃjendza] (o [ʃiendza]), voλjæmǝ "vogliamo";

• la palatalizzazione di [a] tonica in sillaba libera (si verifica sul versante adriatico, sino alla Puglia centrale): *Bari* e *mare* sono pronunciati [bæri] e [mærǝ];

• la realizzazione sonora delle affricate sorde [ts] e [tʃ], soprattutto dopo *l* o *n*: [aldza], [kandzone] (ma si dice anche [gradz:je] e [servidzjo]), [vindʒendzo], in corrispondenza della sorda delle altre varietà, nelle quali si pronuncia [altsa], [kantsone], [gratsje], [servitsjo], [vintʃentso];

• la realizzazione sonora delle occlusive sorde dopo nasale: [aŋge] "anche", [kambo] "campo", [kwando] "quanto";

• la palatalizzazione delle sibilanti davanti a consonante: [kweʃto], [ʃpoλa], [maʃkjo];

• la realizzazione mediante consonante retroflessa dei gruppi [tr] [dr] [str]: [ʈɽe] "tre", [ve'ɖɽo], [ʃʈɽada]. È un tratto tipico dell'area meridionale estrema (Sicilia, Calabria, Salento);

• la realizzazione lunga di [r] iniziale: [r:ana] [r:esta] (area meridionale estrema; specialmente Sicilia);

• la realizzazione 'aspirata' delle occlusive sorde quando sono precedute da nasale o sono lunghe: [anthiko], [ap:hena], [pak:ho], [tut:ho] (Salento).

MORFOSINTASSI

Anche per la morfosintassi l'area mediana e quella meridionale hanno molti tratti in comune (cfr. § 3.4.). Fra quelli specifici dell'italiano regionale meridionale ricordiamo:

• l'impiego transitivo di molti verbi intransitivi, per lo più verbi di moto come *salire, scendere, entrare, uscire*: *devo ancora salire la spesa*, *ho sceso la bici in cortile*, *sbrigati a entrare il cane*, *non uscire il bambino*;

• l'uso del participio passato in dipendenza da *verba voluntatis*: *vorrei spiegata meglio la lezione*;

• l'uso dell'imperfetto congiuntivo al posto del presente: *digli che andasse* "digli che vada", *mi facesse il piacere!* "mi faccia il piacere!";

• l'uso della preposizione *senza* come avverbio di negazione, davanti a participi passati: *ho lasciato il letto senza fatto, mi piace l'insalata senza condita*;

• l'uso del congiuntivo e del condizionale, nel periodo ipotetico, diverso da quello previsto nello standard: *se direi farei, se direi facessi, se dicessi facessi* "se dicessi farei";

• uso del Voi come pronome di cortesia *dottore, voi cosa ne pensate?*

LESSICO

Sono entrati nell'italiano comune, ma conservando una più o meno forte connotazione meridionale, vocaboli come:

acchiapparsi	litigare	*pastetta*	imbroglio
buttare	versare	*pezzullo*	articolo breve di giornale, di argomento 'leggero'
cacciare	mandar fuori		
caffè lento (di area siciliana)	caffè lungo	*pittare*	dipingere
		putipù (di area campana)	strumento musicale
calzone	specie di pizza chiusa e ripiena	*rimanere*	lasciare
		scarrozzo	passo carrabile
cancellata (di area abruzzese)	dolce a forma di cancello	*sciara (di area siciliana)*	magma fuoruscito e solidificato
carnezzeria (di area siciliana)	macelleria	*scorno*	vergogna
		scugnizzo (di area campana)	ragazzo
ciuccio	asino		
coppola	berretto	*sfizio*	spasso, divertimento
corto	basso	*sfogliatella (di area campana)*	dolce di pasta sfoglia
creatura (di area campana)	bambino		
faticare	lavorare	*sgarrupato (di area campana)*	fatiscente
iettatura (di area campana)	malocchio		
		stare	essere
imparare	insegnare	*tenere*	avere
inguacchio	pasticcio	*tovaglia (di area siciliana)*	asciugamano
lampascione	cipollaccio col fiocco		
		tratturo (di area abruzzese)	ampio sentiero utilizzato per la transumanza
magliaro (di area campana)	truffatore		
		trullo (di area pugliese)	abitazione tipica a forma di cono
mo	ora, adesso		
non è cosa	non si può, non ne vale la pena		

3.6. L'italiano regionale sardo

Tra le varietà 'minori' di italiano regionale quella sarda presenta caratteristiche peculiari – al livello fonetico e morfosintattico – che non consentono di assimilarla a nessuna delle tre varietà 'maggiori'. Elenchiamo i tratti più rilevanti.

FONETICA

Fra i caratteri distintivi ricordiamo soprattutto gli allungamenti consonantici, che riguardano:

• le consonanti occlusive sorde dopo vocale tonica: [amik:o], [pok:a], [andat:o], [kolpit:o], [kap:o], [pap:a] ("amico", "poca", "andato", "colpito", "capo", "papa");

• le consonanti occlusive sonore, e la [z] quando sono iniziali di sillaba tonica: [la b:arka], [kad:eva], [ko'z:i] "così";

• le consonanti palatali [tʃ] e [dʒ] dopo vocale tonica: [amitʃ:i], [randadʒ:i];

• la vibrante in posizione iniziale: [la r:otʃ:a] "la roccia" (tratto presente anche nel siciliano: vedi sopra);

• le fricative labiodentali [f] e [v] in posizione intervocalica: [af:ozo] "afoso", [av:ev:a] "aveva".

MORFOSINTASSI

L'italiano di Sardegna al livello morfosintattico è caratterizzato da questi tratti:

• i verbi occupano la posizione finale della frase, soprattutto nelle frasi interrogative: *la mamma hai visto?* "hai visto la mamma?", *la casa ti sei comprato?* "ti sei comprato la casa?". La regola vale anche per gli ausiliari e per la copula: *mangiato hai?* "hai mangiato?", *pronto sei?* "sei pronto?". Questo tratto è diffuso anche in Sicilia;

• il gerundio, quando esprime un aspetto durativo, non si costruisce con *stare* ma con *essere*: *sono mangiando* "sto mangiando", *era scrivendo* "stava scrivendo";

• quando l'infinito ha valore di participio presente è sostituito dal gerundio: *l'ho visto correndo* "l'ho visto correre";

• *stare* + gerundio non ha lo stesso valore aspettuale dello standard: *sto arrivando* non significa "arrivo ora, mentre parlo" ma "sto per arrivare, tra poco arriverò" e *sto partendo* non vuol dire "in questo momento parto" ma "mi accingo a partire, partirò tra poco".

LESSICO

Come accade per tutte le varietà 'minori', anche in questo caso si riscontrano pochissimi termini propriamente attribuibili all'italiano regionale sardo. Si tratta per lo più di 'prestiti di necessità' alla lingua italiana, designanti prodotti alimentari e artigianali, manufatti, flora, fauna e istituti giuridici specifici dell'isola: *launeddas* "strumento musicale a fiato", *nuraghe* "costruzione preistorica a tronco di cono", *orbace* "tessuto di lana grezza, usato soprattutto per le vesti dei pastori", *barracello* "guardia campestre", *cussorgia* "concessione di terre incolte destinate al pascolo", *ademprivio* "uso collettivo del pascolo", *guefus* "dolci di mandorla", *orziadas* "attinie".

Sono traduzioni dal dialetto: *brutta voglia* "nausea", *odore* "emanazione sgradevole", *leggio* "brutto", *meschino* "poveretto, colpito dalle avversità", *sfrosare* "contrabbandare".

4. L'italiano attraverso la società

La variazione diastratica[1] è legata alla diversità degli strati sociali a cui appartengono i parlanti, e a fattori sociali specifici come il grado d'istruzione, la professione, l'età, il sesso.

4.1. Italiano colto e popolare

Se consideriamo la lingua in relazione all'istruzione, possiamo dire che sull'asse della variazione si collocano ai due estremi, rispettivamente, l'italiano colto e l'italiano popolare, e che lungo l'asse si succedono varietà intermedie, che sfumano l'una nell'altra.

Ogni parlante nelle sue produzioni linguistiche fa delle scelte fra varianti collocate su punti diversi di questo asse. Il parlante con un livello di istruzione superiore utilizzerà tendenzialmente le varietà 'alte', cioè quelle più vicine al polo dell'italiano colto, mentre un parlante con un basso livello di istruzione utilizzerà tendenzialmente varietà 'basse', vicine all'italiano popolare. Questo induce a pensare che l'aumento del livello medio di scolarità avvenuto nell'ultimo secolo abbia portato al progressivo abbandono delle forme 'basse' in favore di quelle colte, o quanto meno dell'italiano 'medio'. In realtà, almeno per i parlanti istrui-

[1] Anche il termine *diastratico*, composto da *dia* "attraverso" e *strato*, è stato coniato da Coseriu (1973).

Istruzione, livello professionale, strato sociale

Come si stabilisce a quale strato sociale appartiene un parlante? Il problema non è facile. L'indicatore tradizionale in una società tendenzialmente stazionaria – com'era ad esempio la società italiana fino alla metà del secolo scorso – era costituito dal reddito, ma nella situazione attuale di forte mobilità sociale, dovuta al rapido cambiamento delle condizioni socioeconomiche di molti strati della popolazione e alla modifica del concetto stesso di strato sociale, non è più possibile stabilire una correlazione semplice e diretta fra reddito e comportamento linguistico: bisogna introdurre anche altre variabili significative. Oggi si considerano indicatori attendibili dello strato sociale di appartenenza il livello di istruzione e l'occupazione lavorativa, o meglio la posizione occupata dal lavoratore all'interno della sua professione.

Per mettere in relazione scelte linguistiche e strato sociale di appartenenza, in sociolinguistica si usa spesso l'indice di Havighurst, che è dato dal prodotto dei due indicatori: il livello d'istruzione e il livello professionale. Si attribuisce a ogni livello di istruzione un punteggio convenzionale, crescente (ad esempio: analfabeta 1, terza elementare 2, quinta elementare 3 e così via), si fa lo stesso per l'occupazione lavorativa, dopo aver raggruppato le attività in 4 o 5 livelli professionali (ad esempio: livello 1 lavori saltuari, domestica, lavandaia, manovale, operaio non specializzato, livello 2 contadino ecc.). Ogni individuo viene collocato sulle due scale, poi si calcola l'indice secondo la formula:

istruzione x 2 + livello professionale x 3.

È un indice poco preciso ma facilmente utilizzabile e dotato di un discreto grado di affidabilità.

ti, «questa evoluzione non si è realizzata in maniera lineare verso modelli di lingua sempre più immuni da tratti substandard e sempre più vicini alla 'norma' quanto maggiore è il grado di istruzione del parlante» (Coveri, Benucci e Diadori 1998: 96). Infatti, molti parlanti colti continuano a utlizzare, anche in situazioni formali (conferenze stampa, discorsi in pubblico) pronunce marcatamente regionali e tratti morfo-sintattici che risentono del sostrato dialettale d'origine.

Questa situazione può attribuirsi, fra l'altro, al tardo processo di italianizzazione del nostro paese a alla forte differenziazione areale.

▶▶ 4.1.1. Italiano colto

L'italiano colto, parlato e scritto dalle persone che hanno un'istruzione medio-alta, è stato spesso identificato con l'italiano standard. Infatti, «non può essere descritto in termini di una serie di tratti caratterizzanti, in quanto coincide

grosso modo con l'italiano cosiddetto standard, con la 'buona lingua media'»
(Berruto 1993b: 68). 'Grosso modo', appunto: in realtà l'italiano colto da una
parte ha i caratteri dell'italiano normativo (cfr. § 2.1.), dall'altra subisce spesso
interferenze dalla fonetica regionale, anche se non in modo marcato come avviene presso gli strati sociali 'bassi': si parla in questo caso di «italiano regionale colto medio» (Berruto 1987: 23).

▶▶ 4.1.2. Italiano popolare

Il concetto di italiano popolare, introdotto da Tullio De Mauro e Manlio
Cortelazzo[2] negli anni Settanta del secolo scorso[3] è stato più volte ripreso e discusso. In questa sede assumiamo la definizione di Berruto: «quell'insieme di
usi frequentemente ricorrenti nel parlare e (quando sia il caso) nello scrivere di
persone non istruite e che per lo più nella vita quotidiana usano il dialetto, caratterizzati da numerose devianze rispetto a quanto previsto dall'italiano standard normativo» (Berruto 1993b: 58).

L'italiano popolare non deve essere confuso con l'italiano sub-standard, anche se essi presentano tratti in comune[4]. Cominciamo con l'esaminare due testi
scritti:

dopo mi butto fuori di Casa solo Com ero vestito minevato con la fitanzata e anche
lei Con il proprio vestito, il Padre mi voleva ammazzare che lui era un Bricande ma
siamo fuggiti a una Casetta di Campagna che c'èrano topi e pulci dopo unpo la mia
sorella mie dato un lettino e detto alla Moglie atesso dobbiamo lavorare per noi la-
vorammo Come matti nei Compi la Raccolta ci è aiutata (Rovere 1977: 188);

Preg.mo Rettore Dell'Università Agli Studi di [...], sono il Sig. [...] concorren-
te per il Concorso di Bidelli presso codesto Università spedito il [...], tutta la mia
documentazione, con Racc. N° 8649 – essendo conseguito il titolo di Studio il Di-
ploma di 3ª Media, che quì allega, con un certificato di nascita della nascita del-
l'altra figlia [...] – come giustifica il certificato di nascita, ora sono Tre figli e moglie
a carico, che Le invio affinché possa rinnovare il mio punteggio (Grassi, Sobrero e
Telmon 1997: 160-61).

---

[2] Le due definizioni sono in parte differenti: De Mauro, mettendo in rilievo l'imperfetta acquisizione delle norme della lingua italiana da parte di chi è poco istruito, sostiene che è «il modo di esprimersi di un incolto che, sotto la spinta di comunicare e senza addestramento, ma-
neggia quella che ottimisticamente si chiama la lingua nazionale» (De Mauro, 1970: 49), mentre Cortelazzo, evidenziando piuttosto gli effetti della quotidiana consuetudine del semi-colto
con il dialetto, lo definisce come «il tipo di italiano imperfettamente acquisito da chi ha per ma-
drelingua il dialetto» (Cortelazzo 1972: II).

[3] Anche se non dobbiamo dimenticare che il primo studio fu condotto subito dopo la prima guerra mondiale da Leo Spitzer sulle lettere dei prigionieri di guerra italiani (Spitzer 1922).

[4] Ricordiamo che il sub-standard comprende tutte le varietà che nell'asse della variazione
si collocano al di sotto dello standard, ossia presentano tratti del parlato, dell'italiano popolare,
dell'italiano colloquiale, delle varietà regionali, usati nell'italiano informale, quotidiano ecc.

Si nota dai due esempi una testualità 'zoppicante', priva di coesione, costituita da frasi coordinate ad accumulo, con un uso non 'normativo' della punteggiatura, dei segni diacritici (*c'èrano*, *quì*) e delle maiuscole (*Casa, Com, Casetta di Campagna, Moglie, Come, Compi la Raccolta, Concorso, Studio, Tre*), la mancata suddivisione delle parole (*minevato, unpo*), il *che* polivalente (*una Casetta di Campagna che c'èrano topi*), la resa grafica di pronunce dialettali (*fitanzata, atesso*) e delle corrispondenti forme ipercorrette (*Bricande*) ecc.

MACROSINTASSI E ORGANIZZAZIONE TESTUALE

I testi orali dell'italiano popolare sono caratterizzati da false partenze, riformulazioni, cambi di progettazione, correzioni, ripetizioni, passaggi dal discorso diretto all'indiretto, usi non-standard di congiuntivo e condizionale, tutti tratti tipici dell'oralità che transitano nello scritto dei parlanti semi-colti.

Inoltre, li caratterizzano le topicalizzazioni, gli anacoluti: *le lezioni, poi ogni maestra fa come vuole*; *io, la birra non mi piace*; e i *che* polivalenti: *ti ricordi quel libro che te ne ho parlato?*; *sono persone che non ci puoi ragionare molto*.

MORFOSINTASSI

Per la morfologia ricordiamo:
- la concordanza a senso: *la gente dormivano*; *un sacco di persone parlavano*;
- la ridondanza pronominale: *è proprio suo di loro, a me mi piace*; *fagli gli auguri a papà*;
- sostituzione di *ci* con *si*: *noi si prepariamo e veniamo*;
- *ci* utilizzato per il dativo femminile e maschile al posto, rispettivamente, di *le* e *gli*: *ci dico tutto*; *ieri ci ho fatto un favore*; o *le* al posto di *gli*: *non le* (al marito) *dico niente*, e l'uso di *li* per *gli*: *li ha dato da mangiare al cane*;
- semplificazioni verbali, di solito per regolarizzazione analogica: *noi potiamo, parlevamo, dicete, facete, fecimo, vorrei che mi dasse un'informazione*; *vadi pure avanti*;
- semplificazioni nominali, anch'esse per regolarizzazione analogica: *moglia, camione*;
- scambi di preposizione: *vengo a pomeriggio, è brava di scrivere, preferisco di rimanere a casa*;
- uso dell'aggettivo al posto dell'avverbio: *a me fa male uguale*;
- estensione degli articoli *un, il, i* davanti a *z* e *s* preconsonantica: *ho comprato un zaino nuovo; vuoi il zucchero?; sono stato su i scogli*;
- *che* ridondante, rafforzativo di congiunzioni: *siccome che, mentre che, quando che*;
- comparativi e superlativi di aggettivi e avverbi irregolari: *è proprio il più migliore, sto più meglio in piedi; è molto bellissimo*;
- metaplasmi di genere: *il febbro* per "la flebo", *le reume* per "i reumatismi", *la diabete* per il "diabete".

L'involontaria comicità dei malapropismi

Ecco alcuni esempi di malapropismi registrati presso il centralino di un ospedale di Reggio Emilia:

Vorrei la cassa dei *tic* (ticket)
Mi passa la lunga *decenza* (degenza)
Mi passa dove fanno le visite per la *prostituta* (prostata), reparto uomini
Vorrei parlare con un *decente* (degente)
Vorrei fare una *ecologia* (ecografia) alla mammella
Mi passa il *poliminatorio* (poliambulatorio)
Vorrei parlare con la radiologia che usano i *topi* (radioisotopi)
Quanto vuole per un *cefalogrammo* (encefalogramma)?
Vorrei la camera *al dente* (ardente)

(da Coveri, Benucci e Diadori 1998: 114)

LESSICO

Il lessico dei testi in italiano popolare è caratterizzato da un uso frequente di termini generici: *ho trovato un sacco di quelle cose, che costano un tanto al chilo*; *le carte* "i documenti'; *ho tanta di quella roba*; *c'è un affare là, prendimelo*.

All'interno di un lessico nel complesso povero sono relativamente numerose le espressioni mutuate dalla lingua della burocrazia e i tecnicismi: *conseguire il titolo di studio, presso codesto ufficio, socializzare*.

Inoltre, si fa un uso di suffissi e prefissi più frequente che nello standard (*casina, casetta, sorellina, superbello, arcibello*) e di denominali a suffisso zero: *la spiega, la giustifica, la dichiara*.

Le parole difficili vengono semplificate per essere assimilate a forme più famigliari (si dà così luogo a paraetimologie, o malapropismi): si può trovare *comprativa* per *cooperativa*, *frebbite* per "flebite", *celebre* per "celibe", *calendule* per "calende" ecc.

Risulta molto frequente l'affiorare di regionalismi: *mi fa male la mola* "il molare", *devi scasare* "sloggiare" (it. reg. merid.), *vultin* "aratro", *chiamare* "domandare" (it. reg. piemontese).

FONOLOGIA

I testi prodotti in italiano popolare presentano accentazioni non 'normative' (*rùbrica* per "rubrìca"), vocali epitetiche all'interno di gruppi consonantici difficili (*pissicologo, arittimetica*). Ma i tratti che caratterizzano la fonetica sono soprattutto le pronunce regionali marcate verso il basso. Due esempi. A Bergamo si trovano la realizzazione fricativa delle affricate: *tersa* per "terza", *zio* [in grafia fonetica] per "zio"; la resa semiconsonantica della laterale alveolare intervocalica: *dzor'naji* per "giornali", *'pikoji* per "piccoli"; la resa molto aperta delle vocali aperte: *'pæʃka* per [pɛska], *'mɑlta* per [mɔlta] (Berruto 1987: 558-62). A Lecce troviamo la realizzazione cacuminale delle dentali sorde nel nesso *tr*: *kwaʈːʈo*, *sʈʈada*; la realizzazione sonora delle affricate sorde: *stadzjɔne*, *koladzjɔne*; la pronuncia aspirata delle occlusive sorde: *kwantho*, *voltha*.

4.2. Gerghi

Un'altra varietà di lingua legata alla stratificazione sociale è il gergo. Il gergo si basa su «trasformazioni convenzionali delle parole d'una lingua o d'uno o più dialetti, con inserzioni di elementi lessicali esotici o di nuovo conio», ed è usato «da chi appartiene a determinati gruppi professionali, come ad es. girovaghi, o gruppi sociali, come ad es. sette religiose o politiche, malviventi, carcerati ecc., allo scopo di garantire l'identità di gruppo e di non farsi intendere da coloro che ne sono estranei» (De Mauro *s.v.*).

Nati – a quanto sembra – nel Medioevo con il diffondersi in tutta Europa di schiere immense di mendicanti e di vagabondi, i gerghi si diffusero in particolare nei secoli XVI e XVII. La parola deriva dal francese antico *jergon* che in origine significava "cinguettìo, lingua degli uccelli" e passò poi a significare "lingua dei malfattori", a partire dal XV secolo.

Si è a lungo discusso sulla motivazione reale dei gerghi, e per lungo tempo è prevalsa la tesi che i gerganti li usassero per non farsi capire dagli altri, cioè dagli estranei al gruppo (finalità *criptolalica*). Questa spiegazione però era convincente solo se la si applicava a sette segrete, a bande di malfattori, a carcerati, che potevano essere interessati a una comunicazione criptica; non lo era altrettanto per gruppi di mestiere come gli ombrellai o gli arrotini, che in generale non hanno segreti da nascondere. Oggi si contempera la spiegazione della segretezza con quella – più fondata, e più convincente – della riaffermazione della solidarietà di gruppo attraverso un 'codice interno', sconosciuto ad altri. La prova di questa funzione primaria è data dal fatto che i gerghi vengono utilizzati non solo in presenza di estranei ma anche all'interno delle famiglie e dei piccoli gruppi, in assenza di estranei, utilizzando un lessico di base che ricopre tutte le esigenze della vita quotidiana (*arto* "pane", *candela* "sole", *brodo* "pioggia").

In altre parole il gergo non è una lingua oscura, utilizzata per fini criptolalici, ma una lingua diversa, usata da chi sta ai margini della società per distinguersi dagli altri, gergalmente designati con il termine *gagi*[5]. È impropria, e

---

[5] Termine che dallo zingaro *gagiò* è passato anche nei dialetti settentrionali, dove ha preso il significato di "sciocco, sempliciotto".

dunque va evitata, l'estensione del termine a indicare lingue specialistiche e settoriali, come ad esempio 'gergo medico' per indicare la lingua specialistica dei medici (cfr. § 6.2.1.1.): in questo caso 'gergo' è usato metaforicamente, partendo dalla convinzione che il gergo sia nato con intenti criptici e dall'osservazione che i medici usano termini non comuni, che la gente non capisce. In realtà, neppure le lingue specialistiche – come quella della medicina – hanno fini criptici, ma come il gergo – anche se per altri motivi – non sono comprese da coloro che sono estranei al gruppo che le usa.

Chi sono i gerganti 'storici' (o meglio chi erano, visto il progressivo decadere della gergalità di mestiere)? Sono i mendicanti, i furfanti, gli imbonitori, i cantastorie e molti di coloro che nelle civiltà contadine svolgevano un lavoro temporaneo, stagionale: arrotini, ombrellai, spazzacamini, bottai, facchini, cordai.

CARATTERISTICHE LINGUISTICHE DEL GERGO

I gerganti fanno uso fondamentalmente della fonetica e della grammatica del dialetto o della lingua locale a cui si appoggiano.

Per quanto riguarda il *lessico* si può dire che c'è un lessico comune a tutta l'Italia e a buona parte dei gerghi diffusi negli altri paesi europei: l'*argot* in Francia, il *Rotwelsch* in Germania, il *cant* in Inghilterra, la *germania* e il *calò* in Spagna. Accanto a forme arcaiche come *arto* (dal greco *àrtos*) "pane", questo lessico comune registra molti prestiti da altre lingue, come dal tedesco: *fieri* "quattro" < *vier*, *fraula* "donna" < *Fräulein* "signorina", *spillare* "giocare" < *spielen*; o dall'arabo: *zaraffo* "complice", *gaffa* "guardia", *zaffi / zaffrani* "sbirri". Molte parole, come *slenza* "acqua", provengono dalle lingue degli zingari.

La *morfosintassi* del gergo presenta queste peculiarità:

• il pronome personale viene espresso con l'aggettivo possessivo, una parola 'vuota' (con il valore di 'persona' o simile) e il verbo alla terza persona. «Per esempio, nel gergo dei calderai della Val Cavargna *ul me vél* (letteralmente "il mio velo", con *velo* che in gergo vale "corpo", quindi "il mio corpo") significa "io", *ul to vél* "tu", *ul so vél* "lui", ecc., *dul me vél* "mio, di me", ecc.; quindi *ul me vél al cùbia* significa "io dormo" (in gergo *cubiàr* "dormire") [...]; gergo degli ombrellai del Vergante *ol me tona* "io"; gergo dei malviventi veronesi *el me igi* "io"; gergo degli ambulanti e girovaghi fiorentini *mivisi* "io"; gergo palermitano *me isa* "io"; gergo bolognese *al mi mèdiz* "io"; gergo dei calderai della Val di Sole *el me òden* "io"» (Sanga 1993: 161);

• costruzione della negazione con *bus*, *buschia* (e varianti) "niente" posposto: bergamasco *impeltre bös* "non capisco";

• negazione realizzata con parole di vario conio inizianti con *n-*: *nisba*, *nicolò*, *nieti*. È interessante, e per molti versi paradigmatica, la trafila di *nisba*, probabilmente costruito sul tedesco *nichts* "niente", entrato nel lessico gergale e di qui, recentemente, travasato nel parlato colloquiale scherzoso: *gli ho chiesto una sigaretta ma: nisba!*;

• affermazioni realizzate con parole di vario conio inizianti con *s*-: *sedeci*, *siena*, *sibo*;

• uso frequentissimo, anzi caratterizzante, di suffissi:

– -*oso*: *fangose* "scarpe", *polverosa* "farina", *verdosa* "erba"

– -*engo*: *fratengo* "buono", *berlengo* "tavolo"

– -*aldo*: *rufaldo* "ladro", *grimaldo* "vecchio"

– -*ardo*: *bernarda* "notte", *scanfarde* "scodelle"

– -*one*: *birba* / *birbone*, *baro* / *barone* "vagabondo"

• desuffissazione: *pula* "polizia", *caramba* "carabinieri";

• metatesi (cioè: inversione di suoni all'interno della parola): *antefo* per *fante* col significato di "servo", *aronte* per *artone* col significato di "pane".

Per la *fonetica* ricordiamo le caratteristiche principali:

• inserimento di *r* o *l*: *cospa* / *crospa* "casa", *coca* / *cocla* "noce", *paltone* / *poltrone* "vagabondo, marginale", *pelanda* / *pelandra* "mantello";

• scambio delle velari *k* e *g* con *t* o con *p*, *b* o *f*: *crusca* / *trusca* "elemosina", *calchi* / *balchi* "occhi", *strocca* / *stroppa* "prostituta", *morchì* / *morfire* "mangiare";

• scambio tra vocali *i* / *u* e *i* / *a*: *rif* / *ruffo* "fuoco", *turingu* / *tiringu* "formaggio", *bisca* / *busca* "legnetto, filo di paglia", *spiga* / *spago* "paura"[6].

Oggi molti dei gerganti, lavoratori delle valli alpine (arrotini, spazzacamini, ombrellai), della pianura (cordai, muratori) e girovaghi e cantastorie, sono ormai scomparsi. Il gergo resiste ancora in pochi ambienti: presso i circensi, i giostrai, gli imbonitori (che recentemente hanno avuto largo spazio in TV) e i malavitosi. Del gergo di questi ultimi si sa poco perché è difficile entrare in contatto con loro e superare la radicata diffidenza delle possibili fonti per ogni forma – sia pure 'innocua' – di interrogatorio.

Alcune voci e alcuni meccanismi di neoformazione del gergo sono comunque penetrati nei registri 'bassi' della lingua: nell'italiano popolare, nel rock, nella lingua dei giovani.

4.3. Varietà giovanili

La questione relativa alla definizione del linguaggio dei giovani è molto dibattuta: alcuni lo definiscono gergo riferendosi all'asserita finalità criptolalica dei gerghi, ma questa finalità – nelle varietà giovanili come nei gerghi – se è presente è certo meno caratterizzante di altre. In realtà il linguaggio giovanile, co-

[6] Tutti gli esempi di questo paragrafo sono stati tratti da Sanga 1993.

me quello militare o quello studentesco, ha in comune con i gerghi 'storici' solo alcuni termini e l'ambiente (la strada, la piazza, occasionalmente il bordello, la malavita). Le sue finalità costitutive sono: *a*) ludiche, *b*) di rafforzamento della coesione al gruppo, *c*) di contrapposizione agli altri gruppi. Alcuni preferiscono chiamarlo 'gergo transitorio' perché è parlato presso determinate fasce d'età (giovani) e in particolari situazioni (allontanamento da casa per il servizio militare o per motivi di studio) destinate a evolversi in breve tempo.

In ogni caso il termine 'gergo' è improprio, perché il carattere specifico delle varietà giovanili è il gioco, che è del tutto secondario nei gerghi. La 'stranezza' e l'incomprensibilità fanno parte del gioco, anzi sono subordinate a quella che sembra la funzione prevalente: la *funzione ludica*.

Le varietà giovanili sono mutevoli, inafferrabili, eludono ogni forma di classificazione, perché ogni volta che si tenta di fissare una forma questa diventa ben presto obsoleta. Sono influenzate, oltre che dalla situazione comunicativa, anche dalla provenienza geografica (un giovane di un paesino della provincia di Napoli si esprimerà con i suoi coetanei in maniera diversa da un altro che vive a Milano) e dall'estrazione sociale: la varietà giovanile che si riscontra presso il ceto medio è diversa da quella degli emarginati, e questo non dipende solo dai differenti modelli di riferimento, ma anche dalla diversa visione del mondo. Inoltre varia al variare delle generazioni e dei loro gusti: la musica, i divi, i siti Internet. In definitiva, date queste caratteristiche di instabilità e di transitorietà, non si può dire che esista un linguaggio giovanile unico: esistono invece tante varietà giovanili, in gran parte diverse nel lessico ma accomunate da regole di acquisizione, formazione e trasformazione delle parole, che essendo alla base di tutte le varietà ne costituiscono, in fondo, la struttura portante, la vera identità linguistica.

LESSICO

A livello lessicale in tutte le parlate giovanili si riscontrano – sia pure in percentuali variabili – sei componenti:
1) una base di italiano colloquiale informale;
2) uno strato dialettale;
3) uno strato gergale 'tradizionale';
4) uno strato gergale 'innovante';
5) uno strato proveniente dalla lingua della pubblicità e dei mass-media;
6) uno strato proveniente da lingue straniere.

1) All'italiano colloquiale i giovani attingono in maniera considerevole, costruendo con esso lo strato più resistente all'innovazione. Infatti termini come *cagare, cagata, casino, cazzo, goduria, palla, pompare, sbattere, sgamare, sparare* e iperboli come *bestiale, allucinante, pazzesco* sono ampiamente documentati tanto nelle varietà giovanili quanto nelle varietà meno sorvegliate che caratterizzano le situazioni informali.

2) Forme dialettali non solo locali, ma anche provenienti da dialetti diversi – per esempio forme di torinese, milanese, genovese in città del Mezzogiorno – sono ricorrenti nei linguaggi giovanili, e sono legate sia ai complessi fenomeni delle nostre migrazioni interne sia alla rapidità di circolazione delle innovazioni presso i giovani, specialmente delle ultime generazioni, che dispongono di strumenti potenti di diffusione come la musica e Internet. Basti pensare al termine siciliano *abbummamento* utilizzato dagli Articolo 31, gruppo dell'hinterland milanese; o a termini come *appicciare, capa, minchia, lampascione*, di origine meridionale ma ben acclimatati anche in parlate giovanili settentrionali. La complanarità di italiano e dialetto ha come conseguenza naturale la presenza, nelle varietà giovanili, di *code-switching* e *code-mixing* (cfr. § 7.5.), che sono stati rilevati in numero più frequente presso gli ambienti alto borghesi e il proletariato delle piccole città.

3) Di solito le coniazioni dei linguaggi giovanili hanno vita effimera. Una parte del lessico è però costituita da forme che sono ereditate da varietà giovanili di generazioni precedenti: ad esempio, per l'area piemontese-lombarda (ma con diffusione sparsa in tutta Italia) hanno almeno mezzo secolo di vita termini come *ganzo, essere in paranoia, ciulare / fregare, fottere, aver culo, toppare*.

4) Alcune forme provengono dal gergo di caserma: *azionare, battere la stecca, bombardato, cazziare, massiccio*; altre dal gergo studentesco: ad esempio tutte le varianti lessicali per "marinare la scuola": *bigiare* (lombardo, attestato almeno a partire dal 1918), *far feria, fare sega, far sicilia, fare vela, nargiare*; altre ancora dal gergo della droga: *anfetaminico, flashare, intrippare, farsi una pera, sballo, sballare, schizzare*. Un apporto consistente viene fornito, di recente, dalla terminologia delle droghe leggere, soprattutto hashish e marijuana.

5) Questo strato è forse il più effimero, in quanto sopravvive di poco – di norma pochi mesi, al massimo qualche anno – alla durata della campagna pubblicitaria. Negli anni Novanta hanno conosciuto un larghissimo successo nei linguaggi giovanili: *silenzio! parla Agnesi!, più lo butti giù, più ti tira su, o così o pomì*, ora abbandonati. Oggi si possono citare espressioni come *di tutto di più* (dallo spot RAI), *videochiamami / videochiamala* ecc. Molti termini e molte espressioni sono mutuati da Internet: *sei connesso?* (attraverso la trasmissione televisiva *Zelig*), *resettare, chattare*.

6) La lingua dei giovani è ricca anche di *termini stranieri*, soprattutto anglismi e ispanismi (ma persino di latinismi e grecismi), di calchi e di pseudo-esotismi. I termini provengono soprattutto dalla musica rap: *baggy pantaloni* "pantaloni larghi a vita bassa", *bambascione* "babbeo", *prendere* "essere affascinato", *rocker* "persona tosta", *homeboy* "amico fraterno", *weeda* "marijuana, spinello". Altri termini sono inventati e hanno funzione ludica: *cucador* non esiste in spagnolo, ma ricalca forme come *matador* e *goleador; arrapescion* è rifatto sull'inglese *compilation*.

Per la formazione delle parole ricordiamo le frequentissime abbreviazioni, realizzate con aferesi e troncamenti: *prof*, *tele*, *fidanza*, *over* "overdose", *para*, *tranqui*, *fanculo*; le alterazioni: *appusto* "a posto", *figiata* "figata, che è bello, interessante", *togio* "togo, bello, interessante"; le suffissazioni in *-oso*: *palloso*, *sballoso*, *cagoso* e l'uso delle forme verbali in *-arsela*: *buttarsela*, *chiaccherarsela*, *pipparsela*, *tirarsela*.

Molto frequenti sono i *disfemismi* riferiti soprattutto alla sfera sessuale: *culo*, *scopare*, *scopata*, *sega*, *pizza* "persona noiosa" o "membro virile" (in area meridionale), *cazzo*.

Il lessico è anche fortemente caratterizzato dall'uso di molte figure retoriche. Sono frequenti le *metafore*: *cozza*, *scorfano* "ragazza brutta". Spesso le metafore proiettano sul linguaggio caratteri dell'ambiente in cui il parlante opera: in ambiente di fisici si possono sentire frasi come *spostiamoci tutti di pi greco, così ci vediamo meglio*, oppure *ho chiuso la finestra perché c'erano dei fotoni che davano fastidio*. Esempi di spostamenti di significato più generici, non legati a un ambiente specifico: *gasarsi* "darsi delle arie", *spararsi un disco, una sigaretta* "ascoltare un disco, fumarsi una sigaretta" (di lontana origine droghese). Non mancano termini *derivati*: *camomillati* "calmati", *allupato* "che ha forti pulsioni erotiche" ed *esclamazioni*: *che figata!*, *che cesso!*

VARIETÀ GIOVANILI E ITALIANO CONTEMPORANEO

Nonostante la volatilità del linguaggio giovanile, certe sue forme hanno tanto successo che riescono a perdere il carattere diagenerazionale e a entrare nell'italiano medio parlato. Espressioni come *fuori di testa* "matto, stordito", probabilmente su calco dall'inglese (*to be*) *out* (infatti si usa anche *essere out*), o *essere schizzato* "essere nervosissimo, manifestare comportamenti squilibrati", entrate nell'uso giovanile alla fine degli anni Ottanta, oggi ricorrono nell'italiano colloquiale. Ma anche i romaneschi *sgamare* "intuire, scoprire" e *paraculo* "persona che sa sfruttare le situazioni a proprio vantaggio" sono entrati nella lingua sub-standard, così come è avvenuto per altre espressioni e termini provenienti dalla malavita, dai mendicanti ecc.

Inoltre, il linguaggio dei giovani

• non solo asseconda ma in alcuni casi rinforza le tendenze dell'italiano contemporaneo: per esempio concorre all'incremento d'uso dei suffissi *-oso* e *-ata* (*figata*, *cagata*), che, come abbiamo visto, sono particolarmente produttivi nelle varietà giovanili;

• accelera il processo di accettazione e diffusione di termini stranieri o pseudo-stranieri: *flow* "flusso, corrente", *floppy* "fallimento", *flippare* "perdere il controllo", *hard* "duro".

Anche sugli altri livelli della lingua il linguaggio giovanile catalizza il processo innovativo dell'italiano. Viene senza dubbio dai giovani la spinta a far entrare nel parlato medio usi linguistici come:

Le parole del linguaggio giovanile

L'uso del linguaggio giovanile all'interno dei testi letterari è abbastanza recente e risale agli anni Novanta. Si ricordano *Jack Frusciante è uscito dal gruppo* (1994) di Enrico Brizzi, dove il protagonista Alex utilizza un linguaggio giovanile anni Settanta in cui abbondano disfemismi, termini stranieri, termini mutuati dalla musica, dialettalismi bolognesi, parole provenienti dal gergo della droga. *Gatti e scimmie* (2001) di Arnaldo Colasanti ripropone invece il linguaggio 'basso' e triviale di alcuni studenti romani. Valga l'esempio di alcune battute tra il professore e l'allievo Luca. Il professore commenta la poesia *Alba* di Caproni e al verso «Amore mio, nei vapori d'un bar» così interviene Luca: «Dicce pure che è l'alba... co' 'sto sonno. Ma perché dice nei vapori di un bar? Che già se facevano le canne?» (Colasanti 2001: 243). Di ambientazione torinese è il romanzo *Il paese delle meraviglie* (2004) di Giuseppe Culicchia. Nel romanzo entra tutto l'universo giovanile del '77 (politica, droga, terrorismo, discoteche), compreso il linguaggio.

I linguisti hanno tentato di catalogare i linguaggi giovanili attraverso la compilazione di dizionari. Contengono percentuali più o meno alte di lessico giovanile vocabolari come: *Dizionario di parole nuove 1964-1984*, di Manlio Cortelazzo e Ugo Cardinale (1986), *Dizionario del nuovo italiano: 8000 neologismi della nostra lingua e del nostro parlare quotidiano dal dopoguerra a oggi*, di Claudio Quarantotto (1987), *Peso vero sclero. Dizionario del linguaggio giovanile di fine millennio*, di Gian Ruggiero Manzoni (1997), *Scrostati gagio! Dizionario storico dei linguaggi giovanili*, di Renzo Ambrogio e Giovanni Casalegno (2004).

Non è rimasto indifferente neppure il nuovo mezzo di comunicazione per eccellenza, la Rete: sono ormai numerosi i siti nei quali vengono raccolte e catalogate le espressioni giovanili.

A Padova, presso il dipartimento di Romanistica, nel 1999 è stato allestito un sito curato da Michele Cortelazzo, ricco ormai di circa 1500 voci di ognuna delle quali si riportano il significato, l'ambito d'uso e la provenienza geografica. «L'Espresso» a partire dal 1998 ha curato una raccolta analoga, nel sito www.espressonline.it (cliccare 'slangopedia') nel quale si possono trovare circa 560 voci tra parole alterate, abbreviate, sigle, espressioni del cinema e della TV, neologismi, termini mutuati dalla discoteca e da Internet.

È molto interessante anche il sito www.shadowgate.it che raccoglie espressioni del linguaggio metropolitano di differente provenienza (romano, siciliano, fiorentino, umbro, pugliese, napoletano, milanese, friulano, genovese, triestino, bolognese, torinese, veneziano, calabrese e sardo). Un sito geograficamente delimitato all'area torinese è www.utenti.lycos.it/walty/testi/Truzziario.html, dove si trovano circa 270 parole, espressioni proprie dei *truzzi* o *iarri*, ossia dei giovani di periferia, soprattutto di area settentrionale, dai modi tracotanti, volgari.

- il *niente* utilizzato con funzione riempitiva o conclusiva: *ho detto questo e poi... niente*;
- i costrutti del tipo *non è che*;
- l'uso ubiquitario dell'allocutivo *tu*;

oltre alla spinta ad accelerare il processo di acclimatazione nell'italiano colloquiale di altri tratti come: l'utilizzazione dei mezzi della prosodia (volume, tono, altezza ecc.) a scopo espressivo, la netta preferenza per la paratassi, l'ampio uso dei deittici, l'omissione di segnali che indicano il cambiamento di progettazione: *lui aveva detto che se non ce la faceva sic... perché aveva dei problemi, cavoli suoi* (Bozzone Costa 1991: 158).

Anche nello scritto i giovani veicolano nell'italiano contemporaneo i modelli che essi assumono dalla televisione, dalla musica, dal web.

La visualizzazione e la brevità determinano una particolare struttura testuale che influisce anche sulla rappresentazione linguistica. Nella realtà quotidiana buona parte dei tipi di testo quali la pubblicità e i TG flash seguono questo modello. Il ricorso a slogan e simili può perciò costituire una strategia favorita dalla tipologia dei testi stessi. I testi che si riferiscono alla cultura del consumismo condividono le strutturazioni inerenti ai testi delle varietà giovanili. Tale confluenza linguistica facilita la penetrazione delle innovazioni dalle varietà giovanili nell'italiano contemporaneo (Radtke 1993: 227-28).

4.4. Lingua e genere

Un altro fattore che è stato individuato come determinante nella variazione linguistica è il sesso, o genere. In questa sede utilizziamo il termine 'genere', ormai invalso nell'uso generale: traduce il termine inglese 'gender' e si riferisce non solo alle caratteristiche sessuali, biologicamente definite, ma al «complex of social, cultural and psychological phenomena attached to sex» (McConnel e Ginet 1988: 76).

I primi studi risalgono agli anni Sessanta. Una data fondamentale fu il 1975, anno di pubblicazione di *Language and Woman's Place* di Robin Lakoff. Nel volume Lakoff giunge ad alcune conclusioni sul parlato delle donne americane eterosessuali, bianche, appartenenti alla middle-class, individuandone alcune caratteristiche come: espressioni attenuative (*maybe, sort of*), domande brevi (*this room is quite hot, isn't it?*), evitamento di parole tabù. La spiegazione di questo comportamento linguistico sarebbe da attribuire, secondo lo studioso, al fatto che alle donne sono negate le espressioni forti in una società dominata da maschi.

Questo era vero anche per le nostre società degli anni Sessanta-Settanta, quando il ruolo della donna era ancora marginale e subalterno rispetto a quello degli uomini. Per fare un esempio, nel 1963 Giovanni Tropea trovò che nella provincia di Messina, in un'area gravitante intorno a Mistretta e a Caronìa, le donne, nel dialetto locale, pronunciavano come [-ṛ-] la geminata laterale -ll-, mentre gli uomini la pronunciavano [-ḍ-]: *pieṭṭi* "pelle", *kwoṭṭu* "collo", *kapiṭṭi* "capelli" delle donne contro *pieḍi*, *kwoḍu*, *kapiḍi* degli uomini (Tropea 1963). La variante femminile era un tratto locale, diffuso un tempo nell'area vicina, mentre quella maschile era una variante più recente. Il comportamento linguistico rifletteva la struttura della società: le donne risultavano linguisticamente più conservative perché avevano meno occasioni di relazione con l'esterno, rimanendo di norma confinate in casa; gli uomini si rivelavano più innovativi in quanto, lavorando, avevano più contatti con l'esterno e con le correnti linguisticamente innovative.

Per converso, era ricorrente l'opinione che le donne, proprio perché impegnate a educare i figli, utilizzassero molto di più degli uomini le varietà di prestigio e fossero più propense ad accogliere i tratti dello standard, mentre gli uomini erano soliti utilizzare prevalentemente il dialetto.

In realtà non si può generalizzare, parlando di tendenze conservatrici o innovatrici, perché il comportamento linguistico delle donne non dipende dal genere biologico ma dipende essenzialmente dal ruolo della donna nella comunità, dalla mobilità sociale, dall'istruzione, dai rapporti con le altre comunità ecc. Certo si può affermare – sulla base di accurate indagini – che le donne risultano più propense a insegnare ai propri figli la lingua che il dialetto, e sono in prevalenza contrarie all'insegnamento del dialetto a scuola. Ancora: in una ricerca condotta presso donne meridionali emigrate e poi rientrate (Sobrero 1985) è risultato che le donne erano più orientate verso lo standard per tre motivi, tutti di ordine sociale:

1) motivo di prestigio: «parlo italiano quando mi trovo con persone come avvocati, giudici, come autorità», «l'italiano è sempre migliore del dialetto... per non fare figure davanti agli altri»;

2) motivo educativo: i padri si rivolgono ai figli in dialetto, mentre le madri si sentono responsabili nell'educazione dei figli, e perciò si rivolgono loro in italiano;

3) motivo migratorio: nel paese ospite la donna ha abbandonato la parlata meridionale, epurandola dei tratti più marcati, e ha imparato a parlare un italiano smeridionalizzato, con funzione mimetica.

Ora, con il mutare della condizione della donna, che ormai occupa posti che un tempo erano esclusivo appannaggio dell'uomo, le cose sono cambiate? Se pensiamo che la lingua – sia pure con ritardi, attenuazioni, mediazioni ecc. – rispecchia l'ordine sociale e culturale in cui viviamo ed esprime il modo di pensare dei parlanti, la risposta non può che essere positiva. Infatti, secondo lo stereotipo diffuso riguardo alla lingua delle donne, questa dovrebbe essere caratterizzata da:

Piccolo vocabolario femminile-italiano

Una curiosità: un sito Internet raccoglie espressioni delle donne tradotte – per scherzo, ma forse con qualche fondamento di verità... – in lingua italiana (http://www.alfonsomartone.itb.it/hpdhkd.html):

LINGUAGGIO FEMMINILE	LINGUA ITALIANA
Secondo me, noi due avremmo bisogno di...	Voglio, pretendo, esigo che...
Questo lo avevi deciso tu.	La decisione corretta a questo punto dovrebbe essere ovvia.
Allora fai pure come ti pare.	Te la farò pagare al momento giusto.
C'è bisogno che ne parliamo.	Ho bisogno di lagnarmi un po'.
Sicuro? e allora vai avanti.	Non pensarci nemmeno!
Non sono arrabbiata.	Sono inferocita! Deficiente!
Sei un po' troppo *macho*.	Da quanto tempo non ti lavi? E quella barba? E quei modi barbari?
Sembri così gentile stasera.	So già cosa ti passa per la testa.
La nostra cucina non mi sembra più molto adatta...	Comincia a cercare una nuova casa!
Ci vorrebbero delle tendine nuove...	...e pure tappeti, poltrone, parati, mobili...
E va bene, sistemala lì.	NON devi metterla lì!
Mi è sembrato di sentire uno strano rumore.	Avevi appena cominciato a russare come un vecchio trombone.
Mi vuoi bene?	Sto per chiederti qualcosa di molto costoso.
Quanto mi vuoi bene?	Ehm, ho fatto un guaio, ma di quelli colossali...
Sarò pronta in un minuto.	Mettiti comodo e guardati pure tutta la partita fino alla fine.
Secondo te sono grassa?	Ho urgente bisogno di sentirmi dire che ho una linea snella e che sono davvero carina.
Devi imparare a dialogare.	Devi essere d'accordo con me.
Ma mi stai ascoltando o no?	Sei finito.
Sì.	No.
No.	No.
Forse.	No.
Mi dispiace.	Ti dispiacerà (e molto!)
Ti piace questa mia ricetta?	Ti ci dovrai abituare.
Cos'è che non va? Sempre le stesse cose.	Niente.
Cos'è che non va? Niente.	Tutto.
Cos'è che non va? Tutto!	Niente.
Cos'è che non va? Niente, davvero!	Deficiente.
Cos'è che non va? Non voglio parlarne adesso.	Sono ancora impegnata a costruire le prove contro di te.

1) sintassi paratattica, con grande occorrenza di frasi spezzate e incomplete;

2) frequente uso del discorso diretto;

3) aggettivazione connotativa: *tenero*, *bello*, *stupendo* con reduplicazione: *ti do un dolce caldo caldo*, *c'era una casa piccola piccola*;

4) frequente uso di diminutivi e vezzeggiativi: *bacino*, *bacetto*, *nasino*, *nasetto*, *musino*, *musetto*;

5) eufemismi;

6) vocativi affettivi: *amore mio*, *piccolo mio*, *tesoro mio*;

7) uso limitato del turpiloquio (bestemmie, imprecazioni);

8) uso limitato di termini tecnici.

In realtà, se pensiamo al modello di linguaggio che userebbe una donna manager durante una riunione, quasi nessuno dei tratti elencati troverebbe riscontro. Non troveremmo diminutivi, sarebbero limitati gli aggettivi connotativi e i vocativi affettivi, la sintassi sarebbe curata, il discorso pianificato. Ma se pensiamo alla stessa donna nel rapporto famigliare e amicale, probabilmente troveremmo nel suo eloquio almeno alcuni (se non, in certe situazioni e in certe realtà sociali, tutti) gli otto tratti elencati.

Per dare una risposta concreta al problema delle possibili relazioni tra lingua e genere, prima di analizzare in astratto la lingua delle donne e degli uomini per evidenziarne le differenze, dovremmo di volta in volta analizzare l'organizzazione della società in cui essi vivono, le relazioni di ruolo tra i parlanti, i diversi contesti comunicativi in cui uomini e donne 'fanno' lingua.

5. L'italiano attraverso i mezzi di trasmissione: lo scritto, il parlato, il trasmesso

Nella struttura del repertorio un asse importante della variazione è quello relativo alla diamesia[1] (dal greco *mesos* 'mezzo'), cioè alla variazione dipendente dal mezzo, dal canale scritto o parlato, attraverso il quale avviene la comunicazione.

La variazione diamesica, tuttavia, non dipende soltanto dal mezzo, ma è determinata anche da altri fattori sociali (ad esempio il livello di istruzione dei parlanti), situazionali (ad esempio il contesto specifico in cui si comunica), ambientali, temporali; per questo si dice che la diamesia è legata alle altre dimensioni delle variazioni: diastratia, diafasia, diatopia e diacronia.

All'interno dell'architettura dell'italiano contemporaneo Berruto (1987) distingue da un lato le varietà *scritte*: l'italiano tecnico-scientifico, quello formale aulico, quello burocratico, lo standard letterario ecc., e dall'altro le varietà *parlate*: l'italiano regionale popolare, l'informale trascurato, il parlato colloquiale. In questo asse dicotomico, che ha agli estremi testi formali scritti e testi informali orali, esiste comunque un *continuum* all'interno del quale si collocano testi sia scritti che orali con differenti gradi di formalità / informalità, così che si trovano da una parte scritti più o meno informali (diari, lettere private, scritti in genere non destinati alla pubblicazione), dall'altra testi parlati più o meno formali (interviste rilasciate ai giornali, dichiarazioni d'occasione, dichiarazioni solenni).

[1] Il termine è stato introdotto da Mioni (1983).

Lungo l'asse che va da quello che Nencioni (1976) ha definito *scritto scritto* (ossia lo scritto privo delle modalità caratteristiche del parlato) sino al *parlato parlato*, cioè al parlato della conversazione (il meno pianificato), sono state individuate altre varietà: la principale è il *parlato trasmesso* (Sabatini 1984 e 1990) proprio dell'informazione giornalistica radio-televisiva, della scrittura telematica (e-mail, chat, bacheche elettroniche, newsgroup) o telefonica (SMS).

5.1. Lo scritto

Per il messaggio scritto viene utilizzato solo il canale visivo, che può essere supportato da quello iconico-grafico. Il testo scritto non dispone dei tratti paralinguistici dei quali si avvale il testo orale (intonazione, altezza, volume, ritmo, accento, esitazioni, pause)[2]. Può sopperire a tale mancanza attraverso pochi segni di interpunzione o attraverso artifici grafici come il grassetto, la sottolineatura, l'uso delle maiuscole.

Il messaggio scritto non viene fruito nella stessa situazione comunicativa nella quale viene prodotto e, inoltre, lo scrivente può non conoscere il suo o i suoi destinatari. Poiché i testi scritti non sono ancorati al luogo e al tempo dell'evento comunicativo, essi devono essere decontestualizzati, pertanto tutti i riferimenti deittici che caratterizzano la produzione orale, nello scritto devono essere esplicitati e resi con riferimenti puntuali: da questo deriva il carattere di precisione e analiticità che si coglie in questi testi, rispetto alla vaghezza e genericità di quelli orali. A differenza dei testi orali, che sono *lineari* e non-correggibili, quelli scritti dopo la loro produzione possono essere letti e riletti dall'autore, il quale può intervenire con correzioni e rifacimenti prima di metterli in circolazione.

CARATTERISTICHE LINGUISTICHE DEI TESTI SCRITTI

Nel delineare le caratteristiche dei testi scritti ci riferiamo in particolare ai testi scritti mediamente formali: articoli di giornale, lettere pubbliche e private, relazioni aziendali, scritti funzionali non occasionali. Presentano caratteristiche analoghe anche i testi parlati più formali: dichiarazioni pubbliche, omelie, dibattiti seri.

LESSICO

Nello scritto:
• si usano, molto più che nel parlato, termini precisi, tecnici, denotativi: *rispondere*, *chiedere* invece del generico 'dire'; *preparare* o *cuocere* per 'fare' (fare

[2] Vedi oltre, § 9.1.

Uso e significato dei segni grafici

Ricordiamo che gli artifici grafici in un testo veicolano un significato ben preciso, secondo convenzioni che vengono rispettate – e devono essere rispettate – da chiunque scriva un testo anche mediamente formalizzato:

grassetto: viene di solito utilizzato per i titoli e talvolta all'interno del testo per dare maggiore risalto (nel dubbio, è da evitare);

sottolineatura: poco usata nella stampa, ha una funzione di messa in rilievo di una parola o di una parte del testo;

corsivo: viene utilizzato sia nella composizione dei titoli che nel testo per la messa in rilievo o per l'enfasi e soprattutto per i termini tecnici (ad esempio *diffrazione*, *calco*) e per quelli stranieri di uso non comune (*editing*, *transfer*)[3];

virgolette:

• le virgolette inglesi, alte "...", oppure le virgolette basse, uncinate o a sergente o a caporale «...», si usano nei testi narrativi, al posto dei trattini –... –, per aprire e chiudere i dialoghi. Le virgolette alte vengono usate anche per spiegare il significato di un termine (*frisedde* "friselle") o per tradurre un termine straniero;

• le virgolette singole '...' si usano per indicare che il termine fra virgolette va inteso in senso traslato o in una particolare accezione: *i deputati 'pianisti'* (dove *pianista* va interpretato nel senso di "deputato che nelle votazioni elettroniche pigia anche il pulsante del vicino, che è assente");

maiuscole. Si usano:

• all'inizio del periodo,

• all'inizio di una lista verticale,

• all'inizio di una citazione diretta,

• all'inizio di una battuta di dialogo,

• in inizio di parola, quando si tratta di nomi propri di persone, nomi geografici, monumenti; di cariche istituzionali, quando il nome indica la persona che le incarna: *il Papa ci ha benedetti* (ma: *è stato eletto il nuovo papa*[4]); di titoli di libri, testate di giornali, film.

---

la minestra); *sostenere* per 'dare' (dare un esame); *madre* per 'mammina'; *gatto* per 'micino';

• si evitano le espressioni disfemistiche e gergali.

MORFOLOGIA

Tra le caratteristiche della morfologia dei testi scritti formali ricordiamo:

• Uso canonico dei pronomi, dei modi e dei tempi verbali: il futuro non vie-

---

[3] I termini stranieri entrati nell'uso comune vengono scritti in tondo: computer, jazz, cordless.

[4] Si usa la minuscola anche quando il titolo è seguito dal nome proprio: *papa Benedetto XVI*.

ne sostituito dall'indicativo presente (*domani andrò al mare, questa sera vedrò un film*); si usano tutti i tempi del passato (*l'anno scorso andai in America; dopo che aveva letto i libri che aveva in casa, ne comprò altri; non appena ebbe visto il ladro, chiamò la polizia*); viene utilizzato il congiuntivo in dipendenza dai *verba putandi* (*credo che abbia ragione, credevo che fosse già* arrivato); il periodo ipotetico mantiene nella protasi e nell'apodosi rispettivamente il congiuntivo e il condizionale (*se non piovesse uscirei, se avessi studiato saresti stato promosso*).

• Utilizzo del passivo con l'agente espresso (*il fuoco è stato appiccato da un piromane*).

• Uso normativo degli aggettivi e dei pronomi relativi (*ho visto il ragazzo del quale ti ho parlato ieri; un testimone, il cui nome è coperto dal segreto istruttorio, ha dichiarato...*).

• Scelta delle congiunzioni più ampia che nel parlato: *le fecero la multa* poiché *non aveva rinnovato la patente, Giovanni e io siamo molto diversi*, eppure *siamo grandi amici*. Nel parlato sono più probabili costruzioni come *le hanno fatto la multa* perché *aveva la patente scaduta, io e Giovanni siamo molto diversi,* ma *siamo grandi amici*.

SINTASSI
• periodare ampio e complesso, ipotattico;
• assenza di dislocazioni a destra e a sinistra e di anacoluti;
• soggetti verbali sottintesi (quando è possibile).

La lingua scritta, in quanto lingua codificata, si modifica più lentamente del parlato, ma negli ultimi anni vi si è osservata un'accelerazione nel processo di cambiamento. Oggi si nota in generale – ma soprattutto nella prosa giornalistica – un periodare più semplice, in cui prevalgono le coordinate e le principali, nonché le frasi nominali:

La ferocia. Il primo elemento che colpisce è la ferocia. Sono stati ritrovati i resti dei coniugi Donegani, marito e moglie scomparsi 18 giorni fa. I corpi della coppia bresciana sono stati fatti a pezzi e gettati in un dirupo della Val Camonica («la Repubblica», 18 agosto 2005).

Sulla scia del parlato, il congiuntivo e i gerundi diventano via via meno frequenti.

Dipendono dallo stesso avvicinamento del parlato allo scritto anche scelte morfologiche e lessicali che ormai caratterizzano anche lo scritto, come: *a*) l'abbandono, nelle coppie sinonimiche, delle varianti diacronicamente marcate, che sono percepite come arcaismi: si sceglie *o, oppure* al posto di *ovvero, ossia*; *b*) l'abbandono di *esso, essa, essi*; si usa occasionalmente *gli* per "loro / a loro", o per "a lei", e si usano sempre *lui* e *lei* per "egli" ed "ella".

5.2. Il parlato

Le caratteristiche comunicative del parlato influenzano in modo determinante i caratteri linguistici dei messaggi orali.

Durante la comunicazione orale emittente e ricevente/i del messaggio si trovano nella stessa situazione comunicativa, e l'interlocutore può intervenire per chiedere chiarimenti, spiegazioni, integrazioni all'emittente. I messaggi orali si avvalgono, oltre che del mezzo fonico-uditivo, di altri canali: visivo, tattile, cinesico prossemico e prosodico (cfr. §§ 9.1. e 9.2.). I parlanti, nelle conversazioni fra conoscenti, condividono esperienze e conoscenze, perciò ciascuno di loro può omettere riferimenti a cose e a fatti che entrambi conoscono bene. La conversazione diventa così brachilogica, veloce, a volte incomprensibile per gli estranei. Ad esempio:

A: *Come ti va oggi?*
B: *Stamattina l'avevo a 160.*
A: *Troppo, troppo. Però tienla d'occhio.*
B: *Se no, torno per un bel controllo.*

I sottintesi, legati alle conoscenze condivise, sono almeno tre: B soffre di ipertensione, si misura spesso la pressione arteriosa ed è stato in clinica recentemente per un controllo generale. Ma un passante che ascoltasse questi brani di conversazione avrebbe qualche difficoltà a decodificarli.

I testi orali veicolano attraverso il canale verbale un numero minore di informazioni esplicite e tendono all'economia linguistica, espungendo gli elementi informativi superflui. Inoltre sono sintatticamente più disorganici e meno strutturati, ricchi di false partenze, pause, esitazioni, fanno un minor uso di avverbi e congiunzioni subordinative.

CARATTERISTICHE LINGUISTICHE DEL PARLATO

Tra le caratteristiche testuali di un testo orale quella più vistosa è la frammentarietà sintattica e semantica, che si realizza attraverso frasi brevi, incomplete e attraverso l'utilizzo di segnali discorsivi (*diciamo, cioè, ecco, insomma*; *sì, bene, eh*; *per esempio*) che bilanciano la struttura disorganica e scarsamente coesa del testo:

[Nel tuo tempo libero, cosa fai?]
Eh, io sto in un gruppo-...che-e... siamo studenti nelle... più che altro studenti nel liceo ma anche... universitari... che-facciamo assistenza... assistenza sociale, insomma... nei quartieri popolari più che altro, nelle borgate di Roma o anche a Trastevere, così... con degli anziani, con persone anziane che hanno problemi... degli anziani poveri insomma...e con... cerchiamo di fare... delle scuole popolari anche con... con dei bambini che hanno più problemi scolastici così, anche problemi familiari... genitori analfabeti e cose di... così, di questo genere (Berruto 1993b: 41-42).

Si notano in questo frammento il ripetuto cambio della microprogettazione testuale, le continue esitazioni, le false partenze, le ripetizioni, le integrazioni (*con degli anziani, con persone anziane [...] degli anziani poveri*), le parole generiche (*cose di... così*), i segnali conclusivi e riepilogativi: *insomma* introduce o conclude riformulazioni (*facciamo assistenza... assistenza sociale, insomma... nei quartieri popolari, persone anziane che hanno problemi... degli anziani poveri insomma*).

Non mancano nei testi orali forme verbali, come *guardi*, *senta*, *ascolta* che consentono di avviare la comunicazione, di regolare l'alternanza dei turni, di controllare il procedere della comunicazione.

Sono tipiche del parlato le forme *allora*, *vero?*, *eh!*, *scusa*, *niente*, anche queste utilizzate più come segnali discorsivi che come formule di chiusura o di richiesta. Con la stessa funzione ricorrono anche molto spesso le interiezioni: *mah*, *beh*, *ah*, *uhm* ecc.

Sono più 'piene' di significato le particelle modali *appunto*, *proprio*, *veramente*, *praticamente*, che da una parte contribuiscono a conferire al discorso maggiore enfasi e dall'altra rivelano l'atteggiamento del parlante nei confronti del contenuto del messaggio (adesione, entusiasmo, disappunto...).

Caratteristica costitutiva del parlato è la forte *indessicalità*, cioè la ricchezza di elementi che forniscono indicazioni relative al parlante e alla situazione in cui avviene l'enunciazione. Il parlante, producendo il discorso in una situazione specifica e in presenza del suo interlocutore, rimanda alle conoscenze condivise attraverso deittici, o anche ricorrendo a riferimenti impliciti:

A [rivolta a C, appena arrivata]: Come ti è andato?
C: Bene...bene benissimo...[a B] ciao B... l'esame di filologia.
B: Ah, come è andato?
B: Spiegami come si... articola questo esame.
C: Lui ti fa una domanda a piacere [...].

«dove il *topic* di *come ti è andato* è l'esame di filologia, esplicitato dalla parlante con un nominale solo più avanti, rivolgendosi a un'altra interlocutrice che non ha capito di che cosa si trattasse, e *lui* è il professore esaminatore, ricavabile dal contesto e cotesto» (Berruto 1993b: 45).

Per quanto riguarda la *sintassi* si può dire che i testi orali presentano soprattutto frasi coordinate (*ero andato in giardino e non ho sentito che mi chiamavi*) o frasi giustapposte senza alcun legame sintattico (*non sono andato alla festa... in quei giorni ero fuori... gli telefonerò per scusarmi*). Le subordinate sono soprattutto implicite: *vedendola, forse mi posso ricordare di lei; volendo, si può fare*. Le subordinate causali vengono introdotte solitamente da *siccome*, *dato che*, *visto che*, che sostituiscono *giacché* e *poiché*, molto più frequenti nelle produzioni scritte: *visto che esco passo dalla nonna*, *dato che piove non vado a giocare fuori*.

Molto frequente è anche l'uso del *che* polivalente usato con valore
- causale: *torno a casa, che è tardi*;
- esplicativo: *sono uscito che fuori era già buio*;
- consecutivo: *aspetta, che vedo se sono a casa*;
- relativo indeclinato (in questo caso il *che* soggetto o complemento oggetto viene utilizzato per un complemento indiretto): *ho letto un libro che però non ricordo l'autore.*

Altre caratteristiche del parlato riguardano la distribuzione dei costituenti nella frase, che è organizzata in modo da mettere in rilievo la struttura informativa della frase: in altre parole, i costituenti sono re-distribuiti nella frase in funzione della dislocazione delle informazioni. Ricorrono frequentemente, con questa funzione, le strutture che abbiamo già visto come tipiche del neo-standard (cfr. § 2.2.): la *dislocazione a sinistra* (*la pasta l'ha mangiata Eugenio, il libro l'ho studiato tutto*), la *dislocazione a destra* (*lo voglio il caffè; lo ha comprato Giulia, il vestito*), la *frase scissa* (*è Maria che ha chiesto di te*), il *'c'è' presentativo* (*c'è un signore che ha suonato alla porta, c'è la mamma che ti chiama*), l'*anacoluto* (*il cinema, non ti piacciono i film che danno?*).

Per quanto riguarda la *morfologia* il parlato differisce dallo scritto per l'uso semplificato di alcune forme grammaticali: l'indicativo presente sostituisce le forme del futuro, il passato prossimo sostituisce il passato remoto e l'imperfetto ricopre più funzioni che nello standard: si usa nel periodo ipotetico dell'irrealtà (*se ero principe non stavo qui*), con valore di controfattualità (*se studiavi ti promuovevano*) e in funzione attenuativa (*volevo mezzo chilo di pane*).

Per i modi verbali nel parlato più che nello scritto l'indicativo estende i suoi ambiti d'uso a scapito del congiuntivo, che viene sostituito nelle frasi soggettive (*è meglio che vai*), nelle oggettive in dipendenza da verbi di opinione (*credo che arriva oggi, non sono sicuro che ha capito*), nelle interrogative indirette (*non so cosa ha voluto dire*).

Si usa poco la forma passiva, e quasi mai il complemento di agente (non *la casa è stata comprata da un banchiere* ma piuttosto *la casa l'ha comprata un banchiere*), mentre è relativamente frequente la concordanza a senso: *molta gente dicono, un gruppo di ragazzi hanno visitato la scuola*.

Inoltre, ricordiamo:
- il frequente uso di *lui, lei, loro* soggetto al posto di *egli, ella, essi*;
- *gli* per *a loro*[5];
- *gli* per *a lei*;

---

[5] Sebbene i due fenomeni siano stigmatizzati ancora come errati, si deve osservare che «essi possono vantare un'ampia illustrazione nella prosa letteraria, per esempio in quella di Alessandro Manzoni, che nella revisione linguistica dei *Promessi sposi* adottò spesso proprio queste forme pronominali (sia pur in modo non sistematico), in obbedienza a un adeguamento stilistico in direzione di forme correnti e colloquiali» (Bonomi, Masini, Morgana e Piotti 2003: 44).

• *te* soggetto: *te non parlare*;
• *che* al posto di *il quale*;
• *questo / quello* al posto del neutro *ciò*;
• nelle costruzioni costituite da verbo servile + infinito + clitici (*voglio dir-telo*) si ha il sollevamento, ossia lo spostamento del pronome clitico dalla posizione post-verbale alla posizione pre-verbale, prima del verbo servile: *te lo voglio dire*.

Molti di questi fenomeni, come s'è visto, dal parlato stanno 'risalendo' verso l'italiano comune.

Sono proprie del parlato anche le forme rafforzate della negazione con *assolutamente, mica, proprio*: *non sono assolutamente d'accordo*; *proprio no*; *sono mica scemo* (più diffuso nell'Italia settentrionale che altrove).

Anche per il *lessico* si possono identificare caratteristiche specifiche del parlato: non si tratta dell'impiego di termini particolari, ma della preferenza per parole: *a*) del sub-standard (registri informali), *b*) di significato generico: *cosa, coso, roba, fatto, tipo, fare, dare, andare, dire*: *oggi ho fatto tante cose*; *dammi quel coso* [indicando l'ombrello]; *in autobus ho incontrato un tipo che mi ha detto un sacco di cose*.

Sono particolarmente frequenti:
• i diminutivi: *pensierino, attimino, letterina, cosina*;
• i superlativi enfatici: *sono offesa offesissima*;
• le espressioni intensificate da *un sacco, bello, bene, forte* (*voglio un caffè bello forte*; *so bene*; *un sacco bello*; *è ben forte*);
• le esclamazioni: *accidenti, per bacco, madonna, cribbio, cavolo!*, spesso disfemistiche (*cazzo, palle, stronzo*; *che stronzo! che cazzo fai!*);
• le onomatopee: *splash, patatrac, bang, pum, patapunfete*.

Hanno funzione enfatica espressiva, o elativa, anche le iterazioni: *sono di Lecce Lecce*; *un uomo vecchio vecchio*.

Per la *fonetica* del parlato, oltre alle pronunce regionali, vale la pena ricordare che la velocità dell'eloquio 'a ritmo di allegro' proprio della conversazione determina la caduta di alcune sillabe. Sono frequenti, infatti, le forme apocopate: *son tornata, fan bene, son matta*; le forme aferetiche: *sto* per 'questo', *bastanza* per 'abbastanza', *'nsomma* per 'insomma'; le assimilazioni: *arimmetica*; le semplificazioni di nessi consonantici: *propio*, e di legamenti: *i-fazzoletto* per 'il fazzoletto'.

Ricordiamo che i tratti fin qui analizzati sono tipici del parlato colloquiale informale. Nei testi orali prodotti in situazioni formali il parlato è molto più controllato ed epurato dei tratti maggiormente marcati verso il basso.

5.3. Il parlato trasmesso

All'inizio di questo capitolo abbiamo detto che lungo l'asse parlato-parlato / scritto-scritto si colloca il trasmesso, che presenta le caratteristiche del parlato-scritto e dello scritto-parlato. Possiamo definire ibride queste due varietà, perché al loro interno cooccorrono tratti tipici sia del parlato che dello scritto (con prevalenza del primo nel parlato-scritto e del secondo nello scritto-parlato). Le sottovarietà di parlato-scritto comprendono soprattutto la lingua del cinema, della radio e della televisione; le sottovarietà di scritto-parlato includono la scrittura telematica (chat, newsgroup, e-mail) e telefonica (SMS).

Caratteristiche comuni a tutti i testi trasmessi sono: la trasmissione in uno spazio fisico diverso da quello in cui si trova l'interlocutore e la pluralità dei destinatari di uno stesso messaggio. Dal punto di vista linguistico si può rilevare, con Sabatini (1984: 5), che attraverso il trasmesso «il parlato, che tuttavia subisce delle trasformazioni, sta acquistando una posizione di 'pubblicità' e 'ufficialità' che non aveva mai avuto».

▶▶ 5.3.1. Il cinema

Il cinema, la radio e la televisione hanno adempiuto a una funzione storica importantissima: dopo l'unificazione nazionale hanno contribuito in modo decisivo – altrettanto e forse ancor più della scuola – all'avvicinamento alla lingua italiana delle classi medie e soprattutto degli strati sociali più bassi, in gran parte analfabeti o semianalfabeti, e dialettofoni (De Mauro 1963).

Nel primo dopoguerra il cinema attirava a sé il 48% della popolazione: non solo imprenditori e liberi professionisti (l'84,8% di loro andava al cinema), ma anche grandi percentuali della popolazione meno istruita, come i coltivatori dipendenti (57%). E non solo al Nord, ma anche – anzi, soprattutto – nel Meridione, dove il cinema fu spesso la prima importante occasione di incontro con la lingua nazionale.

Per molto tempo – sino al secondo dopoguerra – la maggior parte dei film esibì una lingua aulica, d'impronta teatrale, più rigida e ingessata della lingua dell'uso comune, piuttosto orientata verso un didascalico italiano normativo. Ancora negli anni Cinquanta per i doppiaggi dei film stranieri, soprattutto americani, si utilizzava una varietà di lingua più vicina allo scritto che al parlato, e dislocata sui registri medio-alti.

Ma negli anni Quaranta avvenne una piccola rivoluzione: più per fini artistici che per desiderio di adesione alla realtà entrò nel cinema il dialetto, con il risultato – indiretto – di far nascer negli spettatori la consapevolezza della limitata area di comprensione e di utilizzazione di ogni dialetto. Grandi opere degli anni Cinquanta e Sessanta hanno poi radicato questa consapevolezza, spingendo all'identificazione fra la dialettofonia e le peggiori condizioni sociali.

Film come *La terra trema* o *In nome della legge* o *Divorzio all'italiana* hanno fissato nella coscienza nazionale la nozione dello stretto legame tra il dialetto siciliano e la realtà locale, circoscritta e tradizionale, dell'isola; *L'oro di Napoli* ha collegato il dialetto napoletano alla vita stentata e 'arrangiata' d'una borghesia in disfacimento, aggrappata a ogni espediente per non precipitare nella miseria del sottoproletariato; in *Rocco e i suoi fratelli* o nel *Posto* il dialetto lucano o milanese è il corrispettivo degli *slums* o dei paesoni in via d'essere fagocitati dalla metropoli milanese [...] (De Mauro 1963: 124).

Il dialetto non fu l'unico mezzo a rompere l'ingessatura dell'italiano 'finto' che aveva caratterizzato la prima tradizione cinematografica. Pian piano entrò nei dialoghi e nelle sceneggiature un italiano più vicino al parlato reale, finché con l'affermarsi della commedia all'italiana (anni Sessanta) si «instaurò un rapporto tendenzialmente mimetico con la lingua reale [...] che quindi andò facendo sempre più propri non tanto i dialetti, ormai in regresso, quanto le varietà regionali d'italiano, proprio allora in espansione e consolidamento» (Raffaelli 1992: 116).

Entra il dialetto, entra l'italiano regionale, entra – lentamente – l'italiano popolare (anni Settanta): il cinema si avvia a una decisa adesione alla complessa e polifonica realtà linguistica italiana, che raggiungerà la massima espressione all'inizio del terzo millennio. Basti ricordare film come *Sangue vivo*, *Come ridevano*, *Italian sud est*, i film di Roberto Benigni e di Leonardo Pieraccioni ecc.

▸▸ 5.3.2. La radio

Nata nel 1925, la radio divenne sin dall'inizio mezzo di propaganda fascista, sia nei contenuti (rigidamente controllati, e spesso suggeriti, dalle autorità del regime, a volte dallo stesso Mussolini), sia nella lingua: era rigorosamente bandito il parlato-parlato, si utilizzavano solo testi scritti e approvati (anche per motivi di censura), di rigida osservanza normativa, era molto curata la dizione – rigorosamente standard – affidata ad annunciatori professionisti.

La radio, che conobbe ben presto un grande successo in tutta Italia, contribuì a diffondere la conoscenza – e, in parte, l'uso – della lingua unitaria, ma si fece anche paladina di due cause che ai nostri occhi sembrano quanto meno discutibili: una lotta senza quartiere all'uso pubblico dei dialetti e il rifiuto totale dei forestierismi, soprattutto di quelli non adattati: si bandiva *garage* in favore di *autorimessa* e invece di *bar* si diceva *mescita*. Fu la radio a diffondere l'uso fascista del Voi invece del Lei.

Le necessità comunicative del nuovo mezzo hanno portato anche all'elaborazione di tipologie testuali inedite. La distribuzione delle informazioni del giornale radio doveva rispondere a necessità nuove, diverse da quelle dell'articolo di giornale, e imponeva un alto grado di esplicitezza, accompagnato da un periodare semplice, rapido, breve, povero di subordinate, rigidamente struttu-

Pronuncia toscana o pronuncia romana?

La scelta del modello di pronuncia dell'italiano radiofonico fu oggetto di molte discussioni negli anni Trenta. Le due tesi a confronto sostenevano rispettivamente il primato della pronuncia toscana di base fiorentina e il primato della pronuncia di tipo romano: a favore della prima militavano ragioni prevalentemente storico-linguistiche (la centralità di Firenze nella storia linguistica d'Italia), a favore della seconda ragioni storico-politiche (il ruolo storico di Roma e la funzione allora attuale di capitale dell'impero, che erano pilastri dell'ideologia fascista). Si arrivò a una pseudo-mediazione, in realtà sbilanciata in favore della varietà romana: il cosiddetto asse Roma-Firenze, ben illustrato nel *Prontuario di pronunzia e di ortografia*, frutto del corso radiofonico *La lingua d'Italia*, condotto nel 1938 in diciassette puntate da Giulio Bertoni e Francesco Ugolini. Nell'Introduzione gli autori illustrano il principio che essi pongono alla base della corretta pronuncia italiana: considerato che i casi di divergenza fra le due pronunce sono limitati, perché la dizione fiorentina si 'ritrova' quasi sempre nella varietà romana, chi parla alla radio o comunque in pubblico è tenuto a seguire la dizione comune alle due varietà, e nei pochi casi di discordanza fonetica tra Firenze e Roma, ad adottare la 'pronunzia colta' della Capitale.

rato nella successione di dato e nuovo, la scelta di un lessico ad alta frequenza – cioè di parole molto usate nell'italiano comune –, corredato dalla spiegazione degli eventuali termini tecnici. Era uno stile giornalistico nuovo, che avrebbe inciso sulla storia stessa dei generi e dei tipi di testo: insomma, su aspetti molto importanti della lingua italiana.

Quanto alle pronunce, fin dai primordi rispettarono moderatamente le indicazioni del regime, che prescrivevano il modello romano, orientandosi anche – e col passar del tempo sempre più – verso il modello della pronuncia colta settentrionale, «assecondando le tendenze della lingua comune» (De Mauro 1963: 126) che veniva prodotta non solo a Roma ma anche nei grandi centri economici, politici, culturali del Nord (Torino e Milano).

La diffusione della lingua unitaria attraverso la radio fu potente e capillare: basta pensare che la RAI raggiunse il traguardo del milione di abbonati nei primi anni Cinquanta, e che dieci anni dopo il numero degli abbonamenti si era addirittura quintuplicato.

L'assetto linguistico delle trasmissioni radio cambiò completamente nei primi anni Settanta, quando nacquero le prime radio locali, che con le trasmissioni in diretta e le telefonate in studio da parte del pubblico aprirono le porte a tutte le varietà regionali dell'italiano, ma anche all'italiano popolare e al dialetto.

Un'altra svolta venne impressa da *Radio Radicale* che negli anni Ottanta trasmise i lavori parlamentari, alcuni importanti processi e altre manifestazioni in diretta. «Le due tappe fondamentali della sua storia sono il 1986 e il 1993, quando ha istituito due 'fili diretti' con il pubblico» (Coveri, Benucci e Diadori 1998: 258). In particolare, nel 1986 vennero mandate in diretta le telefonate degli ascoltatori a sostegno della Radio che rischiava la chiusura: furono registrate rivendicazioni politiche, parolacce, insulti, disfemismi, tipiche forme dei registri 'bassi', producendo testi che da una parte furono documenti insostituibili per lo studio dell'italiano parlato, spontaneo, trasmesso, dall'altra funsero da apripista per la nascita e l'affermazione di trasmissioni sempre meno 'modello' e sempre più 'specchio' della lingua italiana.

Citiamo un esempio di intervento in diretta:

(Adulto, accento bolognese. Serio.)
Buongiorno, qui è l'agenzia di indagini demoscopiche C.A.Z. Abbiamo effettuato un'inchiesta sul Partito radicale, e ora rendiamo noti i risultati:
Pannella è più isterico di una zitella,
i Negri, Giovanni e Toni sono solo due minchioni,
la Bonino è la regina del pompino,
l'Aglietta è una frigida troietta,
la Di Lascia è una grandissima bagascia,
Rutelli è un gestore di bordelli,
Stanziani si scopa Biancaneve e i sette nani,
Teodori lo fa solo con i muratori,
Cicciomessere lo prende nel sedere.
Bene, questo è quanto finora emerso.
A risentirci presto.

(*Pronto? A cura di Radio Radicale*, Mondadori, Milano 1986: 7)

▶▶ 5.3.3. La televisione

Nata nel 1954, la TV surclassò ben presto la radio e si rivelò da subito un mezzo di socializzazione e uno stimolo all'uso della lingua anche negli ambienti più tenacemente dialettofoni: il televisore era un bene che non tutti potevano permettersi, perciò la gente si riuniva nelle case private, nei bar, nei circoli, dove assisteva alle trasmissioni, commentava e scambiava opinioni.

Anche per la televisione, come per la radio, gli anni Cinquanta e Sessanta furono gestiti all'insegna del rispetto del modello standard di lingua, e in particolare di pronuncia: i telegiornali erano letti da speaker professionisti, che avevano seguito apposite scuole di dizione. Soltanto *Carosello* – iniziato nel febbraio 1957 – si poteva permettere di caratterizzare alcune macchiette con pronunce fortemente regionali (romanesche, ma anche venete, lombarde, piemontesi): ma la funzione era, appunto, ludica, di discendenza teatrale, e lo spazio all'interno del palinsensto era ben circoscritto. L'italiano parlato, cioè l'italiano reale, cominciò a fare capolino anche nella TV attraverso alcune trasmissioni molto popolari, come *Campanile Sera* (a partire dal 1959) e *Lascia o raddoppia* (dal 1955), alle quali partecipavano concorrenti provenienti da ogni parte d'Italia, che inevitabilmente parlavano il 'loro' italiano, di norma regionale, qualche volta popolare. Ebbe anche successo il teatro dialettale: la *Rassegna Talia*, ad esempio, ogni settimana portava alla ribalta la filodrammatica di una regione italiana, che proponeva di norma autori regionali, la cui lingua si muoveva tra dialetto 'ripulito' e italiano regionale. La lingua di tutti i giorni si affacciava inesorabilmente alla ribalta della TV, aprendo crepe sempre più profonde nel monolitico italiano standard, ancora raccomandato ma via via meno praticato.

L'avvento delle TV private (1976) diede un colpo decisivo a ogni pretesa di rispetto di un modello linguistico: il parlato-parlato si affermò prima nelle TV locali poi, via via, anche sulle reti nazionali, che riservarono ai telegiornali, alle annunciatrici e agli annunci pubblicitari una piccola 'area protetta'. Anche questa riserva fu tuttavia erosa dalla liberalizzazione fonetica e persino grammaticale che seguì la decisione di far accedere giornalisti linguisticamente non addestrati alla ribalta dei telegiornali.

I programmi TV erano, e sono, caratterizzati da una grande varietà tipologica. Non si può dire che ci sia una 'lingua della televisione': c'è la lingua di questo o quel tipo di programma, più o meno importante a seconda del successo della trasmissione. Ad esempio negli anni Ottanta, mentre in molte trasmissioni l'italiano vivo era ormai entrato di diritto, ebbero un successo strepitoso le *telenovelas* latino-americane e i *serial* nord-americani, che esibivano una lingua artificiale e letteraria, poco aderente alle situazioni comunicative, informali, colloquiali che venivano rappresentate.

Negli anni Novanta talk-show come *I fatti vostri* riprodussero in uno studio televisivo una delle tante piazze d'Italia, nelle quali si ascoltavano fatti, drammi, problemi della gente comune, facendo entrare in ogni parte d'Italia le pronunce, le strutture morfosintattiche dialettali, miste a italiani regionali, alternati all'italiano popolare.

Negli ultimi anni, in misura sempre più massiccia, la televisione non riproduce una lingua monolitica e standardizzata ma riflette all'interno della pluralità dei programmi quasi tutte le varietà del repertorio degli italiani. Si va da una lingua fortemente standardizzata, caratterizzata a livello linguistico dallo stile nominale (*e ora la pubblicità; linea allo studio; altre notizie dopo il meteo*), e da un registro formale proprio dei TG e dei GR, dei dibattiti tra esperti o tra politici, alle varietà regionali e di italiano popolare e dialetto che si registrano durante gli interventi del pubblico a casa o in studio, nei reality show, e anche presso gli stessi presentatori, indifferentemente nelle reti locali e in quelle nazionali, RAI e MEDIASET: *m'hanno chiamato anche all''Isola dei Famosi', ma 'n ce vado, ma che ne so Maurì, io devo sempre pagà il purgatorio* (Gigi Sabani, *Buona domenica*); *gli dici Titti, je se apre il cervello, ma non si potrebbe organizzare che le volpi finalmente cacciano a questi?* (Maurizio Costanzo, *Buona domenica*).

L'abbandono di un ideale di italiano standardizzato non si è verificato solo nelle trasmissioni 'leggere', nei talk-show ecc.: come ha messo in rilievo Raffaele Simone, anche dai giornalisti RAI si sentono «strafalcioni e castronerie. Accenti sbagliati, pronunce straniere impossibili, sillabe toniche piazzate a caso per dar rilievo a parti sbagliate di frasi, pure e semplici scemenze» (Simone 1999: 133). Sono la testimonianza del malessere da cui è oggi affetta la comunicazione pubblica, e in particolare quella che egli giustamente definisce «l'agenzia linguistica più potente».

Italiano regionale e popolare in TV

Nel lavoro inedito di tesi di laurea di Anna Frassanito, *L'italiano regionale e popolare nei talk-show televisivi*, Università di Lecce, a.a. 2004-2005, è raccolto un ampio corpus di produzioni linguistiche – realizzate non soltanto da 'gente comune', ma anche da conduttori e artisti delle reti MEDIASET e RAI – che fornisce un interessante spaccato dell'italiano dei talk-show. Ecco i fenomeni più ricorrenti, rilevati in Maurizio Costanzo, Luca Laurenti, Orietta Berti, nel direttore di «Ciak», nella direttrice di «Chi»:

Apocope della desinenza verbale dell'infinito:

e ora va, cammina, vuoi andà a vedè dove sta?; io so stato tutta la settimana a cercà le scarpe che 'l cane m'ha sotterato in giardino...'na ciavatta a sinistra, 'n'artra...

Scempiamento di -*rr*- intervocalica:

i primi due arivati a pari merito, no?

Scambi di preposizioni:

tanto senza che vai de là, tra un po' te n'accorgi pure de qua.

Aggettivo al posto dell'avverbio:

ma però c-è campo uguale.

Uso pleonastico di pronomi:

ti ci mando pure a te dal fisiatra; dagli un consiglio alla signora; gli facciamo un disegnino a questo qua?; dei cigni che lei li chiama oche.

Indicativo al posto del congiuntivo:

pare che Elisabetta è arrabbiata molto per le nozze in municipio di Carlo e Camilla.

Stare + a + infinito per la perifrasi progressiva:

che sta a dì...

Che polivalente:

non è questa la curiosità di vederli bellissimi che noi sappiamo...; questa è quella contrapposizione di mondi che bisogna fare attenzione quando si guarda la cosiddetta differenza...

5.4. Lo scritto trasmesso

Le nuove tecnologie informatiche hanno portato a nuove forme di comunicazioni scritte: soprattutto chat, e-mail, SMS. I messaggi che vengono realizzati attraverso i canali telematici sono, come abbiamo visto per il parlato trasmesso, ibridi, ossia presentano caratteristiche sia del messaggio orale che di quello scritto.

Ci sono comunque delle differenze tra chat, e-mail, SMS: infatti mentre le e-mail possono avere lunghezza variabile e possono essere testi sia informali che formali (anche altamente formali) gli SMS (Short Message System) presentano dei limiti di lunghezza per il numero di caratteri disponibili, così come le chat presentano dei limiti di tempo dovuti al contatto che si stabilisce con l'interlocutore in tempo reale. Inoltre, mentre le chat simulano la comunicazione reale in situazione, gli SMS e le e-mail condividono con lo scritto il fatto che possono essere lette dal destinatario in un tempo differito da quando sono stati prodotti.

Vediamo da vicino alcune caratteristiche.

▶▶ 5.4.1. Le e-mail

Giuliana Fiorentino, soffermandosi sul tipo di lingua utilizzato nella posta elettronica, ha osservato che più che riferirsi alla dicotomia scritto / parlato bisogna riferirsi al tipo di comunicazione, che definisce «una forma di comunicazione scritta con gradi di interazione anche forte» (Fiorentino 2002: 203), ossia una comunicazione linguistica scritta (per il mezzo utilizzato) ma interattiva. Le caratteristiche dei testi di posta elettronica tuttavia risentono anche dell'oralità, in modi variabili a seconda della funzione specifica dell'e-mail e del rapporto di ruolo fra gli interlocutori.

Vediamo qualche esempio.

1) Buongiorno professoressa, mi chiamo [...] E sono una studentessa del primo anno a scienze della comunicazione. Ho superato l'ultimo appello dell'esame di linguistica, ma guardando il sito ho notato che non è stata indicata l'ora della verbalizzazione che avrà luogo domani. Volevo chiederle se poteva essere così gentile da rispondere alla mia e-mail indicandomi l'ora della verbalizzazione. Ringraziandola in anticipo [...].

2) Salve, sono una studentessa non frequentante (in quanto lavoratrice) al primo anno di Scienze della Comunicazione. Poiché intendo dare l'esame di Linguistica italiana previsto per fine settembre, Le chiedo di fornirmi gentilmente informazioni su quanto occorre portare per la prova di Laboratorio di composizione testi in italiano. In attesa di quanto sopra, porgo distinti saluti.

3) Gentile professoressa, sono un'allieva del primo anno di scienze della comunicazione e le scrivo per avere informazioni riguardo l'esame già citato: scritto o orale e modalità (risposte multiple o aperte) della prova stessa. La ringrazio anticipatamente. Cordiali saluti.

Sono tre esempi di e-mail inviate alla scrivente. Vi si notano:

• la formula di saluto, che nella prima (*buongiorno*) proviene dall'interazione faccia a faccia, e nella seconda, con una formula amichevole (*salve*), introduce un inatteso rapporto di informalità;

• l'uso di frasi brevi, caratterizzate da tratti tipici del parlato: *Volevo chiederle se poteva essere così gentile* (uso dell'imperfetto al posto del condizionale e del congiuntivo);

• l'uso di formule del linguaggio burocratico, che non è coerente con l'informalità del testo: *In attesa di quanto sopra*;

• l'errata reggenza in *riguardo l'esame*;

• l'uso di espressioni esageratamente sintetiche: *ho superato l'ultimo appello* invece di *ho superato l'esame all'ultimo appello*;

• l'omissione delle maiuscole per l'allocutivo *Lei* e per la denominazione della disciplina *Scienze della comunicazione*.

In generale questi testi, pur non scorretti, presentano una scarsa pianificazione a livello testuale.

Le e-mail aziendali

Ecco due e-mail autentiche (salvo per i nomi delle persone, che sono stati cambiati) di provenienza aziendale. Si noti nella prima l'analiticità delle disposizioni e la correttezza del testo, e nella seconda la disinvoltura con cui una banca di primaria importanza (o un impostore molto sprovveduto...) trasmette un testo scorretto, quasi illeggibile, frutto di improvvisate traduzioni da una lingua straniera, effettuate con tutta evidenza attraverso un traduttore automatico.

Buongiorno a tutti,
si invia la presente per informare del fatto che il giorno 24 Luglio si effettuerà il trasloco dei seguenti uffici nei nuovi locali di Palazzo D ala 2: Marketing Channel, Contabilità Generale, Risk Management, Tesoreria, Organizzazione. Tutti gli uffici sono pregati di:

• imballare TUTTO il materiale contenuto negli armadi, nelle cassettiere e sulle scrivanie nelle apposite scatole, che vi saranno consegnate entro domani pomeriggio dal commesso;

• etichettare il telefono (sulla cornetta), il monitor (in basso a destra e non sullo schermo), il PC (sul mini tower in alto a destra) e le cassettiere (sul primo cassetto in alto a destra) con le etichette che vi porterà il commesso insieme alle scatole e SOLO con quelle etichette;

⇨

Altre caratteristiche delle e-mail sono:

• l'alto grado di implicitezza che è tipico del messaggio orale: *Salve! Devo sostenere l'esame mi potrebbe dire per quando è fissato il prossimo appello?*;

• la possibilità di utilizzare dialettismi, gergalismi e fatismi: in e-mail scherzose si possono leggere frasi come *il mio cuore squaqualescia per te come il cicero nella pignata* "il mio cuore si scioglie per te come i ceci nella pignatta".

Lo stile – e la lingua – delle e-mail hanno un margine di oscillazione molto ampio, ben più ampio degli SMS e delle chat: varia in relazione alle variabili della diastratia (soprattutto al livello di istruzione dello scrivente) della diafasia (la relazione tra gli interlocutori) e della tipologia testuale. Un testo burocratico avrà un alto grado di formalità e risponderà alla tipologia testuale in questione; un'e-mail aziendale avrà un buon grado di formalità ma sarà scritta in stile sciolto, avrà un taglio fortemente operativo e direttivo, ricco di riferimenti alla vita e ai rapporti interni dell'azienda, che risulterebbero del tutto incomprensibili a lettori esterni (cfr. Box *Le e-mail aziendali*).

Le corrispondenze non sono però automatiche: la gamma delle possibilità è molto ampia. Ad esempio, un testo burocratico può presentare improprietà,

---

• scrivere sulle etichette PRIMA di attaccarle il proprio cognome e il proprio interno telefonico preceduto dal n. 2. (es. Rossi 2263);

• scollegare i PC;

• far trovare tutto il materiale imballato entro le ore 15:00 del 23 Luglio.

Il 24 Luglio potrete accedere ai nuovi locali con gli stessi badge della Sede attuale in attesa che vengano distribuiti i nuovi badge. I titolari di posto auto sono pregati di restituire il tag il 24 Luglio presso l'ufficio Servizi Generali. Contestualmente verrà loro comunicato il nuovo posto auto.

Siete pregati di informare tutti i vostri collaboratori.

A disposizione per qualsiasi chiarimento,

Teodoro Piccoli.

```
Caro XXXX,
Recentemente abbiamo notato uno o più tentativi di entra-
re al vostro conto di Banca YYYY, da un IP indirizzo dif-
ferente.
Se recentemente accedeste al vostro conto mentre viaggia-
vate, i tentativi insoliti di accedere a vostro Conto Ban-
ca YYYY. possono essere iniziati da voi.
Tuttavia, visiti prego appena possibile Banca YYYY per con-
trollare le vostre informazioni di conto:
http://www..............
Ringraziamenti per vostra pazienza.
```

inadeguatezze, veri e propri errori e un testo scherzoso può essere accuratissimo, raffinato, colto. Si può dire che la variabilità linguistica e stilistica, almeno per ora, è insita nel concetto stesso di e-mail.

▶▶ 5.4.2. Le chat-line

Per la loro caratteristica di dialogo interattivo in tempo reale, i testi delle chat-line sono, fra gli scritti trasmessi, quelli che più si avvicinano ai testi prodotti nel parlato. Sono poco pianificati, sono costituiti da frasi brevi, coordinate, spesso non coese, sono ricchi di elementi fàtici e di suoni e onomatopee che riproducono quelli dell'interazione faccia a faccia (per esempio *ah, ah, ah,* per mimare il riso; *nooooooo* per la disapprovazione) e di segnali discorsivi: *vero?, mi ascolti?, no?, allora?, come?, mah, beh, uhm, cioè.* Inoltre, abbondano di dislocazioni a destra o a sinistra, tipiche della focalizzazione dell'oralità, e di costruzioni col *c'è* presentativo: *a Roma ci vediamo; l'ho letta la notizia; c'è un altro che vuole chattare con te.* L'allocutivo dominante è il *tu* confidenziale. La deissi è utilizzata come nei testi parlati: infatti, si registra «la deissi sia testuale, rappresentata da particelle discorsive che rimandano al cotesto, cioè all'informazione che il parlante ha già espresso durante l'interazione e che dà ormai per scontata e acquisita, sia pragmatica, rappresentata da elementi che rinviano al contesto extralinguistico condiviso dai *chatters*» (Gastaldi 2002: 136).

La lingua delle chat è però anche ricca, articolata, a tratti imprevedibile. «L'uso delle *chat* e delle *e-mail* nasce per permettere comunicazioni sempre più veloci, indipendentemente dalla distanza geografica dei parlanti. L'effetto di questa sopranazionalità influenza il linguaggio usato in Rete, che diventa veloce e internazionale. Lo stesso bisogno di espressività porta però anche all'esito diametralmente opposto, cioè alla nascita di una nuova dialettalità, al recupero del dialetto come controlinguaggio, come scarto rispetto alla lingua standard» (Gastaldi 2002: 136). E infatti non mancano i frequenti cambi di codice fra italiano e dialetto, a fini soprattutto ludico-espressivi:

> *beh... però... sedovete andare da lui... famme penzà...*
> A: *si si, the ghe rasun*
> B: *da dove dgt?*
> A: *da Milano, e tu???* (Gastaldi 2002: 136).

Ma a fianco di questi, spesso ricorrono anche *code-mixing* verso lingue straniere: *come va my dear?; oggi è un beautiful day.*

Per il lessico si segnala:
• l'uso di termini fortemente espressivi e generici: *ti devo dire un sacco di cose; gli darei una caterva di botte;*

Le 'faccine'

Gli emoticons più diffusi e il loro significato:

:-)	sorriso
;-)	ammiccamento
>:-C	stupore
<:-0	spavento
:-(	tristezza
>-(	arrabbiatura
<-)	domanda stupida
:-)'	sputare
;-(*)	vomitare
#-)	che nottata!

• la frequenza di disfemismi: *ma per che cazzo non rispondi?, sei proprio un paraculo*;

• anglismi: «*ok, direi che tra pochi secondi sono da te, in real voice!*; *Vittorio: ok? // giarec: resetto la linea? // Vittorio: yes! Please!; // bye! // cla': ho scritto pari pari tutta la schermata che ti leggero' by phone*» (Prada 2003: 169);

• regionalismi: *mo, si stanno a litigare, ormai tieni una certa età* (tratti meridionali) e *come butta* "come va?", *lapiglialu* "l'ha preso" (calchi dialettali piemontesi);

• dialettalismi: *poveru a tie, a ce manu ha cappatu* "povero te, in che mani sei capitato" (leccese); *ciama n'aut* "chiama un altro" (piemontese);

• tecnicismi, adattati e non adattati, relativi al mondo dell'informatica: *chattare, resettare, nickname, link*.

Dal punto di vista grafico abbondano i punti esclamativi, i punti interrogativi e i puntini di sospensione, che contribuiscono a riprodurre la prosodia del parlato. Inoltre le chat, come vedremo per gli SMS, sono brachilogiche (cioè utilizzano frasi brevi, perché il tempo per rispondere e organizzare il discorso è limitato) e tachigrafiche, ossia si avvalgono di una scrittura abbreviata attraverso sigle e segni grafici: *x* "per", *cm* "come", *xché* "perché", *nn* "non", *6* "sei": *alle 6 a gallip* "alle sei a Gallipoli". Abbondano le maiuscole, che sono utilizzate per evidenziare ed enfatizzare una parte del testo: MI PIACIIIII e gli *emoticons*, le faccine che rappresentano gli stati d'animo e che suppliscono la mimica facciale (cfr. Box *Le 'faccine'*).

▶▶ 5.4.3. Gli SMS

Sono paragonabili alle chat, per il modo in cui sono organizzati i testi e per gli artifici grafici che utilizzano. Anche in questo caso l'utente è condizionato dal mezzo, che consente un numero di caratteri molto limitato. Pertanto anche questi messaggi sono caratterizzati da frasi molto brevi, telegrafiche, da abbreviazioni, segni tachigrafici, emoticons. Per quanto riguarda la lingua degli SMS qualcuno l'ha considerata gergale, ma sembra più convincente la tesi di chi, rilevando la chiarezza e la condivisione dei segni che vengono utilizzati per i messaggi e il fatto che vi si attinge per lo più ai linguaggi giovanili, ritiene che si possa parlare più propriamente di «varietà paragergale» (Losi 2001: 264):

– *La ragazza ke mi ha prexo in giro x 2 anni lo sai? 6 ipocrita al 100x100...sl kiakkere e belle parole! t odio*
– *Sono pass 8 mesi e il bivio ke ce tra di noi è insormontabile. Che ci è successo? Nn pensavo ke 1 delle cs più belle mi fosse scappata cs.*
– *6 il dono+grande ke gesù cristo m'ha fatto da quando so nato*
– *Sono:-) di stare kon te*
– *TVMB* ("ti voglio molto bene")
– *TATT* ("ti amo tantissimo")

Sono molto frequenti i cambi di codice, sempre a scopo ludico espressivo:

– ho fatto mattinanegli ultimi tempi quindi ho dormitofino a tardissimo, credo di andare al mare nel pomerig. *nu stare mutu a bagnu se no te ponzi comu le friseḍde* ("non stare molto in acqua altrimenti ti imbevi come le frise")
– *cosa fai? Me pare ka nu te sta kodda* ("mi pare che non hai voglia")
– *buonanotte. ti mando un kiss, due kiss, ttt kiss*

Dal punto di vista grafico, in questi stessi esempi si nota la scarsa attenzione posta al completamento e alla separazione tra le parole, all'uso appropriato di maiuscole e minuscole (probabilmente legato alla macchinosità della digitazione sulla piccola tastiera del telefono cellulare). I rallentamenti nelle operazioni di scrittura che sono imposti dal mezzo spiegano anche il fatto che si utilizzino più moderatamente che nelle chat le maiuscole per l'enfasi e i segni di interpunzione per i tratti prosodici. Non mancano gli errori di digitazione (*ke ce tra di noi*), che spesso non sono corretti perché il processo di rilettura e revisione del testo è sistematicamente abolito per agevolare la rapidità di esecuzione e trasmissione dell'SMS.

Si può dire che la regola compositiva fondamentale di questi testi sia: la velocità fa tendenzialmente premio sulla correttezza, sulla coerenza e sulla coesione.

Alla fine di questa breve disamina sui testi scritti trasmessi si potrebbe tentare con Berruto (2005) di collocarli nello spazio varietetico della tipologia testuale (schema a pagina a fronte).

Se si dispone lungo l'asse delle ascisse il grado di interattività tra i parlanti durante la comunicazione, sull'asse delle ordinate il mezzo (grafico o fonico) attraverso il quale si produce il messaggio, e si fa passare lungo il punto di intersezione delle ascisse e delle ordinate un terzo asse che rappresenta i tratti ca-

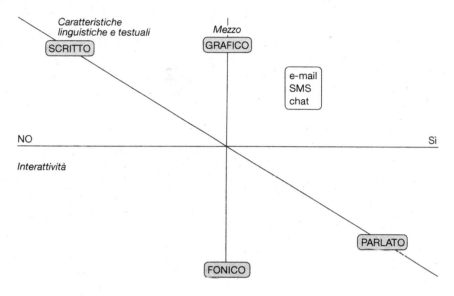

Fig. 4   I testi scritti trasmessi (da Berruto 2005: 156, con adattamenti).

ratteristici dello scritto e del parlato, si osserva che i testi scritti trasmessi al computer e attraverso il telefonino si collocano nel quadrante superiore destro. Ovvero, gli scritti trasmessi per via elettronica sono messaggi che:
• utilizzano il mezzo grafico;
• hanno prevalentemente le caratteristiche linguistiche del parlato;
• si avvalgono di una forte interazione comunicativa tra i parlanti. «Un'interattività simile a quella della comunicazione faccia-a-faccia, arricchita dallo sfruttamento di possibilità iconiche di vario genere insite nel mezzo grafico, sembra essere dunque il tratto sociolinguisticamente caratterizzante della comunicazione 'schermo-a-schermo'» (Berruto 2005: 155).

6. L'italiano attraverso i contesti

La variazione diafasica[1] è legata ai *fattori della comunicazione*: il luogo in cui avviene lo scambio comunicativo, il ruolo degli interlocutori, l'argomento, l'intenzione, lo scopo e il grado di formalità dell'interazione. Le varietà legate al grado di formalità della comunicazione si definiscono *registri* (cfr. § 6.1.); le varietà legate all'argomento si definiscono *sottocodici*, ma alcuni studiosi le chiamano *lingue speciali*, altri *lingue specialistiche*, altri ancora *linguaggi settoriali* (cfr. § 6.2.).

6.1. I registri

I registri – o stili – sono le varietà diafasiche che dipendono dalle caratteristiche della *situazione* e dal *ruolo* reciproco assunto dal parlante (o scrivente) e dal destinatario: in altre parole sono legati al grado relativo di formalità o informalità della situazione comunicativa e al grado di attenzione e di controllo che il parlante pone nel realizzare la produzione linguistica. Situazioni molto formali richiedono un registro molto formale e controllato, situazioni informali – quelle che si stabiliscono con amici e famigliari – richiedono un registro informale, trascurato.

All'interno dell'asse ai cui estremi si trovano i registri più formali e quelli più informali si collocano altre varietà di registro che sfumano le une nelle altre.

---

[1] Anche *diafasia*, da *dia* e *-fasia* (greco *-phasia*, da *phanai* "dire") risale a Coseriu (1973).

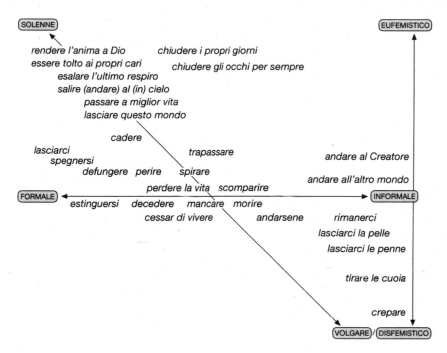

Fig. 5   Variazioni di registro per 'morire' (da Berruto 1993b: 72).

Berruto (1993b) ha rappresentato la variazione diafasica con un esempio lessicale: i diversi modi di esprimere il concetto di 'morire', in relazione ai tre assi che definiscono il registro. L'asse orizzontale ha per estremi i due poli formale-informale (relativi alle caratteristiche della situazione), l'asse trasversale ha i due poli solenne-volgare (relativi alle connotazioni che in una determinata serie di situazioni possono essere annesse alla parola) e quello verticale ha per estremi eufemistico-disfemistico (relativi all'uso di attenuazioni o giri di parole per sostituire un'espressione troppo cruda o volgare).

Nel punto di intersezione dei tre assi si trovano *morire* e *mancare*, che sono termini neutri, non marcati. *Rendere l'anima a Dio, essere tolto ai propri cari, esalare l'ultimo respiro* sono le espressioni più solenni, formali, eufemistiche. All'estremo opposto si trovano *crepare* e *tirare le cuoia* (volgari, disfemistiche, informali). *Lasciarci, spegnersi, defungere, estinguersi* sono altamente formali, ma vicini alla posizione neutra rispetto agli altri due assi. *Andare al Creatore* e *andare all'altro mondo* si collocano verso il polo dell'informalità ma hanno una posizione neutra rispetto all'asse eufemistico-disfemistico e all'asse solenne-volgare, ecc.

La lista delle varianti lessicali non è affatto chiusa, e la posizione di ognuna nel diagramma non è affatto fissa: dipende, ad esempio, dalla percezione di ogni singolo parlante: «ogni scelta fra termini contigui sposta un pochino verso il basso o verso l'alto il registro, senza che sia possibile stabilire confini netti e rigidi tra registri contigui; ed è una variazione aperta, giacché si potrebbero sempre immaginare (e, essendocene il bisogno, realizzare) forme ancora più alte o più basse di quelle attualmente più in alto o più in basso nella scala, o gradini intermedi ulteriori» (Berruto, 1993: 74).

Si può anche osservare che c'è una larga coincidenza fra registri formali e uso scritto della lingua, e fra registri informali e oralità; e che i termini più solenni e formali sono utilizzati nella lingua delle cerimonie funebri e nelle rievocazioni solenni, e dunque fanno parte di quella che si può chiamare una 'lingua speciale' (cfr. § 6.2.): questo induce a considerare che non è sempre facile distinguere una variazione di registro da una variazione di sottocodice o da una variazione diastratica o diamesica.

In particolare, i registri formali sono caratterizzati da:
• presenza di tratti fonetici poco marcati;
• ridotta velocità di eloquio e accuratezza nella pronuncia;
• pianificazione testuale, sintassi elaborata con subordinate implicite ed esplicite e scarsi riferimenti al contesto situazionale;
• ricchezza lessicale e uso di termini specifici o aulici: *recarsi* per "andare", *adirarsi* per "arrabbiarsi", *conferire con* per "parlare con";
• uso di forestierismi;
• uso di voci lessicali arcaizzanti: *ove, onde, affinché, qualora*.

I registri informali presentano invece:
• tratti fonetici marcati, quanto meno in diatopia;
• velocità di eloquio relativamente elevata;
• scarsa accuratezza nella pronuncia, che comporta fenomeni di aferesi (*nsomma, spetta, bastanza*) e di fusione di segmenti: *aggià, ebbè, essì, ebbravo*;
• scarsa pianificazione testuale, false partenze, cambiamenti di progettazione, frasi brevi ed ellittiche;
• uso di termini generici: *cosa, tizio, faccenda*; di parole abbreviate: *bici, cine, tele, prof.*; di disfemismi: *casino* "confusione", *cazzata*;
• utilizzo di parole oscene: *cazzo, palle, culo*;
• uso di onomatopee: *bang, squash, ta-pum*.

Il grado di formalità del registro è condizionato anche dal rapporto tra gli interlocutori. È questo che determina, ad esempio:
• la scelta degli allocutivi: si va dall'informale *Maria* al più formale *signora Maria* sino al molto formale *dottoressa Rossi*;
• la scelta dei pronomi allocutivi: *tu, Lei, Voi, Ella*;
• la selezione delle formule di saluto: *ciao, salve, buon giorno, ossequi*.

Anche gli scopi di ordinare, chiedere, informare sono raggiunti con scelte linguistiche differenti in base al grado di formalità della situazione: *chiudi la finestra – chiuderesti la finestra? – ti dispiace chiudere la finestra? – non dimentichi di chiudere la finestra – si prega di chiudere la finestra.* Come si può notare dagli esempi, si passa dalle formulazioni perentorie e dirette delle situazioni informali (*chiudi la finestra*) a quelle più attenuate e cortesi delle situazioni formali, da un ordine a una richiesta a una preghiera, passando dal tu al Lei e infine a forme impersonali.

6.2. Le lingue speciali

In questa sede chiameremo *lingue specialistiche* le varietà che prevedono un alto grado di specializzazione (fisica, medicina, matematica, linguistica, informatica) e *lingue settoriali* quelle che riguardano settori o ambiti di lavoro non specialistici: lingua dei giornali, della televisione, della pubblicità ecc. I due sottoinsiemi 'lingue specialistiche' e 'lingue settoriali' costituiscono l'insieme 'lingue speciali'.

La differenza tra lingue specialistiche e lingue settoriali consiste essenzialmente nel fatto che le prime hanno un lessico specialistico, basato su una vera e propria nomenclatura, cioè su un complesso di termini tecnici relativi alla materia, organizzato e ordinato secondo norme convenzionali, mentre le seconde non hanno un lessico specialistico ma attingono di norma dalla lingua comune o da altre lingue specialistiche. Questa differenza non è formale ma è legata agli scopi propri della comunicazione: mentre i testi specialistici hanno una circolazione limitata (presso gli esperti, i tecnici, gli studiosi), quelli settoriali hanno una diffusione più vasta e un maggior numero di fruitori, e usano un lessico meno specialistico ma più vicino alla lingua comune proprio per rispondere all'esigenza di farsi capire da un pubblico più ampio e differenziato.

Testi specialistici e testi settoriali non sono entità graduabili: lungo l'asse delle lingue speciali i testi si dispongono in un *continuum* che ha agli estremi da una parte testi altamente specialistici, indirizzati a un ristretto manipolo di addetti ai lavori, e dall'altra testi divulgativi, destinati appunto alla divulgazione presso un'utenza ampia e differenziata.

▶▶ 6.2.1. Le lingue specialistiche
LESSICO
I linguaggi specialistici hanno una caratteristica fondamentale: sono monosemici, ossia ogni parola ha un unico significato, e non può confondersi con l'uso di termini della lingua comune. Per esempio, in medicina il termine *infarto* indica solo la «necrosi ischemica parziale o totale di un organo per occlusione tromboembolica o aterosclerotica di un'arteria terminale (cioè che non possie-

de anastomosi) o di un ramo di cui l'organo stesso è tributario» (*Enciclopedia Garzanti della Medicina s.v.*), al contrario della lingua comune, nella quale può anche essere utilizzato in senso traslato, col significato di "grande spavento" (*ho visto un ladro e mi è venuto un infarto*) o nella locuzione aggettivale *da infarto* col significato "sbalorditivo, esorbitante, molto attraente, emozionante" (*una bionda da infarto*). In conseguenza della monosemicità, nelle lingue specialistiche non esistono sinonimi: per questo, in un testo scientifico, dovendo ripetere un concetto non si può ricorrere all'uso di sinonimi ma bisogna ricorrere alla ripetizione. Ed è questa un'altra caratteristica del linguaggio specialistico.

Come avviene l'etichettatura dei referenti, cioè la denominazione di concetti, oggetti, attività relativi alle varie discipline, o settori, in modo tale da garantire la monosemia?

Secondo quattro procedimenti:

1) si utilizzano parole straniere (inglesi, ma anche latine e greche), sia come prestiti non integrati, cioè riprodotti nella lingua originaria (*pavor nocturnus*, *pediculus*, *hedge fund* "fondo speculativo") sia come calchi, ossia parole straniere tradotte letteralmente;

2) si formano dei neologismi – parole nuove – quasi sempre attraverso la prefissazione e la suffissazione. Per esempio, in medicina è molto produttivo il suffisso *-ite*, che si usa per indicare un'infiammazione acuta: *tiroidite*, *periartrite*, *pielonefrite*, *ovarite*; così come è produttivo il prefisso *peri-*: *periartrite*, *pericardio*. In chimica tutti i sali sono indicati con il suffisso *-ato*: *ossalato*, *bicarbonato*, *iodato*. I neologismi si possono anche formare con combinazioni diverse di elementi della lingua, ad esempio di due parole: *banco-posta*, *estratto-conto*, *sovra-sterzo*, *gammaglobuline*;

3) si utilizzano termini già esistenti nella lingua comune, associando loro un significato diverso: *forza* per esempio è passato dalla lingua comune in fisica a indicare l'entità, rappresentata con un vettore, responsabile del moto dei corpi. Quando una parola passa dalla lingua comune a quella specialistica perde ogni contatto con il suo significato originario, per essere completamente ridefinita. Per esempio, il termine *momento* derivato dal latino MOMENTUM originariamente col significato di "impulso" e di "brevissimo periodo di tempo", in statistica indica «ciascuno dei valori di una successione di numeri, detti *primo*, *secondo m.* ecc., associati a una distribuzione di probabilità per caratterizzarne le proprietà», mentre per il fisico indica la "grandezza vettoriale, relativa a una particella, corrispondente al prodotto tra la sua massa e la sua velocità; è detta anche *quantità di moto*" (DISC);

4) si formano sigle e acronimi, costituiti da una o più lettere iniziali di parole: OPA (Offerta pubblica di acquisto), PET (Positron emission tomography), SIDA (Sindrome da Immunodeficienza acquisita) o dalle lettere iniziali di una parola e dalle finali di un'altra: *bionico* da bio + elettronico, *eliporto* da eli(cottero) + (areo)porto, *motel* da mo(to) + (ho)tel.

La nascita del lessico scientifico italiano

La prosa scientifica in Italia nasce con Galileo Galilei (1564-1642: cfr. Parte prima, § 5.2.). Fino a quel tempo i testi scientifici erano scritti in latino e veicolavano la dottrina aristotelico-tolemaica che Galileo rifiutava. Rifiutando quella cultura egli doveva rifiutare anche la lingua che la esprimeva, così si trovò a dover scegliere tra la lingua dei meccanici, dei tecnici, degli architetti, in volgare, ricca di sinonimi e dialettismi, e le parole della lingua comune del volgare toscano del suo tempo, risemantizzate. La scelta cadde sulla lingua comune essenzialmente per due motivi: primo, perché i suoi lettori sarebbero stati nobili, ecclesiastici, uomini di lettere che avrebbero rifiutato il linguaggio dei tecnici; secondo, perché volendo discutere di metodi e volendo riportare riflessioni sulla teoria e non limitarsi alla semplice descrizione dei fatti, la lingua dei tecnici non avrebbe soddisfatto le sue esigenze.

Attingendo dalla lingua comune, Galileo specializzò i termini, ridefinendoli in modo *univoco e rigoroso*. Ridefinì così in funzione della fisica termini dell'uso comune come *forza, resistenza, attrito, pendolo, azione, reazione, insieme, funzione* ecc., dando a ciascuno di essi un significato specialistico preciso e univoco.

Per le altre scienze il percorso fu differente. Per la medicina circolavano testi in volgare già nel Trecento, ma l'acquisizione del linguaggio specialistico fu molto più tarda. I primi tentativi furono operati nel Seicento dal bolognese Marcello Malpighi (1628-94), fondatore dell'anatomia microscopica, e da Francesco Redi (1626-98) che semplificò la terminologia anatomica; ma si può parlare di una vera e propria terminologia scientifica solo a partire dal Settecento.

L'economia nacque come scienza moderna nel Settecento, quando la terminologia dell'economia politica sostituì quella dell'economia mercantile. Fautori della nuova economia furono, tra gli altri, il napoletano Antonio Genovesi (1713-69) e i milanesi del «Caffè» Cesare Beccaria (1738-94) e Pietro Verri (1728-97). «Il nuovo vocabolario è costituito solo in piccola parte da neologismi o nuovi derivati, attinti direttamente dal francese; in massima parte da evoluzioni e specificazioni tecniche, calcate generalmente sul francese, di termini correnti che entrano nella sfera economica e talora vi si fissano esclusivamente o prevalentemente (*commercio, industria*) o vi sussumono significati accessori (*produzione, distribuzione, consumazione* e *consumo*)» (Folena 1983: 41). Accanto ai termini importati dalla lingua comune entrano nella lingua dell'economia anche regionalismi e localismi, come è evidente nelle coppie *grani / frumento, bozzoli / gallette, mercenario / bracciante*.

Anche la chimica ebbe la sua nomenclatura basata sugli elementi e sui dati sperimentali nel Settecento grazie ad Antoine-Laurent Lavoisier (1743-94), così come la botanica grazie a Carl von Linné (Linneo) che introdusse nel *Systema Naturae* (1758-59) la nomenclatura binomia latina: nome per il genere e aggettivo per la specie.

Con l'Ottocento, poi, si definì il lessico scientifico italiano, ancora in uso nei nostri giorni.

MORFOLOGIA E SINTASSI

Dal punto di vista morfologico nelle lingue specialistiche:

1) è presente un numero molto alto di nominalizzazioni, ossia di trasformazioni di sintagmi verbali in sintagmi nominali: *nel caso si assumano accidentalmente dosi eccessive di farmaco* > *nel caso di assunzione di dosi eccessive di farmaco*; *si deve assumere il prodotto a stomaco pieno* > *l'assunzione del prodotto deve avvenire a stomaco pieno*; *la Charothers scoprì che anche altre coppie di cromosomi possono essere eteromorfe* > *la Charothers scoprì la possibile eteromorfia di altre coppie di cromosomi*;

2) il verbo ha un'importanza e una ricchezza di articolazione molto ridotte:

a) i modi sono di norma limitati all'indicativo e al congiuntivo, specialmente negli atti giuridici e amministrativi e nelle dimostrazioni scientifiche: *nell'esperimento precedente si è assunto che* NH_3 *reagisca quantitativamente con una soluzione di* $HClO_4$. Il condizionale è usato soprattutto per illustrare congetture o per avanzare ipotesi: *le masse continentali si sarebbero mosse in senso orizzontale*;

b) i tempi sono praticamente limitati al presente e al futuro: *la concentrazione dev'essere tale da soddisfare contemporaneamente a tutte le costanti d'equilibrio delle varie reazioni alle quali partecipa*; *assumeremo come vera l'ipotesi nulla*;

c) la gamma delle persone verbali è ridotta a due possibilità: la prima persona plurale e l'uso impersonale (con il *si* e la terza persona o con l'infinito): *per intossicazioni più lievi far bere abbondanti quantità di liquidi*; *per gli acidi poliprotici si possono scrivere tante equazioni di dissociazione quanti sono i protoni in cui si possono dissociare*; *se apriamo il circuito ed annulliamo la corrente, si stabilisce nella pila la differenza di potenziale massima*;

d) si usa più che nelle altre varietà la diatesi passiva: *i sintomi sono rappresentati da senso di vertigine e tinnito (ronzii nelle orecchie)*;

3) prevale lo stile nominale, che può arrivare sino all'assenza di ogni forma verbale:

– La pressione?
– 180/85, polso ritmico, con extrasistole sporadiche. Ittero non palpabile. Non fremiti.
– E all'ascoltazione?
– Il aortico metallico. Il tono polmonare piuttosto forte. Nessun rumore di soffio, ma presenza di IV tono alla punta.
– E il torace?
– Nessuna espansione ispiratoria a sinistra; anzi rientranza degli spazi intercostali. Alla percussione, ottusità massiva di tutto l'emitorace sinistro: scomparsa del fremito e silenzio respiratorio.
(Interazione fra un Direttore sanitario e il suo aiuto, da Altieri Biagi 1974: 75);

4) l'uso delle preposizioni subordinanti è ridotto al minimo indispensabile. Quando due parole possono essere unite da un trattino la preposizione che le unirebbe viene spesso eliminata: *interruttori fine-corsa, dispositivo input-output*;

5) in conseguenza della scarsità di preposizioni e di 'parole vuote' (cioè non dotate di significato proprio) i testi presentano un'alta 'densità lessicale': il rapporto parole piene / parole vuote sul totale delle parole usate è più alto che nelle altre varietà di lingua;

6) i periodi sono formati da proposizioni prevalentemente brevi;

7) soprattutto negli scritti più recenti, l'organizzazione sintattica è tendenzialmente paratattica.

STRUTTURE TESTUALI

I ragionamenti scientifici rispondono a tre caratteristiche fondamentali: *chiarezza, assenza di contraddizione* e *coerenza*.

Per rispondere a questi requisiti devono avere una struttura rigida e costante. Il testo-tipo si articola in quattro parti: 1) introduzione; 2) problema; 3) soluzione; 4) conclusione.

I testi scientifici sono anche molto ricchi di *schemi, tabelle, grafici* e *illustrazioni*, e sono completati da *note* (a pie' di pagina o a fine testo) e da ampie e dettagliate *bibliografie*.

L'uso della referenza anaforica e cataforica (cioè il rinvio a un punto precedente o seguente del testo) è più frequente che non nella lingua comune. Infatti sono molto frequenti i rinvii testuali: *cfr. infra; vedi capitolo...; si veda al paragrafo successivo; come è stato dimostrato sopra; detta ipotesi; come si vedrà più avanti.* Sono rare le anafore attraverso pronomi, perché il linguaggio scientifico preferisce la ripetizione per garantire maggiore precisione ed evitare ambiguità di senso.

Anche i connettivi hanno un ruolo fondamentale, perché collegano le parti del ragionamento scandendone gli snodi argomentativi: *dato x, discutiamo y, ne consegue che, quindi, si può allora dimostrare, cosicché* ecc.

▶▶ 6.2.1.1. La lingua della medicina

Da sempre il linguaggio della medicina è apparso come l'erede delle pratiche magiche preilluministiche, fondato su analoghe funzioni criptolaliche: una specie di linguaggio iniziatico portatore di fascinazione magica e dunque misterico, pressoché segreto.

Contribuiscono ad alimentare questa percezione le caratteristiche del lessico specialistico, che è formato con procedure e regole in buona parte diverse da quelle di altre varietà, specialistiche e non specialistiche. A causa delle antiche origini della medicina il lessico ha un antico consistente strato lessicale greco e latino – oggi, ma anche nei secoli precedenti – scarsamente comprensibile dalle persone non colte, che è arricchito da numerose basi lessicali di diversa origine alle quali spesso si sono aggiunti suffissi di origine greca, risemantizzati in modo univoco. Per esempio, il suffisso *-ite* indica l'"infiammazione acuta": sul modello del termine antico *artrite* si formeranno, nel **XIX** secolo *dermatite*, *oftalmite*; analogamente, *-osi* porta il significato "affezione cronica" (*artrosi, dermatosi*).

Caratteristiche del lessico della medicina sono le neo-formazioni con tre elementi greci – struttura non prevista dal greco antico –: *gastroenterocolite, gastro-duodeno-colecistite, lombocostotracheliano* "muscolo sacro lombare", *gastroenterologia, lombosciatalgia*.

Alcuni elementi lessicali greci, o di origine greca, come *-algìa* (< *álgos* "dolore"), *-lisi* (< *lýsis* "scioglimento, soluzione"), *-patìa* (< *pathèia* "passione, sofferenza"), *-ragìa* (< *rhēgnýnai* "spezzare, sgorgare"), *-tomìa* (< *tome* "taglio"), *-urìa* (< *oûron* "urina") assumono il valore di quasi-suffissi produttivi per la formazione di nuovi composti: *nevralgia, emolisi, osteopatia, pneumorragia, laringotomia, ematuria*. Altri invece si comportano da quasi-prefissi: *acro-* (< *ákros* "estremo"), *aero-* (< *aer* "aria"), *tracheo-* (< *trakhêia* "(arteria) ruvida"): *acrocianosi, aerofagia, tracheobronchite*.

Ultimamente, nel linguaggio medico, che fino a poco tempo fa ha attinto dalle lingue classiche, sono entrati nell'uso anche termini dall'inglese: *bypass, clearance, pacemaker*, che spesso vengono assunti nella forma originaria. È rilevante l'ingresso di sostantivi terminanti con preposizioni: si pensi ad esempio a parole della psichiatria, come *acting in, acting out, break off, hang over*.

Ricordiamo anche i calchi, come *dieta* < ingl. *diet* "alimentazione abituale, modello alimentare"; gli anglicismi adattati: *palatabilità* per "appetibilità" < *palatability, plateleto* per "piastrina" < *platelet*; le sigle: DNA (acido desossiribonucleico), TAC (Tomografia assiale computerizzata), NAD (Nicotinammide adenin dinucleotide), MIF (Migration inhibiting factor).

Caratteristici e frequenti sono anche gli eponimi, ossia polirematiche (gruppi di parole con significato unitario) che indicano un fenomeno o una patologia attraverso il nome dello studioso che a quel fenomeno o a quella patologia ha legato il suo nome: *morbo di Parkinson, sindrome di Clarke-Howell-Evans-McConnel, morbo di Alzheimer*.

A parte le esigenze interne delle singole discipline che necessitano di una terminologia univoca, il linguaggio della medicina, come quello delle altre scienze, risente delle richieste di una diffusione internazionale della ricerca, ed è per questo che da tempo ci si orienta verso l'adozione di nomenclature internazionali. Al raggiungimento di questo obiettivo sono preposte alcune istituzioni come l'International organization for standardization (ISO) e l'Unesco, che cura, tra l'altro, l'edizione di vocabolari settoriali in più lingue.

▶▶ 6.2.1.2. La lingua della medicina divulgativa

Nel passaggio dal linguaggio scientifico a quello divulgativo, per esempio in un articolo di giornale rivolto a un pubblico molto vasto, o nei foglietti illustrativi, rivolti sia al profano (soprattutto per i prodotti da banco) che al medico (per i farmaci vendibili su prescrizione) si perdono molti dei tratti propri delle lingue specialistiche.

In particolare, per l'articolo di giornale si utilizzano titoli catturanti e a effetto (*Linfomi, giornata mondiale della speranza, Salva il seno*), illustrazioni e schemi semplificati, e si evitano caratteristiche della lingua specialistica come il passivo, le forme impersonali e lo stile nominale[2]. Si veda l'esempio seguente:

Tra i potenziali vantaggi della nuova terapia, oltre alla selettività di azione, c'è la possibilità che la terapia raggiunga il tumore e le sue metastasi, anche se ancora non si sono manifestate. Il passaggio dalla scoperta alla sperimentazione clinica sull'uomo richiederà anni di lavoro. I meccanismi di crescita dei tumori, però, cominciano a non avere più segreti.

I termini difficili sono spesso esplicitati o commentati anche con glosse[3]:

la malattia aterosclerotica è il fisiologico invecchiamento dei nostri vasi.

In un altro studio su 1110 pazienti affetti da orticaria, patologia in cui viene tradizionalmente ritenuto importante il ruolo dei cibi confezionati, gli additivi alimentari sono stati confermati come responsabili della sintomatologia solo nello 0,63 per cento.

Per allergia alimentare si intende una reazione avversa agli alimenti, mediata dal sistema immunitario con la comparsa di anticorpi specifici (IgE) che si attivano ogni qual volta avvenga il contatto con l'alimento, anche in dosi minime.

Sono ricorrenti, inoltre, le forme dialogiche:

A parte la protezione conferita dalla riduzione pressoria in sé, esistono differenze tra i vari farmaci? Molti studi, per un totale superiore ai 200mila pazienti, hanno cercato di rispondere a questa domanda, ma nella maggior parte dei casi hanno avuto esito negativo, nel senso che a parità di riduzione pressoria non sono emerse differenze tra le varie strategie terapeutiche.

Così, ad esempio, nell'inserto «Salute» di «Repubblica» nella rubrica *Email & fax* il medico risponde alle domande dei pazienti:

«Da un paio di mesi noto come delle ragnatele che appaiono e scompaiono a un occhio [...]. Mi hanno diagnosticato mosche volanti: che cosa sono, si curano? Che evoluzione hanno?». Il medico risponde: «Le mosche volanti, la visione di 'ragnatele' e il distacco sono fenomeni da collegare alla vita biologica del Corpo Vi-

---

[2] Cfr. Serianni (2005).
[3] Gli esempi che seguono sono tratti da numeri vari del supplemento «Salute» del quotidiano «la Repubblica».

treo. Questa struttura consiste in una massa trasparente semifluida molto simile all'albume d'uovo che occupa tutta la cavità del bulbo a eccezione della porzione anteriore, costituita invece da cornea, umore acqueo ed iride».

Come si vede il medico, pur utilizzando similitudini (*simile all'albume d'uovo*), termini piani e comprensibili, non rinuncia ai tecnicismi (*Corpo Vitreo*).

Le similitudini e le metafore, che servono per catturare l'attenzione dei non addetti ai lavori, sono in effetti molto frequenti:

La tendenza è quella di studiare i fenomeni creando un modello che non sia puramente verbale o matematico, ma fisico, un vero e proprio 'simulatore', spiega Domenico Parisi;

Il 'salto' del virus dal potenziale contagio tra polli a umani a quello tra umani e umani è infatti più che un'ipotesi di laboratorio dopo l'analisi su alcuni casi di decessi dei mesi passati;

Poi le iniezioni di staminali penseranno a 'rieducare' il suo sistema nervoso per mitigare il rigetto e ridurre la quantità di farmaci immunosoppressori.

Sono poco utilizzati gli acronimi, che vengono puntualmente sciolti.

Nei foglietti illustrativi invece si trovano forme, strutture e lessico propri dei testi tecnico-scientifici non divulgativi. Si prenda per esempio il foglietto illustrativo dell'Aspirina:

[Perché si usa] Aspirina si usa per la terapia sintomatica degli stati febbrili e delle sindromi influenzali e da raffreddamento. Mal di testa e di denti, nevralgie, dolori mestruali, dolori reumatici e muscolari;

[Quando non deve essere usato] Ipersensibilità verso i componenti o altre sostanze strettamente correlate dal punto di vista chimico; in particolare verso l'acido acetilsalicilico ed i salicilati.

Accanto a termini comuni: *mal di testa e di denti, nevralgie, dolori mestruali, dolori reumatici e muscolari* si riscontrano termini tecnici come *l'acido acetilsalicilico ed i salicilati*, le forme verbali con *si* passivante e lo stile nominale: *ipersensibilità verso i componenti o altre sostanze strettamente correlate dal punto di vista chimico*. Nei foglietti illustrativi, in generale, i procedimenti di avvicinamento alla lingua comune sono meno 'spinti' che negli articoli di giornale, e lo schema del testo è rigido: composizione, indicazioni, controindicazioni, dosi.

▶▶ 6.2.1.3. La lingua della burocrazia

La lingua della burocrazia appare molto diversa dalla lingua che utilizziamo ogni giorno. Appare infatti oscura e pomposa. Se da una parte la lingua della burocrazia vuole essere chiara, spersonalizzata, anonima, dall'altra essa appare di difficile interpretazione, tanto che – per renderla comprensibile al pubblico più differenziato – si operano (o si tentano di operare) dei processi di semplificazione.

Due sono le parole-chiave per definire il linguaggio burocratico: 'ufficialità' e 'uniformità'. Il primo termine si riferisce alle azioni, o comportamenti, prescritti e sanzionati; il secondo termine invece mette in risalto l'immobilità di questa varietà, la scarsa propensione ad innovarsi, con lo scopo dichiarato di evitare ambiguità.

Caratteristiche del linguaggio burocratico sono:
• la preferenza per espressioni tecniche – o apparentemente tali – piuttosto che per espressioni comuni: invece di *supporre* si usa *ipotizzare,* al posto di *aumentare* si usa *incrementare,* al posto di *raffinato, sofisticato,* per *adatto, idoneo,* per *principiante, esordiente;*
• la proliferazione di neologismi non necessari, che sostituiscono locuzioni polirematiche: *relazionare* per *fare una relazione, disdettare* per *dare una disdetta, attergare* per *annotare a tergo;*
• la ridondanza: *corpo docente* per *insegnanti, dare comunicazione* per *comunicare, per quanto attiene* al posto di *per.*

Per quanto riguarda la morfosintassi i testi burocratici prediligono:
• forme impersonali: *si ritiene, si dispone, si informa, si riserva di;*
• verbi costruiti con forme nominali: infiniti (*nel rispondere, nel considerare, nel valutare*), gerundi (*avendo come obiettivo, fermo restando, pur comprendendo*), participi presenti (*un'azione avente come obiettivo, avente per oggetto, riguardante il, le leggi vigenti*) e participi passati (*visto, considerato, appreso, preso atto, premesso*);
• uso del futuro deontico (che indica obbligo): *le domande dovranno essere redatte, il registro dovrà essere diviso;*
• periodare spesso lungo e complesso, ricco di frasi incassate: *premesso che, purché, nonché, in deroga a, in merito a, preso atto di, ove...*

La lingua della burocrazia, dunque, contrariamente a quanto vuol fare apparire, rispetto alla lingua di ogni giorno risulta meno precisa. Dardano (1981) sostiene che questa varietà viene utilizzata in Italia non per aiutare il lettore alla comprensione, ma per sottolineare l'autorità di chi scrive, scopo che viene raggiunto attraverso l'uso di espressioni che lasciano il dubbio di più possibili interpretazioni.

Il tono pomposo e il vago senso di minaccia caratterizzano così i documenti ufficiali. Vediamo per esempio la delibera di un Consiglio circoscrizionale:

Considerato che numerosi cittadini avanzano richieste di concessione di installazione dei cosiddetti 'parapedonali' al fine di impedire la sosta, sempre più frequente, delle autovetture sui marciapiedi;

Considerato che tale 'sosta selvaggia' sui marciapiedi impedisce il normale transito dei pedoni, restringe, fino a renderlo impossibile, l'accesso ai passi carrabili e causa l'immissione di agenti inquinanti nelle abitazioni situate nei piani seminterrati o rialzati [...]. I parapedonali dovranno essere installati lungo i marciapiedi in corrispondenza al fine di impedire la sosta delle autovetture con grave limitazione della visibilità.

Lo stile melodrammatico, perentorio, quasi minaccioso, è corroborato dall'uso di un'aggettivazione esagerata: *'sosta selvaggia'*, *rendere impossibile*, *grave limitazione*.

La lingua della burocrazia potrebbe essere definita con Italo Calvino l'antilingua, la lingua che rifugge dal concreto, da tutto ciò che può essere definito e reale. Ma si può rifuggire da questi vizi ed essere invece precisi e chiari?

Nel 1993 l'allora ministro della Pubblica amministrazione, Sabino Cassese, nominò una Commissione al fine di rendere chiaro e trasparente il linguaggio amministrativo; la stessa linea è stata poi seguita da ministri di diversa parte politica, Giuliano Urbani, Franco Frattini e Franco Bassanini, che a lui sono succeduti. Grazie all'ausilio di alcuni linguisti, l'iniziativa ha prodotto il *Manuale di stile. Strumenti per semplificare il linguaggio delle amministrazioni pubbliche* (Fioritto 1997), pensato per essere il *livre de chevet* dei funzionari della pubblica amministrazione. Ricadute importanti di questa iniziativa – oltre che nelle circolari interne e negli atti pubblici di alcuni ministeri, che hanno colto lo spirito dell'iniziativa – sono costituite dalla recente riscrittura della bolletta ENEL – e di altri documenti e moduli che utilizza anche il cittadino incolto – in modo piano e comprensibile.

L'obiettivo era ambizioso ma strategico: del linguaggio burocratico fanno uso anche enti quali quelli per l'energia, l'acqua, il gas, ai quali la Corte costituzionale ha chiesto la trasparenza comunicativa dei rapporti tra enti erogatori e utenti, in base all'articolo 3 della Costituzione che sancisce l'ugualianza dei cittadini di fronte alla legge e ne fa scaturire precisi doveri da parte dei poteri dello Stato: «Tutti i cittadini hanno pari dignità sociale e sono eguali davanti alla legge, senza distinzione di sesso, di razza, di lingua [...]. È compito della Repubblica rimuovere gli ostacoli [...] che [...] impediscono il pieno sviluppo della persona umana e l'effettiva partecipazione [...]».

Il *Manuale di stile* è diviso in tre parti: la *Guida alla redazione dei documenti amministrativi* fornisce regole e indicazioni di carattere testuale, sintattico e lessicale; la *Guida alle parole della pubblica amministrazione* è un prezioso vocabolarietto di circa 500 termini del linguaggio giuridico e amministrativo spiegati in modo semplice e chiaro; la *Guida all'impaginazione dei documenti amministrativi* dà alcune regole su come impostare graficamente e tipograficamente un documento. In particolare, nella prima parte, rivolta a dirigenti, responsabili delle singole amministrazioni, impiegati che comunicano direttamente con i cittadini, si danno indicazioni su come migliorare la qualità della comunicazione tra amministrazioni e cittadini, corredandole con numerosi esempi di un linguaggio chiaro, preciso e concreto, con particolare riferimento all'organizzazione logico-concettuale del testo – disposizione gerarchica delle informazioni principali e secondarie, esplicitazione di tutte le informazioni necessarie –, alla sintassi – si suggeriscono frasi semplici, con verbi attivi, con frasi di forma affermativa –. Ad esempio il testo:

Il cittadino straniero munito di documento di riconoscimento (passaporto, attestazione di identità rilasciata dalla rappresentanza diplomatica o consolare del Paese di appartenenza) e di n. 4 fotografie formato tessera, al quale un datore di lavoro ha rilasciato dichiarazione scritta su carta bollata da £. 15.000 attestante la propria disponibilità ad assumerlo regolarmente, accompagnato dallo stesso datore di lavoro o da persona appositamente delegata, deve recarsi in Questura, presso il COMMISSARIATO DI ZONA, per presentare la richiesta del permesso di soggiorno 'per motivi di lavoro' e ritirare la relativa ricevuta con fotografia.

viene riscritto così:

Il cittadino straniero extracomunitario deve presentarsi presso il Commissariato di zona della Questura, per presentare la richiesta di soggiorno per 'motivi di lavoro' e deve portare:
– un documento di riconoscimento (passaporto, attestazione di identità rilasciata dalla rappresentanza diplomatica o consolare del Paese di appartenenza);
– n. 4 fotografie formato tessera;
– la dichiarazione scritta su carta bollata da £ 15.000 del datore di lavoro che attesta di essere disponibile ad assumerlo.
Il cittadino extracomunitario deve presentarsi in Questura accompagnato dal datore di lavoro o da persona delegata dal datore di lavoro. La Questura rilascia al cittadino straniero extracomunitario una ricevuta fornita di fotografia. Tale ricevuta attesta che il cittadino straniero extracomunitario ha presentato la 'richiesta di soggiorno per motivi di lavoro' (Fioritto 1997: 42).

Per il lessico si raccomanda di:
• utilizzare parole di uso comune: *andare* invece di "recarsi", *lode* per "encomio", *parlare* per "interloquire", *abbandonare* per "evacuare", *perciò* per "all'uopo", *mettere* per "apporre", *contemporaneamente* per "nel contempo", *rinviare* per "differire";
• evitare parole e locuzioni solenni: *Lei* per "la Signoria vostra", *secondo* per "in ossequio a", *tutti devono* per "è fatto obbligo a chiunque di", *domanda completa di* per "istanza corredata di";
• evitare termini stranieri e latini: *di diritto* al posto di "de iure", *di fatto* al posto di "de facto", *piano* al posto di "planning", *incontro, riunione, convegno* al posto di "meeting";

• evitare l'uso di locuzioni complesse: *per* al posto di "al fine di", "con l'obiettivo di", "allo scopo di", *se* al posto di "nel caso in cui", "sempreché", "a condizione che";

• usare parole concrete al posto di quelle astratte: *non possedere* per "impossidenza", *denaro, soldi* per "liquidi", "liquidità", *uso, utilizzazione* per "utilizzo", *affidamento* per "affido", *comunicare* per "dare comunicazione", *firmare* per "apporre la firma", *verificare* per "procedere alla verifica", *potere* per "avere la possibilità di", *finire, concludere* per "portare a compimento";

• evitare l'uso di verbi derivati da sostantivi: *scrivere dietro al documento* per "attergare", *dare disdetta* per "disdettare", *fare una relazione* per "relazionare"

• evitare perifrasi lunghe e complesse: *sfratto* per "provvedimento esecutivo di rilascio", *impedimento* per "condizione ostativa";

Burocratese di ieri e di oggi

Il linguaggio burocratico, chiamato anche spregiativamente 'burocratese', come abbiamo detto era stato definito da Italo Calvino 'antilingua'. Per dare un esempio del linguaggio, difficile, oscuro, astratto della burocrazia, Calvino, nel rispondere a Pasolini, che aveva giudicato la nascente lingua nazionale troppo tecnologica, immaginò di riprodurre in un suo pezzo famoso («Il Giorno», 3 febbraio 1965, poi in Parlangèli 1971: 173-176 e in Calvino 1980:123 sgg.) la lingua del brigadiere che redige un atto di denuncia:

Il brigadiere è davanti alla macchina da scrivere. L'interrogato, seduto davanti a lui, risponde alle domande un po' balbettando, ma attento a dire tutto quello che ha da dire nel modo più preciso e senza una parola di troppo: «Stamattina presto andavo in cantina ad accendere la stufa e ho trovato tutti quei fiaschi di vino dietro la cassa del carbone. Ne ho preso uno per bermelo a cena. Non ne sapevo niente che la bottiglieria di sopra era stata scassinata». Impassibile, il brigadiere batte veloce sui tasti la sua fedele trascrizione: «Il sottoscritto, essendosi recato nelle prime ore antimeridiane nei locali dello scantinato per eseguire l'avviamento dell'impianto termico, dichiara d'essere casualmente incorso nel rinvenimento di un quantitativo di prodotti vinicoli, situati in posizione retrostante al recipiente adibito al contenimento del combustibile, e di avere effettuato l'asportazione di uno dei detti articoli nell'intento di consumarlo durante il pasto pomeridiano, non essendo a conoscenza dell'avvenuta effrazione dell'esercizio soprastante».

Si noti che il racconto dell'interrogato è più breve ed è costituito da più periodi, brevi, rispetto a quello del brigadiere che è più lungo e strutturato in un unico, lungo periodo, ricco di subordinate collegate da connetti-

⇨

• evitare termini tecnico-specialistici: *pagamento* per "oblazione", *richiesta* per "istanza", *ordine* per "ingiunzione";

• evitare sigle e abbreviazioni: *legge* per "l.", *comma* per "c.", *conto corrente* per "c. c.", *ordine del giorno* invece di "o. d. g.".

▶▶ 6.2.1.4. La lingua dei politici

Prima di parlare della lingua dei politici è necessario fare una distinzione fra questa e la lingua della politica. Mentre la lingua della politica è la varietà utilizzata dagli studiosi di scienze politiche, è quindi una varietà tecnico-scientifica, con la sua formalizzazione e il suo lessico specialistico, caratterizzato nella maggior parte dei lessemi da univocità semantica, la lingua dei politici, che leggiamo sui giornali e ascoltiamo in TV e – a volte – nei comizi, non può essere de-

---

vi complessi: *situati in posizione retrostante* per "dietro", *adibito al contenimento del* invece di "del" ecc.

Se si analizza il lessico, si osserva che le parole del primo testo, di uso comune, risultano concrete e reali, mentre quelle del secondo sono astratte, generiche, ricche di perifrasi: *prime ore antimeridiane* per "stamattina presto", *recarsi* per "andare", *locali dello scantinato* per "cantina", *eseguire l'avviamento* per "accendere", *incorrere nel rinvenimento* per "trovare", *essere a conoscenza* per "sapere", *avvenuta effrazione* per "era stata scassinata", *impianto termico* per "stufa", *prodotti vinicoli* per "fiaschi di vino", *pasto pomeridiano* per "cena".

La parodia di Calvino è quanto mai attuale e, purtroppo, trova riscontri puntuali anche oggi, nella realtà quotidiana. Per fare un esempio, si legga la relazione relativa a un incidente nei giardini pubblici stilata dalla Polizia municipale di Lecce:

L'anno 2003, il giorno 23 del mese di luglio alle ore 20.20 noi sottoscritti xxxxx, in merito a quanto indicato in oggetto, riferiamo quanto segue: in servizio presso la villa comunale come da tabella giornaliera notavamo una certa agitazione nell'area giochi 'nord' adiacente alla fontana dell'acqua potabile. Accorsi subito sul posto ci rendevamo conto dell'accaduto, ovvero della caduta di un bambino, xxxxx, da uno dei giochi ivi posti. Resoci conto della necessità di assistenza medica chiamavamo il 118. L'ambulanza sopraggiungeva dopo pochi minuti ed il medico prima di ripartire con il bambino e la madre per l'ospedale 'Vito Fazzi' ci comunicava la diagnosi: «sospetta frattura del polso destro». Nel frattempo si provvedeva a generalizzare la madre del minore xxxx che dichiarava spontaneamente di aver visto cadere il proprio bambino dal quadro svedese annesso allo scivolo dopo che lo stesso avevo perso la presa. Noi sottoscritti provvedevamo inoltre a raccogliere dichiarazioni spontanee dai cittadini presenti al momento dell'accaduto.

finita lingua specialistica settoriale perché è poco formalizzata, non dispone di un lessico specialistico, è ricca di ambiguità, polisemie ecc.

Possiamo distribuire le caratteristiche della lingua dei politici su quattro livelli: *stile comunicativo, caratteri retorici e testuali, lessico, morfologia*.

STILE COMUNICATIVO

La lingua dei politici risulta ambigua, in modo per molti versi simile a quello della burocrazia. Storicamente questi due linguaggi ebbero uno sviluppo simile e parallelo, sino agli anni Novanta del secolo scorso, quando la lingua della politica ha subìto una svolta decisiva, in seguito al rinnovamento della scena politica italiana, mentre la lingua della burocrazia, come abbiamo visto, iniziava solo timidi tentativi di rinnovamento.

Scopo principale della politica è quello di comunicare. Fino agli anni Ottanta il gruppo politico al potere in Italia utilizzava tecniche comunicative sofisticate, attraverso le quali il politico, fingendo di rivolgersi al grande pubblico, mandava messaggi 'in codice' ai colleghi di altri partiti, in un'interminabile partita a scacchi dalla quale il cittadino qualunque era di fatto escluso. Per raggiungere questi fini semi-criptici il politico utilizzava espressioni oscure, che potevano essere comprese – e soprattutto decodificate nel senso voluto – da pochi, mentre la stragrande maggioranza della popolazione, impressionata dall'eloquenza barocca dei discorsi politici, subiva il fascino ipnotizzante di un linguaggio per iniziati, misterico e incomprensibile come tradizionalmente sono i linguaggi del potere.

I rinnovamenti nel linguaggio politico, anticipati da una curiosa fase di 'realismo linguistico' dell'allora presidente della Repubblica Francesco Cossiga, avvennero con l'affacciarsi sulla scena politica della Lega Nord, che impose un nuovo modello di comunicazione. Il linguaggio oscuro venne sostituito da un linguaggio anti-intellettuale, privo di eufemismi, che attirava l'attenzione dei sostenitori su concetti-chiave, spesso realizzati in slogan semplici, forti, efficaci (*Roma ladrona, la Lega non perdona*; *la Lombardia non è più dei Lombardi*), arricchiti da inedite utilizzazioni del dialetto, a marcare con forza l'identità regionale (*quei che ghem, ghem, i alter a ca' soa* "quelli che siamo, siamo, gli altri a casa loro"), anche con cambi di codice espressivi (*la dittatura dei terù* "la dittatura dei terroni"), nonché dichiarazioni forti di virilità (*la lega ce l'ha duro*), doppi sensi, come quelli che si leggevano sulle magliette delle donne: *Bossi, sono venuta per te*. Dal punto di vista linguistico la Lega, sia nei discorsi pubblici che in parlamento, operò una vera e propria rivoluzione, portando nelle sedi più solenni il linguaggio della vita di ogni giorno, con un inedito gusto della provocazione e della violenza verbale. Da allora, sia pure con più misura, molte forze politiche hanno rinnovato il loro linguaggio, che oggi è nel complesso un po' più chiaro e un po' meno criptico che nel passato.

CARATTERI RETORICI E TESTUALI

Tratti caratteristici del discorso politico sono stati e continuano a essere le figure retoriche, pilastri del discorso politico tradizionale in quanto assicuravano una certa misteriosa eleganza al parlato, che attraeva gli ascoltatori, e nello stesso tempo garantivano la scarsa comprensibilità del significato vero del messaggio.

Tra le più frequenti ricordiamo:

• l'anafora, ossia la ripresa di uno stesso concetto:

Berlusconi: «*Vi voglio bene* perché siete quella parte dell'Italia che non ha piegato e non piegherà mai la schiena di fronte all'arroganza del potere; *vi voglio bene* perché nei vostri occhi brilla l'orgoglio di far parte di Forza Italia [...]; *vi voglio bene* perché nel vostro sguardo brilla la luce di un Paese serio, operoso [...]»; Fassino: «*Noi vogliamo batterci* per una globalizzazione che sia appunto opportunità e occasione per ogni donna e ogni uomo che viva su questo pianeta, *noi vogliamo batterci* per una globalizzazione che non sia la globalizzazione soltanto dell'economia e dei mercati ma anche la globalizzazione dei diritti; *noi vogliamo batterci* per una civilizzazione della globalizzazione [...]»;

• le interrogative retoriche, che «equivalgono a vere e proprie affermazioni, analoghe perciò a enunciati assertivi nella loro forza di atti linguistici indiretti: la domanda è fatta non per chiedere, ma per affermare o negare qualcosa; l'attenzione verte non sulla forma sintattica, ma sul senso e sul valore dell'enunciato»:

Rutelli: «E allora io chiedo ai miei alleati: *davvero pensiamo che il modo migliore per entusiasmare gli elettori sia quello di presentarci alle urne con 10 simboli? Oppure non è forse meglio lanciare la sfida a Berlusconi dicendo agli italiani 'ecco la grande lista europea che batterà Forza Italia?'*»;

• le metafore mutuate dai linguaggi militare, medico e sportivo:

Berlusconi: «*Il mio movimento in guerra* contro il comunismo; *Chiamato alle armi sono in servizio attivo* per il mio paese»; Bossi: «Dunque se qualcuno ha nostalgia o rimpiange un Palazzo Chigi invaso da *faccendieri, avventurieri e farabutti di ogni risma* lì a bivaccare per *difendere* il loro portamonete o le loro brame di potere»;

Lo stesso nome del partito *Forza Italia* prende il nome dai canti ritmici delle folle dello stadio quando gioca la nazionale; e lo stesso Berlusconi ripete spesso che «il calcio è una metafora della vita»;

• i deittici e le contestualizzazioni del messaggio:

Castagnetti: «*Eccoci*. La Margherita, anche con questa manifestazione di *oggi*, si presenta all'Italia»; Fassino: «Io voglio *qui* ringraziare, come ho fatto in apertura, non per una ragione formale ma proprio in relazione a come si è sviluppato il dibattito in *questi tre giorni* [...]»;

• gli ossimori, cioè l'accostamento di parole che esprimono concetti abitualmente contrapposti:

Castagnetti: «nel discorso dell'onorevole Berlusconi vi è poi un altro sostanziale *silenzio che ci impone oggi di parlare*»; «Il *fragoroso silenzio* del Colle»;

• le iperboli e le frasi a effetto:

Berlusconi: «*la nostra grande missione*, quella di *trasformare profondamente il Paese, di rinnovarlo moralmente, di ammodernarlo, di avviarlo verso lo sviluppo, di renderlo più prospero e più giusto*. Siete qui, siamo qui, Forza Italia è qui, come *baluardo insormontabile* della democrazia e della libertà»[4].

LESSICO

Il lessico della politica è costituito da due strati:

1) parole che risalgono all'Ottocento, proprie dei movimenti post-rivoluzionari: *borghesia, capitalismo, democrazia, costituzione, maggioranza, opposizione, estremismo*, che sono entrati anche nella lingua comune, risemantizzandosi;

2) parole contemporanee mutuate da:

a) la lingua comune, con significato contestualizzato: *convergenza, asse, arco* (*costituzionale*), *pianista, garante, traghettare, tavolo, cespugli*;

b) i linguaggi settoriali: dall'economia (*gestione, cartello, surplus, trend*), dalla medicina (*diagnosi, terapia, fibrillazione, by-pass*), dallo sport (*dribbling, sorpasso, segue a ruota, surplace*), dal diritto, dalla sociologia, dalla burocrazia;

c) altre lingue. Prestiti non integrati: dall'inglese *bipartisan, exit poll, premier, ticket*; dallo spagnolo *golpe*, dal persiano *talebano*. Sul modello di espressioni angloamericane: *election day, tax day*.

Non mancano neologismi, legati a nuovi referenti (nuovi movimenti politici, nuovi esponenti, nuovi problemi ecc.): *girotondisti, girotondini, par condicio, inciucio*.

MORFOLOGIA

La neo-formazione, nel lessico dei politici, si fa con diversi procedimenti. I più frequenti sono:

• Suffissazione. Produttivi i suffissi: *-ismo*, che indica "atteggiamenti, stili di vita promossi da": *berlusconismo, bossismo, dalemismo*; *-ista* col significato di "seguace di" o di "aderente al partito": *ciampista, dalemista, prodista, forzista, pattista, rifondista*; *-ano* "seguace di": *bossiano, dalemiano, rutelliano*; *-izzare / -izzato / -izzazione* "attuare, imitare / attuazione, imitazione": *delottizzare, delottizzato, delottizzazione*; *-ese* usato per il peggiorativo: accanto ai già affermati *burocratese, sinistrese* riscontriamo *eurocratese, giornalistese, politichese*. Tra i suffissoidi si segnalano *-poli*: *tangentopoli, affittopoli, parentopoli* accanto ai già

---

[4] Le citazioni sono tratte da Dell'Anna e Lala 2004, *passim*.

affermati *baraccopoli* e *tendopoli* e *-metro* (che indica misura): *redditometro, riccometro, ricavometro.*

- Alterazione: *ribaltone, ribaltino.*
- Prefissazione. Prefissi: *de-, post-, iper-: decespugliare, delottizzare, postpacifismo, ipergarantismo.* Prefissoidi: *euro-: eurocentrico, eurocrate, eurodecisionismo, europarlamentare; bio-: bioagricoltura, bioterrorismo, bioeconomia; tele-, video-: telecrazia, teleparlamento, videocrate, videopolitica.*
- Composizione. Verbo + nome: *salvaPreviti, salvadeficit, salvaRai.* Nome + nome: *liste civetta, seggio fantasma.*
- Polirematiche: *camicie verdi, Roma ladrona, teatrino della politica, patto della crostata, popolo dei risparmiatori, popolo dei noglobal.*

▶▶ 6.2.2. I travasi fra lingue specialistiche e lingua comune

Si è visto che le lingue specialistiche hanno attinto in gran parte – almeno nella loro fase costitutiva – a lingue già affermate: greco, latino, italiano o lingue straniere. Si è visto anche che parole dell'uso comune vengono utilizzate dalla lingua specialistica, dopo essere state risemantizzate e specializzate, tanto che a volte se ne dimentica l'originaria provenienza dalla lingua comune: *frizione, candela* della lingua meccanico-automobilistica provengono, per esempio, dalla lingua comune, così come i termini *ristagno, raffreddamento* o *lievitazione* e *viscosità* (dei prezzi), dalla lingua dell'economia.

È anche molto interessante il processo inverso, ossia il passaggio dai linguaggi tecnico-scientifici alla lingua comune. Per esempio quando utilizziamo le espressioni *fare fiasco, chi è di scena, piantar baracca e burattini* mutuiamo termini dal linguaggio del teatro. Così: *sintonizzarsi, sintonia* (*non siamo in sintonia*) provengono dal linguaggio televisivo o DNA (*l'ha scritto nel DNA*) dal linguaggio della medicina. Anche in passato termini specialistici sono passati nell'uso comune: *adripare* "giungere a riva", utilizzato solo nel linguaggio marinaresco, si è diffuso col significato comune di "arrivare"; in agricoltura termini quali *pecunia* "bestiame" ed *egregius* "che è scelto" sono passati a indicare rispettivamente "denaro" e "persona eccellente", mentre *exaggerare* "erigere argini" è passato a indicare "ingrandire".

Il passaggio si verifica anche da una lingua specialistica a un'altra: è il caso di *decollare* derivato dal francese *décoller* "scollare", "togliere la colla" che è passato dalla lingua dell'aeronautica al linguaggio dell'economia, dove significa "avviarsi verso un felice sviluppo" e a quello della politica (*l'Italia non decolla*), o di *navetta spaziale* e di *velocità da crociera* che sono stati mutuati dal lessico marinaresco.

Osmosi, scambi, passaggi dalle lingue specialistiche alla lingua comune costituiscono oggi uno dei motori più importanti della organizzazione e riorganizzazione del lessico italiano.

7. I dialetti

Il dialetto, per ragioni storiche ben precise, è stato disprezzato come 'lingua dei poveri' sino alla fine del secolo scorso: la sanzione socioculturale che lo ha colpito era tanto forte che si è sempre pensato a una sua imminente scomparsa[1]. Ora, a partire proprio dagli anni Novanta del XX secolo, sembra aver riacquistato dignità e aver riguadagnato un posto all'interno del repertorio linguistico degli italiani. A che cosa è dovuta questa svolta epocale? Una volta che quasi tutti i parlanti, grazie alla diffusione massiccia dell'italiano, avviata negli anni Cinquanta e arrivata a compimento negli anni Ottanta-Novanta, hanno raggiunto una sufficiente competenza in lingua, il rapporto fra i due codici si è pressoché stabilizzato, e il dialetto – alleggerito anche dell'idea che fosse di ostacolo all'apprendimento dell'italiano – ha iniziato a liberarsi dello stigma sociale che lo colpiva. Di conseguenza si sono registrati due cambiamenti importanti:

- si è ristrutturato il sistema linguistico dei parlanti;
- si sono modificati gli atteggiamenti nei confronti di quello che un tempo era l'idioma materno.

[1] Gaetano Berruto, in base a dati DOXA e ISTAT, aveva tentato nel 1991 alcune proiezioni sui tempi di una possibile scomparsa dei dialetti: i suoi calcoli portavano a prevederla «da una quarantina d'anni (saremmo al 2030 circa) nel caso di una progressione lineare al tasso di decremento delle generazioni più giovani dell'inchiesta ISTAT, che è in generale più favorevole all'italofonia che non i dati DOXA [...] a circa tre secoli e mezzo, e allora saremmo attorno a 2350, nel caso di un decadimento via via rallentato della dialettofonia» (Berruto, 1994: 20).

Quando i parlanti sono intervistati dalla DOXA o dall'ISTAT non tendono più a nascondere – vergognandosene – l'uso integrale o parziale del dialetto. Anzi, a volte comincia a prodursi l'effetto contrario: qualcuno si vanta della propria dialettofonia.

7.1. Chi, dove, quando, con chi parla dialetto

Vediamo, dati alla mano, qual è la situazione linguistica italiana alle soglie del nuovo millennio.

Analizziamo i dati ISTAT più recenti:

tipo di linguaggio usato	In famiglia			Con gli amici			Con gli estranei		
	1987/88	1995	2000	1987/88	1995	2000	1987/88	1995	2000
solo o prevalentemente italiano	41,5	44,4	44,1	44,6	47,1	48,0	64,1	71,4	72,7
solo o prevalentemente dialetto	32,0	23,8	19,1	26,6	16,7	16,0	13,9	6,9	6,8
sia italiano che dialetto	24,9	28,3	32,9	27,1	32,1	32,7	20,3	18,5	18,6

Passando dal 1987 al 1995 l'uso prevalente dell'italiano in famiglia aumenta del 3%, mentre dal 1995 al 2000 registra addirittura un leggerissimo decremento, dello 0,3%, a testimonianza della battuta d'arresto subita dall'uso esclusivo dell'italiano. Anche in contesti amicali e con gli estranei l'incremento dell'uso dell'italiano – che prima del 1995 era impetuoso – subisce un vistoso rallentamento. E se il dialetto in famiglia perde l'8,2% dei parlanti tra il 1987/88 e il 1995, ne perde solo la metà nei cinque anni successivi. Addirittura, fuori dalla famiglia nell'intervallo 1987/88-1995 abbandona la dialettofonia esclusiva un numero di parlanti compreso fra il 10,1% (con gli amici) e il 7% (con gli estranei), mentre gli abbandoni sono pressoché nulli nel quinquennio successivo. Regrediscono sia l'italofonia esclusiva che la dialettofonia esclusiva. Progredisce invece, specialmente in famiglia e con gli amici, l'uso misto o alternato di italiano o dialetto. Ma chi parla dialetto?

Durante tutto il lungo processo di diffusione dell'italiano, i primi ad abbandonare il dialetto sono sempre stati i giovani, sia perché il dialetto era fortemente sanzionato nella scuola sia perché era proibito dai genitori, che lo avvertivano come connotato negativamente, in quanto codice proprio delle classi sociali 'basse' e svantaggiate. Questa tendenza sembra strutturale: anche oggi, che il dialetto ha cominciato a perdere la sua connotazione negativa per assumere delle valenze relativamente neutre rispetto all'italiano, continua a essere parlato soprattutto dagli anziani, mentre i giovani utilizzano di più l'italiano. Per riferire qualche cifra, i dati ISTAT del 2000 riportano un uso esclusivo o prevalente del dialetto, nel contesto famigliare, presso i bambini (età sei-dieci anni) pari al 6,4%, percentuale che cresce, sempre nello stesso contesto, in proporzione all'età, fino ad arrivare al 40,1% degli ultra settantacinquenni. L'uso del dialetto cresce col crescere dell'*età* anche nei rapporti con gli amici e con gli estranei.

Inoltre, è più frequente presso gli anziani con gli amici e con gli estranei (si registrano percentuali rispettivamente del 36,1 e del 24%) che non nelle classi d'età più giovani: si passa per i quarantacinquenni-cinquantaquattrenni a cifre pari al 14,9% con gli amici e al 5,2% con gli estranei, fino ad arrivare al 9,4% e al 2,85 per i venticinquenni-trentaquattrenni, e al 5,9% e 2,5% per i bambini di età compresa tra i sei e i dieci anni, fuori dal contesto famigliare.

La differenza nell'uso del dialetto non dipende invece dal *genere*: le donne e gli uomini registrano sostanzialmente percentuali uguali nell'uso esclusivo del dialetto in tutti i contesti.

Essere maschi o femmine è importante, piuttosto, per la scelta dell'italiano, il cui uso è più frequente nelle donne: sono più numerose le donne che si esprimono quasi ed esclusivamente in italiano sia in famiglia (45,7% contro il 42,5% degli uomini) che con gli amici (51,1% contro il 44,47% dei maschi). Negli uomini prevale l'uso alterno di italiano e dialetto, soprattutto con gli amici (35,1% rispetto al 30,6% delle donne).

Ma l'uso del dialetto varia anche geograficamente.

Osserviamo nella tabella a fronte la distribuzione nelle diverse regioni delle percentuali rilevate dall'ISTAT.

Come si vede, le regioni nelle quali si parla più dialetto sono quelle del Nordest: in Veneto il dialetto viene parlato non solo in famiglia (42,6%) ma anche con gli amici (38,2%), un po' meno con gli estranei (14,2%: si noti però che questo è pur sempre il valore più alto, dopo quello registrato in Campania). Nelle regioni di Nord-ovest l'uso del dialetto registra percentuali basse non solo con amici ed estranei, ma anche in famiglia: 11,4% in Piemonte, 12,6% in Valle d'Aosta. In Toscana l'uso del dialetto è pressoché assente: 4,1% (ma la Toscana ha una storia linguistica particolare). Nel Mezzogiorno della penisola si privilegia l'uso misto di italiano e dialetto, che si rivela il comportamento linguistico più frequente sia in famiglia sia con gli amici. In Sicilia e in Calabria l'uso prevalente del dialetto si registra soprattutto in famiglia (rispettivamente 32,8 e 40,4%).

Questa è una 'panoramica' della situazione italiana. Vediamo ora due istantanee ravvicinate, relative a due realtà linguistiche diverse: una a Nord-ovest e una a Sud-est, un centro grande e uno medio-piccolo. I rilevamenti effettuati in Piemonte da Gaetano Berruto e in Salento da chi scrive ci offrono un quadro ancora più complesso e dinamico di quello delle tabelle ISTAT.

È stato rilevato, in realtà così diverse e lontane tra di loro, come non solo in famiglia, ma anche fuori dalla famiglia ci sia un volontario recupero del dialetto. A Torino, per esempio, Berruto osserva che nella comunicazione quotidiana, non

Persone di sei anni e più per contesto sociale, tipo di linguaggio abitualmente usato e regione – Anno 2000 (per 100 persone di sei anni e più della stessa regione)

REGIONI	In famiglia				Con gli amici				Con gli estranei			
	Solo o prevalentemente italiano	Solo o prevalentemente dialetto	Sia italiano che dialetto	Altra lingua	Solo o prevalentemente italiano	Solo o prevalentemente dialetto	Sia italiano che dialetto	Altra lingua	Solo o prevalentemente italiano	Solo o prevalentemente dialetto	Sia italiano che dialetto	Altra lingua
Piemonte	58,6	11,4	27,3	2,2	64,7	7,6	25,6	1,6	85,8	2,2	11,3	0,3
Valle d'Aosta	55,5	12,6	24,4	7,1	61,3	4,8	28,5	4,9	84,1	1,1	9,8	4,5
Lombardia	58,3	10,7	27,9	2,0	62,8	10,0	24,4	1,6	86,7	2,3	8,8	0,7
Trentino-Alto Adige	24,3	23,1	15,3	36,4	25,5	21,3	16,8	35,7	42,8	6,3	17,4	32,6
Bolzano-Bozen	21,1	1,8	5,7	70,0	22,1	0,7	5,8	70,0	24,7	0,6	6,9	66,4
Trento	27,4	43,6	24,6	4,1	28,7	41,1	27,4	2,5	60,3	11,8	27,6	0,1
Veneto	22,6	42,6	29,8	3,9	23,7	38,2	34,4	2,7	52,4	14,2	32,0	0,2
Friuli-Venezia Giulia	34,3	16,6	24,5	24,0	33,3	13,5	34,8	18,0	63,1	5,9	29,8	0,5
Liguria	67,5	12,4	17,9	1,4	70,9	7,1	20,3	0,9	87,6	1,7	9,4	0,4
Emilia-Romagna	56,6	14,2	26,7	1,8	60,9	11,2	26,3	1,1	84,8	3,0	11,6	0,3
Toscana	83,0	4,1	10,1	2,2	84,7	3,6	9,4	1,5	89,1	2,6	6,6	0,8
Umbria	50,8	13,0	34,9	0,8	52,7	11,9	34,2	0,6	67,9	8,6	22,7	0,1
Marche	37,7	18,1	42,2	1,0	41,2	16,0	41,7	0,2	67,5	9,3	22,4	0,0
Lazio	58,9	8,1	29,8	1,8	61,8	6,9	28,4	1,1	81,1	2,6	14,1	0,3
Abruzzo	29,4	22,9	45,7	1,3	35,3	19,0	44,2	0,7	71,3	7,8	19,9	0,1
Molise	29,0	27,3	36,0	7,4	32,4	21,2	39,3	6,7	75,8	8,9	14,6	0,4
Campania	21,5	30,5	46,7	0,5	26,5	26,2	46,0	0,3	53,6	15,4	30,1	0,0
Puglia	31,6	17,7	49,8	0,4	36,9	13,6	48,6	0,4	71,0	5,6	22,3	0,2
Basilicata	28,8	25,9	42,1	2,5	33,4	23,5	40,1	2,2	68,3	8,7	22,1	0,1
Calabria	17,8	40,4	39,4	0,9	22,4	30,8	44,4	0,8	60,7	13,1	24,4	0,1
Sicilia	23,8	32,8	42,5	0,2	28,4	26,5	44,2	0,2	57,1	12,7	29,4	0,0
Sardegna	46,4	0,9	38,1	13,9	49,0	0,7	37,6	11,7	75,8	3,2	19,6	0,2
Italia	44,1	19,1	32,9	3,0	48,0	16,0	32,7	2,4	72,7	6,8	18,6	0,8

solo di parlanti dialettofoni, ma anche di parlanti come il ricercatore universitario, il giovane manager, il commesso di un elegante negozio del centro si utilizza la formula conclusiva dialettale *va bin* per "va bene". Inoltre in Piemonte il dialetto impone i nomi di locali gastronomici e di intrattenimento, di altri esercizi commerciali, di prodotti alimentari tipici: locali gastronomici *A la merenda sinoira*, *Ciau Turin*, *Cit Cavoret*, *Lanternin* (Torino), *Ca' mia*, *Cravette* (Moncalieri); panetterie *'l pan* (Torino), *El panaté*, *Le panatere* (Moncalieri), *Pan-Bon* (Settimo Torinese); macellerie *Cit Turin* (Torino). Anche testi specialistici vengono scritti in dialetto (piemontese), nonché raccolte di favole e leggende, ricettari. Per esempio, Berruto (2002: 38) riporta a testimonianza una breve ricetta:

Cavlifior a l'euv. Broé un cavlifior liberandlo da le feuje e da la gamba. Buté peui, ant una peila 50 grama 'd butir a 2 cuciar d'euli e fé fricassé le fior dël cavlifior. Da part ësbate 4 euv, gionteje 50 grama 'd formagg gratà e un pëssion ëd sal e vërsé tut an sël cavlifior. Fé cheuse fintant che j'euv a sio bin fërm. Serve caud.

Lo stesso fenomeno di recupero del dialetto si osserva in Salento. I quotidiani locali non lesinano al lettore curiosità dialettali: battute, commenti a foto, proverbi, piccoli glossari. Dall'opuscolo «Salento in tasca» un commento a una foto: *Cumar Redbulli, al posto cu mangi sempre... pensa cu fatii nnu picca!* "[...] invece di mangiare sempre... cerca di lavorare un poco". Anche i presentatori di radio-TV locali non esitano a fare battute in dialetto, e a smorzare i toni delle conversazioni con inserti dialettali: una presentatrice rivolgendosi al proprio ospite dice: *Cosiminu sciamu a!* "Cosimino, andiamo!", oppure: *allora la fascimu st'intervista o no la fascimu?* "allora la facciamo o non la facciamo quest'intervista?"; e ancora un altro presentatore *come si dice a Lecce, state mpannando tutti* "[...] vi state addormentando tutti". Infine aumenta il numero di gruppi musicali locali che portano nei propri testi l'idioma materno (i Sud Sound System salentini) esibendolo anche durante interviste rilasciate a TV nazionali.

7.2. Le varietà dialettali

Che cos'è un dialetto? Con il termine 'dialetto' (dal greco *diàlektos* "lingua", derivato dal verbo *dialègomai* "parlo") intendiamo un sistema linguistico autonomo rispetto alla lingua nazionale, dunque un sistema che ha caratteri strutturali propri.

Un dialetto si parla in un'area geografica limitata, è utilizzato in ambiti d'uso socialmente e culturalmente ristretti, non è utilizzato in situazioni formali e non possiede un lessico tecnico-scientifico. È tuttavia impossibile identificare il numero e l'estensione geografica di ogni dialetto, soprattutto perché i tratti lin-

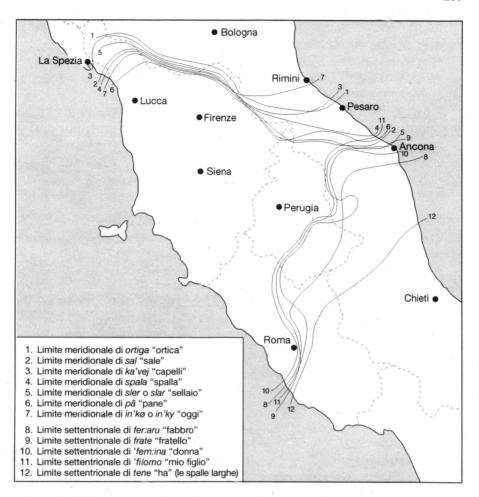

Fig. 6   Linea La Spezia-Rimini e linea Roma-Ancona: le isoglosse più importanti (da Rohlfs 1937) con adattamenti.

guistici che distinguono i dialetti diversi sfumano quasi sempre da un varietà all'altra, dando luogo a un *continuum* geografico di varietà dialettali, nel quale è comunque arbitrario tracciare delle linee di separazione.

Partendo dalla distribuzione areale di alcuni importanti fenomeni linguistici, è tuttavia possibile fare una prima grande suddivisione dell'Italia in tre aree, che sono delimitate da due importanti confini[2] linguistici: la linea La Spezia-Rimini e la linea Roma-Ancona (Fig. 6).

_____

[2] Per *confine linguistico* si intende un fascio di *isoglosse*, ossia un insieme di linee immaginarie che delimitano l'area in cui si estende un fenomeno linguistico (sia esso fonetico, lessicale, morfologico, sintattico).

Tra le isoglosse che corrono lungo il confine La Spezia-Rimini ne ricordiamo solo alcune, che caratterizzano i fenomeni dei dialetti settentrionali:

1) la lenizione, cioè il passaggio da sorda a sonora delle occlusive sorde intervocaliche latine: *FRATĔLLU[3] > lomb. *fra'del*, KAPĬLLU > piem. *ka'vej*, ovvero il completo dileguo *FRATĔLLU > piem. *frel*;

2) la palatalizzazione, cioè lo spostamento di un suono vocalico sull'asse delle palatali: CAVĀRE > tor. *ga've*;

3) la caduta delle vocali pre e post-toniche latine: tor. *dne* "denaro";

4) la palatalizzazione del nesso consonantico -CT-: tor. *lajt*, lomb. *latʃ*: "latte";

5) lo scempiamento delle consonanti doppie, o geminate: *spala* "spalla".

A sud della linea Roma-Ancona si possono individuare i seguenti fenomeni:

1) assimilazione dei nessi ND e MB in *nn* e *mm*: *kwan:o* "quando", *kjum:u* "piombo";

2) sonorizzazione delle consonanti sorde dopo nasale NT > *nd*, NC > *ng*: *dende* "dente", *bjango* "bianco";

3) passaggio della fricativa ad affricata nei nessi *ns, rs, ls, ad, nts, rts, lts*: *intseɲa* "insegna", *cortso* "corso", *saltsa* "salsa";

All'interno di queste tre aree (settentrionale, centrale e meridionale), in Italia si distinguono sei grandi gruppi dialettali:

1) settentrionali, divisi a loro volta in:
• dialetti gallo-italici (lombardo; piemontese; ligure ed emiliano-romagnolo)
• dialetti veneti
• dialetti friulani

2) toscani;

3) mediani (laziale settentrionale; umbro centro-settentrionale; marchigiano centrale);

4) meridionali (laziale centro-meridionale; umbro meridionale; marchigiano meridionale; abruzzese; molisano; pugliese; campano; lucano; calabrese settentrionale);

5) meridionali estremi (calabrese centro-meridionale; salentino; siciliano);

6) sardo (logudorese-gallurese-sassarese-campidanese).

▸▸ 7.2.1. Dialetti gallo-italici

Il nome gallo-italico deriva dal fatto che queste parlate sono strettamente affini agli idiomi francesi d'Oltralpe.

Le caratteristiche sono:

1) la presenza delle vocali cosiddette 'turbate', vale a dire [ø] e [y]: FŪMU >

---

[3] Ricordiamo che la base latina è all'accusativo privato della -M (caduta ben presto nella pronuncia del latino).

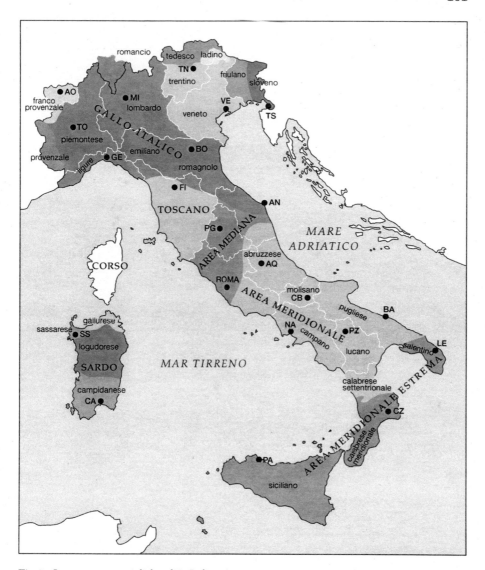

Fig. 7   I raggruppamenti dialettali in Italia.

fym, LŪME > *lym*, FŎCU > *fø*, CŎRE > *kør*, sconosciute alla Romagna e a parte dell'Emilia;

2) la caduta di vocali atone finali diverse da *-a* e da *-i*: *an* per "anno", *ka'val* per "cavallo". In Liguria si conserva anche la finale *-u*: *ødʒ:u* "occhio";

3) la caduta delle vocali atone pre-toniche e post-toniche: TELARIU > *tlar*, PAUPERU > *povr*;

4) la palatalizzazione della [a] tonica, in [e], visibile particolarmente negli infiniti dei verbi della prima coniugazione: *par'le*, *kan'te*;

5) gli esiti di -CT-. In Piemonte centrale e occidentale e in Liguria si ha -*jt*-: FACTU > *fajt*, NOCTE > *nøjt*. In Piemonte orientale e in Lombardia si ha -*tʃ*-: FACTU > *fatʃ*, NOCTE > *notʃ*.

▶▶ 7.2.2. Dialetti veneti

I dialetti veneti si distinguono dai dialetti gallo-italici per le seguenti caratteristiche:

1) assenza di vocali turbate: al posto di *fym, fø, kør* abbiamo *fumo, kore, fogo*;

2) il nesso -CT- è realizzato con la dentale -*t*- scempia: FACTU > *fato*, LACTE > *late*, FRUCTU > *fruto*;

3) le consonanti occlusive velari *k* e *g* davanti a vocale palatale *e* o *i* diventano fricative dentali: CAELU > *sjelo*, GENUCULU > *ze'notʃ*;

4) le vocali atone finali sono ben salde: *neve, fiume, morte, braso*.

▶▶ 7.2.3. Dialetti friulani

Presentano le seguenti caratteristiche:

1) conservazione della -*s* finale per il plurale: *murs* "muri", *tʃans* "cani";

2) conservazione dei nessi consonantici CL, GL, PL, BL: *klama* "chiama", *glezje* "chiesa", *plan* "piano", *blank* "bianco";

3) palatalizzazione di KA e GA > *tʃ* e *dʒ*: *tʃaze* "casa", *dʒal* "gallo";

4) caduta delle vocali atone finali: *laris* "larice", *zovin* "giovane".

▶▶ 7.2.4. Dialetti toscani

Si distinguono per le seguenti caratteristiche:

1) monottongazione di *wo* in *o*: *omo, novo, bono*;

2) gorgia, cioè spirantizzazione delle occlusive sorde intervocaliche -*p*-, -*t*-, -*k*- sino al grado zero: *saphone / sahone, phephe / hehe, pratho / praho, andatho / andaho, fokho / foho, fikho / fiho, ortikha / hortiha*;

3) passaggio del suffisso -ARIU > -*aio*: FORNARIU > *fornaio*, GRANARIU > *granaio*, PARIU > *paio*;

4) passaggio di -RV- > -*rb*-, -LV- > -*lb*-: NERVU > *nerbo*, ILVA > *elba*.

▶▶ 7.2.5. Dialetti mediani

Tratti specifici dell'area mediana sono:

1) passaggio di *ld* a *ll*: "caldo" > *kallu*, "riscalda" > *ariskalla*;

2) passaggio a vibrante *r* o a palatale *j* di *l* + consonante: "molto" > *mordo / mojto*, "alto" > *ajto*, "soldato" > *sordato*, "sepoltura" > *seportura*.

▶▶ 7.2.6. Dialetti meridionali

Tratti caratteristici dei dialetti meridionali sono:

1) metafonia o armonizzazione vocalica, ossia la chiusura di *e* chiusa tonica (derivata da Ĭ Ē) in *i* e di *o* chiusa tonica (derivata da Ŭ e Ō) in *u* quando una pa-

rola termina per -*i* o per -*u*: *(EC)CU(M) ISTU(M) > *quistu*, SĒBU > *sivə*; ovvero, in altre zone, il passaggio di *e* aperta (derivata da Ě) a *je* e di *o* aperta (derivata da Ŏ) a *wo*: MĚLIU > *mjejə* "meglio", FŎCU > *fwokə*;

2) sonorizzazione della sorda dopo nasale: "bianco" > *bjango*, "dente" > *dende*, "ancora" > *angora*;

3) assimilazione delle sonore *d* e *b* dopo nasale: "mondo" > *mon:o*, "candela" > *kan:ila*, "piombo" > *kjum:ə*;

4) betacismo, ossia il passaggio di *v* latina a *b*: *mbetʃi* "invece", *ke b:woj* "che vuoi". Non mancano esempi contrari di *b* > *v*: "barba" > *varva*, "bocca" > *vok:a*;

5) anaptissi, ovvero inserimento di una vocale eufonica all'interno di gruppi consonantici 'difficili': "bifolco" > *bə'foləkə*, "cancro" > *'kankaru*;

6) passaggio della fricativa *s* ad affricata nei nessi *ls*, *ns*, *rs*. Ad esempio: "pensare" > *pentsare*, "salsa" > *saltsa*, "perso" > *pertso*.

▶▶ 7.2.7. Area meridionale estrema
Il Salento, la Calabria meridionale e la Sicilia presentano fenomeni comuni che distinguono questi dialetti da quelli meridionali:

1) vocalismo tonico a cinque vocali:

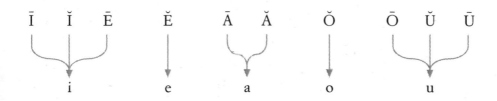

2) suoni cacuminali *ţ*, *ŗ*, *ḍ*: *maţţe*, *paţţe*, *beḍ:a* "bella". Il passaggio di -*ll*- a -*ḍḍ*- è presente anche in Sardegna e nella Corsica meridionale;

3) assenza di vocali indistinte, che sono invece caratteristiche dell'area meridionale;

4) sostituzione dell'infinito con modi finiti introdotti da *ku* (in Salento), *mu*, *mi*, *ma* (in Calabria), *mi* (in Sicilia): *oju ku b:eɲu* "voglio venire" (Salento), *'volera ma satʃ:a* "vorrei sapere" (Calabria), *vaju mi k:at:u* "vado a comprarmi" (Sicilia).

▶▶ 7.2.8. Area sarda
Le parlate sarde vengono divise in cinque varietà: *logudorese* e *nuorese* (le varietà più conservative), *sassarese*, *campidanese* e *gallurese* (in generale più innovative).

Le caratteristiche principali – in particolare del logudorese – sono:

1) il vocalismo tonico a cinque vocali:

2) la conservazione delle consonanti finali: *muros*, *'feminas*, *tempus*, *kantat*;

3) la conservazione delle consonanti velari *k* e *g* dàvanti a vocale palatale: *ke-lu*, *kera*, *kentu*, *'generu*, *gelare*;

4) la caduta della velare nel nesso GN: LIGNA > *lin:a*, MAGNU > *man:u*;

5) la perdita dell'articolazione velare nelle consonanti labiovelari *kw* e *gw*: LINGUA > *limba*, AQUA > *ab:a*;

6) il passaggio di *-ll-* a *-dd̩-*: *kud̩:u* "quello", *bad̩:e* "valle".

7.3. Le parlate alloglotte

All'interno della nostra penisola si trovano altre parlate, diverse dai dialetti ai quali ci siamo riferiti ora. Sono quelle delle cosiddette comunità alloglotte, comunità che utilizzano parlate diverse da quelle in uso nelle aree in cui sono insediate. Alcune sono neolatine, altre non discendono dal latino. Fra le comunità alloglotte più importanti ricordiamo (cfr. Fig. 8):

• le *francoprovenzali*, che si trovano in provincia di Torino e in Valle d'Aosta, oltre a una piccola comunità a Faeto e a Celle, in provincia di Foggia;

• le *provenzali*, nelle vallate del Piemonte occidentale;

• le *ladine* nelle valli dolomitiche;

• le *galloitaliche* a Gombitelli, in provincia di Lucca, in Sicilia (San Fratello, Novara di Sicilia, Piazza Armerina) e in Basilicata (Tito, Picerno, Potenza);

• le *liguri* in Sardegna, a Carloforte e a Calasetta, in provincia di Cagliari;

• le *catalane* ad Alghero, in provincia di Sassari;

• le *sud-tirolesi* in Alto Adige, in provincia di Bolzano;

• le *slovene* lungo la fascia di confine delle province di Udine, Gorizia e Trieste;

• le *croate* ad Acquaviva Collecroce, San Felice, Montemitro, in provincia di Campobasso;

• le *albanesi* in Abruzzo, Molise, Campania, Puglia, Basilicata, Sicilia e soprattutto Calabria;

• le *greche* in dieci comuni in provincia di Lecce e in tre località in provincia di Reggio Calabria.

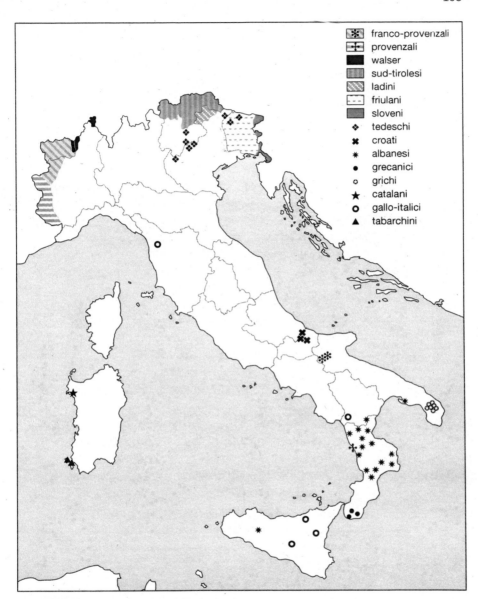

	franco-provenzali
	provenzali
	walser
	sud-tirolesi
	ladini
	friulani
	sloveni
◆	tedeschi
✖	croati
✳	albanesi
●	grecanici
○	grichi
★	catalani
◯	gallo-italici
▲	tabarchini

Fig. 8   Parlate alloglotte in Italia.

7.4. Il dialetto nell'italiano, l'italiano nel dialetto

Il processo di italianizzazione dei dialetti è conseguenza del complesso fenomeno che si verifica quando all'interno dello stesso repertorio linguistico due
varietà di lingua o di dialetto entrano in stretto contatto. Questo in Italia è ac-

caduto in modo massiccio nel secondo Novecento, quando si è passati da una società agricola a una industriale, basata sul commercio, sul terziario, sulle comunicazioni, e ha comportato il passaggio da una situazione generalmente caratterizzata da *diglossia*, ossia dall'impiego dei due codici (italiano e dialetto) differenziato per funzioni[4] a una situazione di prevalente *bilinguismo*, cioè di impiego alternato di lingua e di dialetto da parte di parlanti che dominano entrambi i codici.

In situazioni di bilinguismo i contatti tra lingua e dialetto si intensificano e diventano frequenti in ogni situazione, in ogni tipo di interazione, presso ogni parlante. Le aree lessicali dialettali esposte all'italianizzazione così si intensificano, vengono abbandonati termini che designano referenti centrali nella cultura tradizionale (strumenti e lavorazioni, nomi di fiori, di piante, di pratiche della medicina popolare) e aumenta il numero dei prestiti lessicali non adattati, ossia dei prestiti dell'italiano al dialetto che sono mantenuti nella veste fonetica e/o morfologica di provenienza. Si accelera il processo di italianizzazione dei dialetti.

LESSICO

Il lessico, nel processo di italianizzazione, subisce questi fenomeni:

1) termini specifici vengono sostituiti da termini generici. Per esempio nel bolognese tre termini distinti designavano piccole quantità di tre alimenti diversi: *mu'rel* "poco di salsiccia", *ba'lok* "poco di burro", *trok* "poco di carne"; vengono tutti sostituiti da un unico termine, generico e fortemente italianizzato: *puk'ten* "pochetto" (Foresti 1988);

2) entrano nel lessico termini che designano oggetti e concetti nuovi (prestito di necessità). Salento: *kom'pjuter:e* "computer", *skermu* "schermo";

3) entrano parole italiane con veste fonetica dialettale che formano coppie sinonimiche col termine dialettale esistente. Piemonte ed Emilia: *bara'te / skam'bje* "scambiare"; Calabria: *ntsurara / sposara* "sposarsi"; Salento: *'uitu / 'komitu* "gomito". Dopo la formazione di queste coppie possono aversi questi sviluppi:

a) i due termini coesistono nello stesso dialetto con differente uso in base all'età, all'istruzione del parlante, al grado di integrazione di questo nella comunità o in base al grado di formalità della situazione;

b) uno dei due termini, di solito quello italiano, si afferma soppiantando quello dialettale e coprendo tutta l'area del significato del termine che scompare. Salento: *awnu* è sostituito da *apel:u*, *latʃ:u* è soppiantato da *sédanu*;

c) tutti e due i termini sopravvivono, specializzandosi nei significati. Per esempio a Milano *søl* e *pavi'ment* "pavimento" per alcuni parlanti indicano ri-

---

[4] In diglossia una delle due varietà si dice 'alta', è posseduta solo da una classe privilegiata ed è impiegata negli usi ufficiali (testi letterari, amministrativi, corrispondenza), mentre l'altra si dice 'bassa', è conosciuta da quasi tutta la popolazione ma è riservata agli usi informali e alla comunicazione quotidiana. Nel nostro caso l'italiano era la varietà 'alta', il dialetto la varietà 'bassa'.

spettivamente "pavimento sporco" e "pavimento pulito", per altri "pavimento di un edificio pubblico" e "pavimento di casa".

L'italianizzazione dei dialetti non segue gli stessi ritmi nei diversi ambiti d'uso, ma presenta delle differenziazioni in relazione a fattori sociolinguistici, soprattutto il contesto d'uso. Per esempio risultano italianizzati più precocemente degli altri i termini della burocrazia, della religione, del commercio e quelli relativi a concetti astratti: nomi dei colori, sentimenti, valori morali. Si italianizzano abbastanza presto anche le parole indicanti parti del corpo, malattie, parentela e stato sociale. Risultano invece più conservative le sfere semantiche relative alle attività agricole ed artigianali, alla vita famigliare.

FONOLOGIA

L'introduzione di parole italiane porta alla ristrutturazione della fonetica del dialetto. I primi elementi a essere influenzati sono le vocali atone e le consonanti tra loro affini: sorde / sonore, sibilanti / palatali ecc.: in Emilia *piru'kir* > *paru'kir* "parrucchiere", in Sicilia *tesi* > *desi* "dieci". Ma risentono dell'influenza dell'italiano anche le vocali toniche e i gruppi consonantici: in Calabria *janku* > *bjanku*, *kjove* > *pjove*. Si reintegrano suoni iniziali già caduti per aferesi: Salento *ranu* > *granu* / *kranu*. Suoni estranei all'italiano sono completamente sostituiti: in Veneto, per esempio, sono scomparse le fricative interdentali iniziali di *θiŋkwe* > *tsiŋkwe* "cinque", così come sta avvenendo per le retroflesse del sardo e del siciliano.

Con l'introduzione dei termini italiani si ristrutturano i sistemi fonematici: entrano in romanesco le /r:/ intervocaliche (*kor:o*); si ricostituiscono i nessi /mb/ (*kolomba* per *kolom:a*), e la laterale /l/ riprende il suo posto, già occupato dalla vibrante /r/ (*kartsa* > *kaltsa*).

L'italianizzazione della fonetica dipende essenzialmente da fattori stilistici e sociolinguistici, ed è comunque meno stabile di quella lessicale.

MORFOSINTASSI

La morfosintassi risulta il livello più resistente ai processi di italianizzazione. Per esempio il superlativo milanese prima di approdare al morfema in -*isim* sul modello del suffisso italiano "-issimo" è passato attraverso tre stadi di progressivo avvicinamento all'italiano: *bu: tant* + aggettivo, sostituito prima da *tant* + aggettivo, e poi da *multu* + aggettivo. La perifrasi aspettuale *ho da* + infinito (*a'gu d-an'da dal du'tur* "devo andare dal dottore") coesiste tuttora con la forma più recente *devo* + infinito (*dev an'da dal du'tur*). Anche molte voci verbali subiscono i processi di italianizzazione: in Salento '*fianu* > *an'davanu*, '*ditfere* > *dire*.

Inoltre, nuove forme lessicali portano all'innovazione della struttura morfologica. È il caso della metafonia del piemontese rustico che distingue il singolare *'uŋ* dal plurale *ɛŋ* (*bu'tuŋ* / *bu'tɛŋ* "bottone" / "bottoni") che è scomparsa con l'introduzione di prestiti indeclinabili come *li'muŋ*.

Bisogna ricordare che anche i processi di italianizzazione della morfosintassi, come quelli della fonologia, sono complessi, difficili, non prevedibili e dipendenti da variabili sociolinguistiche.

7.5. Italiano e dialetto nella conversazione

Nella situazione italiana in cui lingua e dialetto coesistono il parlante è di norma bilingue. Può avere un diverso grado di competenza nei due codici: attiva in tutti e due o passiva in uno e attiva nell'altro, ma è in condizione di usarli (attivamente e/o passivamente) entrambi. In ogni situazione comunicativa il parlante 'medio italiano' potrà selezionare uno dei due codici, o potrà utilizzarli tutti e due in relazione al dominio[5] e all'interlocutore, sia quando passa da un turno a un altro, sia all'interno della stessa battuta o della stessa frase o della stessa parola. Ma anche questo uso alternato dei due codici, per funzionare, ha bisogno di regole. Vediamo le principali.

Alternanza di codice   Quando il parlante sceglie un codice o un altro in relazione al dominio (lavoro, casa, religione...), allora si parla di alternanza di codice. Succede, ad esempio, quando si usa il dialetto in famiglia e l'italiano al lavoro.

Cambio di codice   Si ha cambio di codice quando, avviata una conversazione in un codice, si passa all'altro perché alcuni dei fattori della comunicazione cambiano: arriva un nuovo interlocutore, si cambia argomento, si passa da una discussione seria allo scherzo ecc.

Modalità del cambio di codice   Nella realtà italiana si possono individuare tre modalità di cambio di codice: *code-switching, code-mixing, prestito*.

'Code-switching'   Il *code-switching* (o commutazione di codice) è il passaggio da un codice a un altro all'interno della stessa situazione comunicativa. La commutazione avviene sempre al confine tra una frase e un'altra, pertanto si dice che il *code-switching* è *interfrasale*.

Il primo che studiò il valore pragmatico del *code-switching* fu John J. Gumperz (1982: 59-99), che ne identificò una serie di funzioni: 1) citazione: il par-

---

[5] Ricordiamo che in sociolinguistica il dominio è costituito da un insieme di situazioni che hanno alcune caratteristiche in comune: ad esempio, il dominio 'religione' è formato dall'insieme delle situazioni che hanno come luogo tipico la chiesa (o un altro spazio adibito a scopi religiosi), come argomenti temi e problemi di tipo religioso o etico, e come relazione tipica la relazione sacerdote-fedele.

lante riporta in discorso diretto gli enunciati nella lingua in cui sono stati effettivamente prodotti; 2) specificazione del destinatario; 3) interiezione; 4) ripetizione: il parlante ripete in un altro codice per dare maggiore enfasi; 5) qualificazione del messaggio: il parlante commenta in un codice quello che ha espresso nell'altro; 6) personalizzazione *versus* oggettivazione: il parlante prende le distanze da un gruppo 'altro' per sottolineare l'appartenenza al suo gruppo.

Nella realtà linguistica italiana il *code-switching* oltre a queste funzioni può averne altre. Per esempio può segnalare la *competenza sbilanciata* in uno dei due codici: il parlante comincia a parlare in italiano, ma poi si accorge che non lo padroneggia bene e quindi passa al dialetto. È il caso del fruttivendolo di Lecce che, parlando con chi lo intervista, tenta un attacco in italiano, ma subito dopo continua in dialetto:

per lavorare? e al:ora per'ke sto ditʃendo *kwandu r:ianu a li ditʃot:an:i ka anu al:u militare, 'tornanu te lu militare* ("quando compiono diciotto anni che vanno al militare, tornano dal militare") lavoro non tʃ-e- *jow teɲ:u 'fijuma lu k:ju pitʃ:in:u dopu sa kondʒedatu da lu militare dopu: o kwandu tenia kwat:orditʃan:i* ("io ho mio figlio, il più piccolo, dopo che si è congedato dal militare, dopo, o quando aveva quattordici anni") a lavorato sempre *sut:a lu meʃu l-elet:rautu kwandu s-a ritiratu da lu militare a ʃutu a dit:u lu lavoru 'poko k:wa* ("presso l'elettrauto. Quando è rientrato dal servizio militare è andato, ha detto 'il lavoro qui è poco'").

Il *code-switching* può anche avvenire per autocorrezione:

R: Questa persona è un infermiere. È mio cugino. L'incarico gliel'ho dato a lui. Lavora all'ospedale.
G: Dove lavora? All...
A: Al Garibaldi... *o Vittorju mi pari ka è* (siciliano: "Vittorio mi pare che sia");

può avere la funzione di segnalare l'inizio o la fine di una storia:

Poi io che in tutta innocenza, poveretto, che non ne sapevo niente, tirai quelle battute quindi vennero contestualizzate come... un attacco a D. Infatti... D. c'è rima... Boh! *Ma k:i tʃi pots:u fari?* (siciliano: "ma che ci posso fare?")

oppure l'inizio o la fine di una sequenza marginale, ossia una parentesi che interrompe il racconto:

G: In quel periodo poi si era sposata. Poi dopo tu ti trovi sola. Va be' che il suo matrimonio durò sei mesi, perciò...
C: Sì, va bene!
G: [ride]
C: *e k:i fini fitʃi stu karusu?* (siciliano: "e che fine ha fatto 'sto ragazzo?")
G: Lui ora convive con un'altra;

può essere utilizzato per fare un commento:

Dice: «Senti, sai che ti dico?». Dice: «Mamma, così mi ha fatto». «Vattene a casa tua e non venire mai più in questa casa.» ...*Komu na pats:a skat:jata* (siciliano: "come una pazza scatenata");

o per i saluti:

P: Uh che brava. Adesso l'aiuto.
R: No, no, lasci, faccio io. Vada pure avanti. Grazie, arrivederci.
P: Grazie a lei! *tʃe'rea mada'miŋ* (piemontese: "salute, signora"), buongiorno;

o nel sistema degli allocutivi:

Buongiorno a *s:iɲ:uria* (salentino: "a voi"). Di cosa hai bisogno?

o nelle interiezioni

Mi sono fatto male. *Lampu*! (salentino: "lampo!") Cosa mi sono fatto?

'Code-mixing' Il *code-mixing* è la mistione di due codici a tutti i livelli d'analisi: fonologico, morfologico e sintattico. Si verifica all'interno della frase, pertanto si dice che il *code-mixing* è *intrafrasale*. Contrariamente a quello che è stato osservato per il *code-switching*, il parlato mistilingue non è condizionato da mutamenti interni alla situazione comunicativa (interlocutore, argomento), non è quindi funzionale e non si può interpretare come soluzione a una competenza sbilanciata nei due codici.

Vediamo alcuni esempi:

S: Perché alla banca *manku tʃi vado, sai? io vadu solo kwandu adʒ:u pagare...*

(Si notano qui le finali in *-u* di *manku*, *vadu* e *kwandu*, tipiche del vocalismo atono salentino, e la costruzione del sintagma verbale tramite l'ausiliare dialettale *adʒ:u*);

fermu ku le mani

dove si nota la preposizione dialettale seguita dal nome in italiano.

O ancora:

no:: pure ke *faʃia* ("anche se faceva") l-arte mia

dove l'avverbio italiano *pure*, nel costrutto dialettale *pure ke*, è seguito dal verbo in dialetto il quale a sua volta regge un complemento in italiano ma con ordine delle parole dialettale.

Tutto questo è reso possibile dal fatto che i due codici in contatto, italiano e dialetto, hanno strutture sintattiche molto simili, in quanto appartengono a lingue geneticamente affini, e dunque ogni elemento di un codice è potenzialmente sostituibile con l'elemento corrispondente dell'altro.

A volte si trovano all'interno della stessa frase termini che risulta difficile attribuire all'italiano o al dialetto: forme dialettali italianizzate o italiane dialettizzate, o forme che sono identiche in italiano e in dialetto, come ad esempio *acqua* nel frammento seguente:

*kid:u mi ris:i ka kwan:u kjovi l-***akwa** entra, pecché purtroppo è fatto al contrario il bagno e quindi ci vuole
(siciliano: "quello mi ha detto che quando piove...").

Di solito queste forme occupano il punto di transizione fra l'enunciato dialettale e quello italiano.

Prestito   Per prestito si intende il passaggio di una parola da un codice a un altro, limitatamente al livello lessicale. Vediamo due esempi:

m-anu operatu alla *colicisti*
(salentino)

i fichi si facevano seccare sui *taurotti* (lombardo)
(dove *taurotti* deriva dal varesotto *taw'rot* "forma di graticcio").

Nel primo caso il parlante introduce il prestito perché non trova nel dialetto il tipo lessicale corrispondente a quello italiano (*colecisti*), nel secondo caso lo introduce perché non trova nell'italiano il tipo lessicale corrispondente al dialetto (*taurotti*). Usa però la stessa tecnica: introduce il tipo lessicale dall'altro codice, ma lo adatta foneticamente e morfologicamente al codice 'ospitante': in *colicisti* adatta la fonetica al dialetto, in *taurotti* adatta la morfologia all'italiano.

Quando i prestiti dal dialetto si riferiscono a concetti che non hanno un diretto corrispondente italiano (soprannomi, termini botanici, culinari) vengono realizzati nella forma dialettale, come citazioni di parole non adattate:

A Natale si mangiano le *'pittule* (salentino)
("frittelle di pasta cosparsa di miele")
E... faceva la *baɲakawda* (piemontese)
("piatto piemontese a base di acciughe, aglio, olio").

Si chiamano 'prestiti di necessità'.

7.6. Le coinè dialettali

Il termine 'coinè' si riferisce tradizionalmente alla *koinè diàlektos* ("lingua comune") dell'antica Grecia. Qui si parlavano, a seconda dell'area geografica, quattro varietà di greco (ionico, dorico, eolico, attico). La coinè era una varietà sovraregionale – basata sul dialetto attico – comprensibile in tutta l'Ellade, che proprio per questa caratteristica si impose nel tempo, fino a essere parlata – e scritta – in tutta la Grecia e poi – come lingua di conquista, o di cultura – in tutto il Mediterraneo orientale più o meno per un millennio: dal IV secolo a.C. fino al VI secolo d.C. Il termine *koinè* (o *coinè*) si estese poi a designare, in generale, una lingua comune che si diffonde su un territorio linguisticamente frazionato in più aree dialettali.

Nella storia recente dell'Italia la formazione di coinè dialettali è legata ai cambiamenti linguistici che hanno coinvolto il repertorio all'affermarsi della lingua nazionale e al conseguente passaggio dalla diglossia al bilinguismo, specialmente nei centri urbani e nel territorio soggetto al loro prestigio economico e culturale. Il processo di formazione di una coinè di solito si avvia quando, nelle aree vicine ai grandi, ai medi e a volte anche ai piccoli centri, il dialetto locale, confrontato con il dialetto 'civile' o con l'italiano della città, è percepito come inferiore. Questo spinge i parlanti ad abbandonare i tratti più tipici e distintivi (spesso socialmente discriminanti) dei loro dialetti, al fine di evitare la valutazione negativa delle varianti più rustiche (e di coloro che le usano), e li induce invece ad avvicinarsi alla varietà dialettale cittadina o direttamente all'italiano: la parlata così originata si diffonde, e viene condivisa da un territorio relativamente ampio. Come dice Giovan Battista Pellegrini, la coinè dialettale (o dialetto di coinè) è «un vernacolo annacquato che tende a 'civilizzarsi' accostandosi e accogliendo i caratteri linguistici fondamentali (specie nella morfologia) dei grossi centri cittadini, accanto al dialetto stesso che sopravvive ormai soltanto nelle campagne isolate o nelle valli di montagna» (Pellegrini 1960: 146).

Troviamo coinè dialettali intorno ai grandi centri, che hanno vaste aree d'influenza: Torino, Milano, Napoli, ma anche Venezia, Trento.

Oltre a queste 'coinè attive', che si diffondono da un grande centro urbano ai dintorni, secondo il modello classico, c'è anche una 'coinè passiva', che si realizza quando, in conseguenza della pressione dell'italiano, in una certa area le differenze dialettali più marcate si attenuano o svaniscono e i dialetti attivano processi di convergenza – non guidati da un centro urbano – con forme non-differenziate, generalmente italianizzanti e rifonetizzate secondo la fonetica dell'area. In Italia oggi troviamo sia esempi di coinè attiva che esempi di coinè passiva: tra le due tipologie, nonostante la diversità nei processi che le originano, non ci sono differenze manifeste, se non quelle costituite dalla base urbana, che contraddistingue le prime rispetto alle seconde. Le varietà tendono così ad avvicinarsi le une alle altre. In prospettiva, si può pensare che la coesistenza di pochi 'superdialetti' – nati come coinè – possa finire col sostituire la variegata carta linguistica dell'area.

Un terzo tipo di coinè, simile alla passiva, deriva dal rafforzamento e dall'espansione di aree di per sé poco caratterizzate: le aree miste o intermedie ('di complessa classificazione'): ad esempio l'area vogherese-pavese, o l'area pisano-livornese-elbana, o l'area a nord di Cosenza (vedi oltre).

Questo strumento concettuale – in particolare il concetto di coinè passiva – è complesso (è difficile isolare le coinè con certezza, definirne i caratteri costitutivi e i confini, data la loro fluidità) ed è ancora poco usato nella descrizione della situazione italiana; di conseguenza siamo ben lontani dal possedere un quadro completo, attendibile e aggiornato delle coinè dialettali d'Italia. Possiamo tuttavia tracciare una mappa sommaria delle principali fra quelle al momento conosciute.

PIEMONTE e LOMBARDIA. Sono ben conosciute (ma non molto studiate) le coinè attive che fanno capo alle due metropoli, Torino e Milano: sono varietà dialettali nettamente distinte dai dialetti locali (e a maggior ragione dall'italiano regionale), e sono usate in molti e diversi contesti sociali, specialmente dai giovani e dalle persone di mezza età. Ma in Piemonte e in Lombardia si trovano anche coinè passive di area, nelle quali i dialetti soggiacenti – quasi sempre dialetti di aree intermedie – sono privati dei caratteri più notoriamente locali e socialmente stigmatizzati. Citiamo, fra queste, due subaree piuttosto estese: il Piemonte sud-occidentale, in buona parte coincidente con la provincia di Cuneo, e la Lombardia orientale.

VENETO. È ancora notevole l'influenza – dalle ben note radici storiche – di Venezia su un'area molto vasta del suo entroterra: la coinè veneta è l'esempio più illustre, indiscusso, citato, di coinè attiva.

EMILIA ROMAGNA. Secondo i risultati delle ricerche più tradizionali, in questa regione si passa direttamente dai dialetti locali all'italiano regionale, fortemente caratterizzato a livello di fonologia, intonazione e ritmo: dunque si tratterebbe di un caso di area priva di coinè. Ma studi più recenti e accurati hanno rilevato la presenza di alcune coinè locali, intorno a singole città o piccole aree (Foresti 1988).

TOSCANA. Le subvarietà diatopiche di italiano hanno quattro epicentri: il territorio intorno a Firenze, l'area centro-meridionale gravitante intorno al Monte Amiata, l'Aretino, la Val Garfagnana (comprese Versilia e Massa). All'interno di queste aree si trovano micro-coinè attive, che si estendono nelle aree di influenza delle singole città (Giannelli 1988).

MARCHE. Una coinè, caratterizzata fonologicamente come 'la coinè dell'*u* finale', ha il centro intorno a Camerino e comprende la parte centrale della regione, fra la valle dell'Aso a sud e la valle dell'Esino a nord. È considerata la sezione più tipicamente marchigiana, in quanto corrisponde all'area dialettale più arcaizzante, quella dei "dialetti piceni arcaici" o "piceni settentrionali" (Pellegrini 1960), ed è caratterizzata dalla conservazione di -u finale latino, specialmente quando la vocale tonica è i, oppure u oppure a: *focu* e *acitu*, *spirdu*, *lurdu*, uscite in -*atu*, -*ardu*, -*annu*, -*usu*.

ABRUZZO. Si discute sull'esistenza di una vera e propria coinè abruzzese, mentre non ci sono dubbi su micro-coinè che si sono sviluppate ai piedi del Gran Sasso, lungo l'asse L'Aquila-Rieti, e nella Marsica, intorno ad Avezzano.

ROMA. Il romanesco, soggetto a forti processi di italianizzazione, è sempre più sentito come una varietà, o come un registro, 'basso' di italiano. Ma la sua estensione al di fuori della città avviene sotto forma di coinè attiva: occupa quanto meno l'area che ha per confini Anzio, Nettuno e l'Agro Pontino a sud, la Sabina a nord-est, Viterbo e il Viterbese a nord-ovest.

CAMPANIA. La coinè a base napoletana non solo è la più prestigiosa all'interno dell'area meridionale, ma è anche accettata al di fuori dei confini regionali. Naturalmente il suo prestigio deriva dal ruolo storico – plurisecolare – di Napoli capitale del Regno delle due Sicilie.

PUGLIA. Un'ampia area intorno a Bari presenta, a fianco del dialetto locale, la coinè dialettale barese, formatasi intorno a quello che è il più grande e dinamico centro del Mezzogiorno, dopo Napoli.

CALABRIA. John Trumper (1990) identifica nella regione processi diversi a seconda della classe sociale: la borghesia dialettofona tende a realizzare micro-coinè passive, in aree di diametro inferiore ai 30 chilometri (ad esempio intorno a Cosenza e Catanzaro), mentre il proletariato tende a estendere l'area occupata da zone dialettalmente 'miste'. Si ascrivono alla coinè attiva la diffusione intorno a Reggio Calabria (sulle direttrici Scilla-Bagnara a nord e Pellaro-Melito di Porto Salvo-Bova Marina a sud) di tratti tipici di Reggio, come il passaggio a fricativa dell'affricata palatale sorda in posizione intervocalica (t$\int$ > $\int$), o il passaggio d > r (*rentu* "dente"). Un esempio di diffusione 'proletaria' della coinè passiva è costituito dall'espansione della zona cuscinetto compresa fra l'area arcaica calabro-lucana e l'area calabrese intorno a Cosenza, sia sul lato tirrenico (dove arriva sino a Praia a Mare) sia sullo ionico (fino a Trebisacce).

SICILIA. Nell'isola non c'è un'unica coinè regionale, ma il potere di attrazione delle città più grandi, come Palermo e Catania, ha una notevole influenza sul repertorio dell'isola: in assenza di indagini specifiche convincenti, si può ipotizzare l'esistenza di una coinè palermitana e di una catanese.

SARDEGNA. Si riscontrano – ma vanno confermate con ricerche specifiche – piccole coinè attive intorno alle città più importanti.

8. L'italiano semplificato

Oltre alle varietà descritte sin qui, il repertorio linguistico italiano comprende anche varietà 'minori', varietà usate in genere da chi ha una competenza ridotta della lingua italiana, o da chi si rivolge a persone che hanno – o si pensa che abbiano – una competenza ridotta.

Queste varietà sono tutte caratterizzate da un certo grado di 'semplificazione' rispetto all'italiano standard e alla varietà 'maggiori'.

Che cosa si intende per semplificazione? I linguisti non sono ancora pervenuti a una definizione precisa e condivisa; in generale concordano però su questo: si parla di semplificazione quando a una certa forma (o struttura) di una lingua si contrappone una forma o una struttura più semplice, cioè più facile da realizzare, meno complessa, che può sostituire la prima senza che si perdano le informazioni essenziali contenute nel messaggio.

La semplificazione non è dunque un processo o uno stadio 'oggettivo' della lingua: un elemento è più semplice di un altro quando chi parla o scrive incontra meno difficoltà nel produrlo, quando chi legge o ascolta incontra meno difficoltà nel decodificarlo, quando chi impara la lingua impiega meno tempo e meno energie per impararlo.

Ci sono diversi tipi di varietà semplificate. Alcune sono tali perché sono usate da parlanti poco competenti: ad esempio dagli immigrati che imparano l'italiano, o dagli emigrati italiani all'estero di terza o quarta generazione, che conservano poche tracce della lingua dei loro antenati. Altre sono 'costruite' da parlanti competenti per scopi particolari, o per farsi capire da interlocutori che essi giudicano poco competenti: ad esempio da adulti che parlano a bambini piccoli (*baby talk*), o da italiani che parlano a stranieri che sembrano in difficoltà con la nostra lingua (*foreigner talk*).

Parlanti competenti	Rivolgendosi ai bambini	→ *baby talk* (cfr. § 8.1.)
	Rivolgendosi a stranieri	→ *foreigner talk* (cfr. § 8.2.)
Parlanti poco competenti	Immigrati (stranieri in Italia)	→ Interlingue d'apprendimento (cfr. § 8.3.)
	Emigrati (italiani all'estero)	→ *Language attrition* (cfr. § 11.5.)

Tutte le varietà semplificate sono accomunate da alcune caratteristiche fondamentali:
• il lessico è ridotto, ed è costituito per lo più da termini generici (sono frequenti i termini generici per eccellenza: *roba, cosa, fare*);
• la sintassi privilegia la coordinazione alla subordinazione; la subordinazione arriva raramente al secondo grado, eccezionalmente al terzo;
• le coniugazioni verbali sono ridotte al minimo: fra i tempi i più frequenti in assoluto sono l'indicativo presente e il passato prossimo, tra i modi l'infinito, mentre sono pressoché sconosciuti il congiuntivo e il condizionale;
• la copula e molti pronomi tendono a essere eliminati.

Le varietà semplificate si distinguono dalle altre anche per altre scelte preferenziali:
• si preferiscono significati concreti (si dice *bere* piuttosto che *dissetarsi*);
• si usano le parole dell'italiano comune, evitando i termini tecnici o specialistici: *mal di testa* è sentito come più 'semplice' ed è dunque preferito rispetto a *emicrania*;
• i termini considerati troppo 'tecnici' ma privi di sinonimo vengono sostituiti da perifrasi: *macchina di gettoni per posteggio* per *gettoniera*;
• aggettivi, pronomi ecc. si collocano di preferenza vicino al termine a cui si riferiscono: *prima lavoravo negozio frutta centro, via Roma* è percepito come più 'semplice' che *prima lavoravo in un negozio del centro, in via Roma, e vendevo frutta*, anche per la posizione di *frutta* che nella prima variante è vicina al termine a cui si riferisce (*negozio*) mentre nella seconda ne è lontana;
• si privilegia il rinvio anaforico rispetto a quello cataforico: *la frutta la compro al mercato* (rinvio anaforico) è più 'semplice' di *la compro al mercato, la frutta* (rinvio cataforico);
• non si usa il passivo;
• rispetto alle liste di frequenza dell'italiano comune, hanno un'occorrenza nettamente superiore alla media i nomi e i verbi; inferiore alla media gli aggettivi e soprattutto le preposizioni e gli articoli.

8.1. Come parliamo con i bambini (il 'baby talk')

Quando ci si rivolge a bambini inferiori a tre-quattro anni si parla in un modo particolare: non si dice *uovo* ma *cocco*, non *cibo* ma *pappa*. È il *baby talk*, o linguaggio bambinesco, ben noto a tutti perché ha solide radici nelle tradizioni linguistiche locali, anche se oggi è sconsigliato dalle teorie pedagogiche più aggiornate.

Perché si usa un linguaggio semplificato con i bambini piccoli? Essenzialmente per due ragioni, di ordine diverso: *a*) per adeguarsi alla competenza linguistica dei piccoli, che sono alle prime armi come apprendenti della lingua italiana e ne possiedono perciò un numero limitato di suoni, di costrutti, di lessemi; *b*) per agevolare il processo di socializzazione del bambino: infatti «il linguaggio usato per parlare ai bambini filtra i valori e i ruoli che ne sono espressione, spingendo il bambino a inserirsi in una trama di rapporti già costituita, che contribuirà a dare al bambino stesso un'immagine delle strutture sociali e delle valenze culturali che caratterizzano i legami fra i parlanti che lo circondano» (Savoia 1987: 113). Naturalmente, l'adulto che parla il linguaggio bambinesco è consapevole della prima motivazione e non della seconda, che è legata alla necessità di auto-perpetuazione della struttura sociale.

LESSICO

Il lessico del linguaggio bambinesco è necessariamente limitato. Infatti i contenuti dei messaggi sono legati a esigenze comunicative limitate e specifiche: riguardano: *a*) gli oggetti e i bisogni del bambino (cibi, acqua, sonno, giochi e giocattoli) e gli elementi minimi della socializzazione (i rapporti di parentela, la terminologia valutativa); *b*) il rapporto fra il bimbo e l'adulto, un rapporto a sua volta a due facce: molto intimo sul piano affettivo, fortemente asimmetrico sul piano sociale. Infatti, oltre a parlare delle cose e delle necessità di tutti i giorni, il linguaggio bambinesco ha la funzione sociale importantissima di costruire le relazioni di ruolo che legano l'adulto e il bambino, ribadendo il legame di forte affettività che li lega: il bambino impara a chiamare e a essere chiamato, a fare richieste, a ricevere permessi e dinieghi, a orientare i suoi gusti, a denominare i referenti, impara che per tutte queste attività il potere è nelle mani dell'adulto che gli parla, e che se il suo comportamento risponde alle attese dell'adulto questo lo ricambia con le cure, con l'affetto e con l'amore di cui egli ha bisogno.

Ecco alcuni frammenti del lessico convenzionale bambinesco[1]:

bua "male, dolore", *mommo* "acqua", *bombo* "dolce", *pappa* "cibo", *totò* "percossa", *ciccia* "carne", *nanna* "sonno, dormire", *pupù* "cacca", *tata* "baby-

---

[1] Gli esempi di questo paragrafo sono tratti da Savoia 1984, Savoia 1987 e da rilevamenti personali.

sitter", *babàu* "spauracchio", *ciuciù* "passeggio", *cocco* "uovo". Molte parole sono onomatopeiche: *baubàu* "cane", *miaomiao* "gatto", *brumbrùm* "macchina", *dindi* "soldi". Il bambino viene chiamato dalla mamma con appellativi affettivi come *cuore di mamma, cuore mio, piccolo di mamma, tesoro della mamma, gioia mia, xxx di mamma tua* ecc.

Un'attenzione particolare è dedicata al lessico della parentela: quando si parla ai bambini ogni riferimento a parenti è accompagnato con l'indicazione del rapporto di parentela, in modo da far acquisire ai piccoli il quadro dei rapporti interpersonali e il sistema dei rapporti di ruolo. Non si dice *vieni da me* ma *vieni da papà*, e piuttosto che *ti voglio bene* è facile sentire *mamma vuole tanto bene al suo bimbo*.

Ribadisce esplicitamente il rapporto gerarchico fra l'adulto e il bambino la cosiddetta 'allocuzione inversa', tuttora diffusa nell'area meridionale: a una domanda, o a un ordine, il parlante fa seguire il nome di parentela che gli compete (preceduto, in certe aree, dalla preposizione *a*): *ti sei fatto la bua, (a) papà?* (il padre al figlio), *non toccare, (a) mamma!* (la madre al figlio), *mangia, la nonna!* (la nonna al nipote). Il ruolo viene dichiarato, quasi a ribadire l'autorità che viene all'adulto da tale grado di parentela.

Quest'ultimo fenomeno – sconosciuto nell'Italia settentrionale – mostra un'altra caratteristica del *baby talk*: anche questa varietà, a causa del suo radicamento nel sistema dei valori e dei rapporti di ruolo della società che li esprime, presenta una variabilità connessa con i sistemi dialettali locali: in altre parole, un certo numero di parole (e di costrutti) ha le caratteristiche dei geosinonimi, cioè ha un'estensione strettamente legata a una delle grandi aree dialettali d'Italia, mentre è sconosciuta altrove. Qualche esempio: in Toscana *lilla* "organo sessuale femminile", *nenne* "latte", *totto* "cane", *pira* "gallina", in Calabria *memé* "mucca", *gnegné* "maiale", *titì* "gallina".

D'altro canto, un certo numero di voci del lessico bambinesco è molto antico e ha una diffusione vastissima. Ci sono forti indizi dell'esistenza di uno strato romanzo la cui origine risale al latino: sappiamo che in latino erano attestate forme 'bambinesche' che troviamo ancora oggi, come *buas* "acqua" e *pappas* "cibo". *Buas*, addirittura, richiama una forma *bru* già viva nel greco antico – attestata dal commediografo Aristofane nel V secolo a.C. – e ancora oggi presente sia in Toscana che nell'Italia meridionale (Savoia 1987).

MORFOSINTASSI

La caratteristica morfologica dominante è l'uso, tanto frequente da rasentare la normalità, dei diminutivi. A seconda delle aree prevalgono i suffissi *-ino, -ello, -etto, -uccio*: *Hai setina? Vuoi l'acquina? Bello il cavalluccio! La gonnarella coi fiorellini!* Non hanno funzione denotativa, cioè non indicano la piccolezza del referente, ma servono a rafforzare il legame affettivo fra gli interlocutori, attribuendo carattere di gradevolezza e di simpatia a tutto ciò che viene nominato dall'adulto e che in qualche modo collega l'adulto al bambino, rafforzandone il legame.

Altri fenomeni da attribuire a semplificazione sono:

• l'eliminazione dell'articolo in frasi come *dammi manina* "dammi la manina", *vuoi bombo?* "vuoi il dolce?";

• l'eliminazione della preposizione in costruzioni come *fallo vedere nonna* "fallo vedere alla nonna";

• la netta predominanza delle frasi attive e affermative, delle esclamative e delle interrogative.

FONOLOGIA

Anche la fonologia risponde a regole di semplificazione. Come si vede dai tipi lessicali riportati sopra, le parole sono costruite secondo uno schema molto semplice: sono monosillabiche o, più spesso, bisillabiche, secondo la successione: Consonante – Vocale – Consonante – Vocale (CVCV). Sono tendenzialmente identiche sia le due consonanti che le due vocali (*tata, totò, pupù*); la seconda consonante può essere allungata (*mommo, nanna, cocco*). Le bisillabiche possono essere costituite dalla ripetizione della prima sillaba (*brumbrùm, ciuciù, miaomiao, baubau*).

Questa struttura molto semplice – realizzata con pronunce lente e accurate – ricorre identica in molte, diverse, comunità: presso i linguisti c'è un consenso pressoché generale nel ritenere che essa rifletta condizioni fonologiche e sillabiche fondamentali del linguaggio.

8.2. Come parliamo con gli stranieri (il 'foreigner talk')[2]

Negli scambi comunicativi che avvengono fra un parlante nativo e uno non-nativo, in particolare quando il non-nativo è un immigrato extracomunitario, si instaura una tipica relazione asimmetrica (cfr. Box *Relazioni simmetriche e asimmetriche*), nella quale il nativo ha un ruolo dominante.

È il nativo che, di norma, gestisce la conversazione: egli utilizza la sua posizione – e la sua competenza comunicativa – per regolare i turni, orientare – e contestare – le scelte linguistiche, guidare i processi di convergenza. Il suo strumento linguistico è il *foreigner talk*.

Lessico, morfosintassi e fonologia del *foreigner talk* presentano le caratteristiche delle varietà semplificate, che ricorrono però con particolare frequenza e concentrazione. Infatti, in una scala che vada da un minimo a un massimo di complicazione, il *foreigner talk* occupa il primo estremo: in altre parole, è la più

[2] Gli esempi citati in questo paragrafo sono tratti da Berretta 1987, Orletti 2000, Lipski 2005.

Relazioni simmetriche e asimmetriche

Le interazioni possono essere simmetriche (tra pari) o asimmetriche (con un conduttore, o regista, che orienta l'andamento della conversazione). È simmetrica la conversazione fra amici e conoscenti, sono asimmetriche l'interrogazione in classe, la conversazione medico-paziente, vigile-automobilista, genitore-figlio piccolo, nelle quali – rispettivamente – l'insegnante, il medico, il vigile, il genitore hanno il potere di gestire lo scambio comunicativo.

In un'interazione comunicativa simmetrica i partecipanti prendono insieme le decisioni più importanti. Ad esempio, la gestione dei turni di parola è governata da vere e proprie regole per l'alternanza del turno: a ogni completamento di turno tutti i partecipanti hanno il diritto di prendere la parola, e il titolare del turno successivo è designato da chi ha appena smesso di parlare (la designazione si può fare anche con una semplice occhiata, o con un invito esplicito) oppure è colui che prevale nella competizione per la presa della parola (chiedendo la parola, alzando la voce, segnalando la propria volontà con sguardi o cenni ecc.). In un'interazione asimmetrica l'alternanza dei turni è invece predeterminata (caso tipico: le tavole rotonde) o è stabilita di volta in volta dal 'regista', che controlla l'andamento della conversazione.

Il 'regista' ha un ruolo dominante: apre e chiude lo scambio comunicativo, governa l'alternanza e la durata dei turni di parola (anche interrompendo bruscamente un turno per assegnare ad altri la parola), fa domande e suggerisce argomenti, decide la successione dei temi della conversazione, si riserva spazi importanti (ad esempio dopo un 'giro di tavolo' di pareri) per fare commenti e dare giudizi che orientano l'ascoltatore. In definitiva ha il potere massimo della conversazione, che è quello di imporre il proprio punto di vista.

semplificata delle varietà semplificate di italiano. Lo caratterizzano in modo specifico i fenomeni seguenti.

LESSICO
 • Uso esclusivo di parole del lessico comune, cioè ad alta frequenza d'uso;
 • uso scarso o nullo di tecnicismi, di espressioni troppo colloquiali o idiomatiche (come *un fico secco*, *un accidenti*, *al diavolo!*);
 • frequenti ripetizioni e riprese;
 • preferenza per gli iperonimi e le parole di significato più generale (*roba, cosa, carta* "permesso di soggiorno");
 • uso abbondante di sinonimi, con estensione dell'area della sinonimia sino a ricoprire significati impropri, con lo scopo di aumentare le probabilità che il messaggio sia compreso: *badante di negozio* "commessa";

• ricorso a ideofoni e onomatopee, con funzione sostitutiva nel caso di mancata conoscenza lessicale: ad esempio si fa il verso di un animale per designarlo, o si ricorre agli ideofoni che si danno per noti grazie ai fumetti e ai cartoni animati: *splash*, *bum*, *brrr*.

MORFOSINTASSI
• Scarsa, o scarsissima, subordinazione: la struttura tipica è costituita da frasi coordinate e/o legate da subordinazione di primo grado;
• uso di frasi brevi, semplici, formate da pochi elementi;
• uso di strutture non marcate: si evitano le frasi scisse, le dislocazioni a destra e a sinistra ecc.;
• scarso controllo della grammaticalità dell'enunciato;
• uso dell'infinito come unica forma verbale;
• uso di strutture della negazione semplificate, quasi sempre con il *no*, o il *niente*, anteposto (*no difficile, niente ferie*);
• frequente eliminazione di articoli, preposizioni, copula (*dito dente, fa male?, accendino caro, molto caro*).

In un esempio come *Mio padre, mio papà, pittore, era Engadina [...]. Voi conoscere Engadina?* si ritrovano la sinonimia (*padre / papà*), la coordinazione, la brevità e la semplicità delle frasi, l'agrammaticalità, l'infinito al posto di una forma flessa del verbo, la cancellazione di articoli e preposizioni.

FONOLOGIA E PROSODIA
• Volume della voce alto;
• velocità di dizione rallentata;
• pause più lunghe e frequenti che nella conversazione non asimmetrica;
• dizione accurata, in cui si evitano ad esempio le realizzazioni tronche proprie di una pronuncia 'allegra' (*han detto, son caduto*).

PRAGMATICA
• Il messaggio verbale è integrato da gestualità molto più ricca e accentuata (con episodi di 'esagerazione': gesti molto ampi, espressioni del viso accentuate) rispetto all'uso medio;
• si trattano sempre argomenti 'situati', cioè relativi alla situazioni in cui ci si trova;
• l'allocutivo di gran lunga più usato è il 'tu', rispetto al 'Lei';
• per le richieste non si usano forme attenuate ma dirette: le domande sono fatte con l'interrogativa diretta e le richieste con l'imperativo (non *posso vedere se funziona?* ma piuttosto *funziona? fammi vedere*).

Si registrano anche alcuni accorgimenti nell'*organizzazione testuale*, che rispondono a strategie in vario modo semplificanti:

• spesso il parlante interrompe l'enunciato per dare spiegazioni sul significato di una parola, su un oggetto o un evento che ritiene non sufficientemente noti all'interlocutore;

• nell'ordine delle parole, si disloca in posizione 'forte' (di solito all'inizio della frase, o dell'enunciato) l'elemento saliente, cioè quello che il parlante ritiene in quel momento più rilevante;

• in caso di emergenza (scarsa o nulla comprensione da parte dell'interlocutore) il nativo propone l'uso di una terza lingua (di solito l'inglese) come lingua-pivot.

Il *foreigner talk* ha tratti che lo differenziano nettamente dal *baby talk*: non vi compaiono, o vi compaiono raramente, tutte le forme diminutive-affettive, i tratti fonetici usati dai bambini, l'uso della terza persona invece della prima o della seconda, e più che nel linguaggio bambinesco si inclina alle distorsioni grammaticali, si usano forme semplificate di negazione, si omettono articoli e preposizioni.

Ciò che si è detto sino ad ora riguarda le finalità di *convergenza* del *foreigner talk*: parlare lentamente, scandire e ripetere le parole, spostare gli elementi salienti nella frase ecc. sono mezzi che si utilizzano in tutto il mondo per agevolare un interlocutore che si trova in difficoltà con la lingua della conversazione. Ma accanto a queste finalità ce ne sono altre, importantissime, che ineriscono a questa varietà semplificata: sono le finalità di *divergenza*, che sono originate da stereotipi valutativi di larga diffusione, e che riflettono pregiudizi etnici nei confronti degli immigrati, implicitamente considerati incapaci di parlare una lingua complicata ed 'evoluta' come l'italiano (non è un caso se la lingua parlata con gli immigrati è in tutto simile alla lingua che Tarzan usava con le scimmie, con la lingua che – in molti racconti – si usa per parlare con gli animali, o con immaginarie creature primitive).

Un esempio. Un bambino italiano si rivolge a un venditore di collanine sulla spiaggia con queste parole: *io volere comprare collana*. Dopo pochi minuti, un signore anziano contratta il prezzo con lo stesso venditore, e gli dice: *tu chiedere troppi soldi: io dare a te solo cinque euro*. In questi due casi la scelta dell'infinito, piuttosto che a esigenze di semplificazione, risponde alla volontà di sottolineare la scarsa competenza linguistica del venditore, percepita come segno di inferiorità sociale. Infatti l'infinito come forma verbale unica non è una struttura di semplificazione, perché la semplificazione verbale nelle varietà immuni da stereotipi negativi – linguaggio bambinesco, interlingua d'apprendimento – non prevede affatto l'uso dell'infinito, ma delle forme effettivamente più ricorrenti nel parlato spontaneo: seconda e terza persona dell'indicativo presente, del passato prossimo, dell'imperfetto.

L'uso dell'infinito come forma verbale unica caratterizza del resto le forme 'storiche' di *foreigner talk*, realizzate quando lo stereotipo razzista non era censurato, anzi era un elemento importante dell'identità nazionale. Un esempio, tratto dalla novella *Alla conquista di un impero* di Emilio Salgari (1907):

- Milord non avere finito ancora cena. Avere molta fame ancora, caro indiano.
- Va' a mangiare a Calcutta.
- Mylord non avere voglia di muoversi. Trovare qui roba molto buona ed io mylord mangiare ancora molto, poi tutto pagare.

Un altro esempio, più recente, dal film *Tutti a casa* di Luigi Comencini (1960):

- (tedesco in fuga) Ogni quante ore viene traghetto?
- (italiano, impersonato da Alberto Sordi) Traghetto adesso venire.

8.3. L'italiano degli immigrati

Ha le caratteristiche della varietà semplificata anche l'italiano di coloro che in vario modo stanno imparando la nostra lingua come lingua seconda: si tratta delle cosiddette 'varietà di apprendimento' (o, meno bene, 'interlingue'), prodotte soprattutto dagli immigrati. Sono tradizionalmente considerate varietà 'marginali', ma se pensiamo che sono utilizzate da alcuni milioni di persone che vivono e operano stabilmente in Italia dobbiamo riconoscere che sul piano sociale occupano un posto di primo piano e meritano grande attenzione, soprattutto per i problemi legati al rapporto fra gli immigrati e la società ospite.

È opportuno distinguere fra *apprendimento guidato*, che avviene attraverso corsi appositi gestiti dalla scuola, pubblica o privata, e da organizzazioni no-profit, e *apprendimento spontaneo*, che avviene mediante il contatto diretto con i nativi, senza mediazioni scolastiche. La grande maggioranza dei percorsi di avvicinamento all'italiano avviene in contesto 'naturale', dove tempi, modi, priorità, strategie dell'apprendimento dipendono dalla singola persona e dal contesto in cui si viene a trovare nel primo contatto col paese ospitante: su questo tipo di apprendimento si sono concentrati gli ormai numerosi studi di sociolinguistica applicati alle varietà di apprendimento dell'italiano, con l'obiettivo di agevolare l'inserimento degli stranieri – e soprattutto di quelli che provengono da lingue e culture molto lontane dalla nostra – nella nostra società.

Si è ritenuto a lungo che l'italiano degli immigrati fosse una varietà intermedia fra la lingua materna e la lingua seconda, e che i fenomeni che lo caratterizzano fossero riconducibili all'interferenza fra le due lingue. Ora sappiamo che questo è vero solo in parte (riguarda soprattutto la fonologia, e in parte la sintassi): in realtà si tratta di una vera e propria grammatica semplificata e rielaborata dell'italiano, che ha come target, di solito, non l'italiano standard ma una varietà regionale e popolare di italiano (quella con cui l'immigrato viene effettivamente a contatto nella vita di tutti i giorni) e che procede alle necessarie semplificazioni avvalendosi di principi e di processi 'naturali', che in gran parte ricorrono in tutti i processi di acquisizione.

In generale, nell'italiano degli immigrati ricorrono frequentemente i fenomeni seguenti.

LESSICO

• Lessico molto ridotto, con frequente ricorso a perifrasi per rimediare alla mancata conoscenza di termini specifici: *quando ciai una cosa male* "quando hai una malattia".

• Tendenza a creare classi regolari, soprattutto nella formazione delle parole: *desìdero* "desiderio", deverbale da *desiderare, coinvolgio* "coinvolgimento", deverbale da *coinvolgere, buonità* "bontà", deaggettivale da *buono*.

• Tendenza alla trasparenza semantica: *vendarmi* "armaiolo".

MORFOSINTASSI

La flessione, sia dei verbi che dei nomi e degli aggettivi, si apprende piuttosto tardi. Il sistema morfologico lungo le varie fasi dell'apprendimento è dunque semplice, piuttosto grezzo, e prevede il ricorso anche ad altre semplificazioni.

• Omissione dell'articolo, o riduzione a una sola forma: *il orario, il abito, un volpe, un farfalla*.

• Omissione o riduzione del numero delle preposizioni, con sovraestensione delle rimanenti: *sì, io venuto Milano* "sono venuto a Milano", *lui adesso America* "lui adesso si trova in America", *rivato in Torino* "arrivato a Torino".

• Uso dei soli pronomi tonici: *piace a io molto*.

• Omissione o uso limitato e incerto – almeno nelle fasi iniziali dell'apprendimento – dei clitici, che in italiano sono soggetti a regole molto complesse. Col tempo si impara anche l'uso dei clitici, ma secondo una sequenza ricorrente: prima il *mi*, il *ti / te*, il *ci* col verbo *essere* (*c'è*), poi *si, lo, me lo* e *te lo*.

• Ellissi (soppressione) della copula e dei verbi ausiliari: *io egiziano* "io sono egiziano", *non cabito* "non ho capito".

• Sintassi quasi esclusivamente paratattica.

I fenomeni che abbiamo elencato ora caratterizzano soprattutto la prima fase del processo di acquisizione della lingua italiana da parte degli stranieri, in contesto 'naturale'. In realtà l'apprendimento dell'italiano è, appunto, un processo, che presenta progressivi arricchimenti e progressiva complessificazione di regole: studiare questi processi è estremamente importante anche sul piano operativo, ad esempio per organizzare la didattica dell'italiano per stranieri in modo da orientare il processo di acquisizione guidata in modo il più possibile vicino al processo di acquisizione naturale della seconda lingua.

Nell'apprendimento non guidato vi sono delle regolarità di acquisizione che hanno portato i linguisti a identificare delle 'sequenze di acquisizione' basate sulle produzioni di apprendenti che sono stati seguiti nei loro progressi per mesi o per anni (questo metodo di analisi approfondita di casi singoli, protratta nel tempo, prende il nome di *osservazione longitudinale*).

Infatti ora sappiamo che l'apprendimento dell'italiano rispetta tre regole fondamentali:

1) l'acquisizione avviene per stadi;

2) il passaggio da uno stadio al successivo è segnato dalla comparsa di una nuova struttura nella competenza dell'apprendente;

3) gli stadi sono tra loro in rapporto di implicazione: la presenza di una certa struttura nell'interlingua di un apprendente implica la presenza delle strutture degli stadi precedenti, ma non degli stadi successivi.

Più che l'elenco dei fenomeni delle interlingue d'apprendimento è dunque importante la loro distribuzione nelle diverse fasi del processo. Per fare un esempio, diamo di seguito alcune delle caratteristiche sistematicamente ricorrenti nei primi quattro stadi di acquisizione, relativamente alle forme verbali (Giacalone Ramat 1993).

PRIMO STADIO

Nello stadio iniziale l'apprendente produce poche forme verbali, fra le quali la più ricorrente è la terza persona singolare (*me parla italiano poco poco*) seguita a distanza dalla seconda persona (*prendi, pulisci*), che appartiene più probabilmente all'imperativo che al presente indicativo. La terza persona singolare è considerata 'forma basica': è una forma *passe-partout* usata sia per tempi presenti, passati e futuri che per persone diverse dalla terza singolare, e nelle prime fasi del primo stadio tende a ricoprire tutti i significati e le funzioni di tutte le voci verbali. La seconda persona dell'imperativo ripete probabilmente ordini o esortazioni che l'apprendente ha ricevuto da nativi nei primi giorni di contatto interlinguistico.

SECONDO STADIO

Nel secondo stadio l'immigrato mostra di avere acquisito:

– il participio passato, con valore generico di passato: *io arrivato a piedi in Kassalà... Kassalà non c'è lavoro*. Attesta lo sviluppo di un'opposizione presente / passato che è fondamentale per l'acquisizione avanzata dei tempi, dei modi e delle persone;

– l'ausiliare: di solito viene appreso dopo il participio passato, e dopo molte oscillazioni: lo stesso parlante produce, nello stesso torno di tempo: *io non capito / me ho incontrato / la donna ha scappato*;

– l'accordo dell'ausiliare col participio passato.

TERZO STADIO

Nel terzo stadio si registrano le prime produzioni di:
– forme dell'indicativo imperfetto (in alternanza, almeno nelle prime fasi, con il presente): le prime sono di solito *ero*, *era* con funzione di copula;
– forme sporadiche di condizionale, soprattutto nelle forme *vorrei* e *sarebbe* (probabilmente percepite più come voci lessicali che verbali).

QUARTO STADIO

Tratti comuni nel quarto stadio, che è più ricco ma anche più oscillante dei precedenti, sono: la comparsa delle prime forme di futuro, congiuntivo e condizionale, usati essenzialmente per distinguere ciò che è presentato come un fatto reale (reso con le forme variamente possedute dell'indicativo) da ciò che è presentato come possibile, desiderabile, ipotetico (rese con il congiuntivo o il condizionale). Il futuro può tardare molto: in alcuni casi la competenza dell'apprendente si fossilizza, e resta limitata ai tre tempi: presente, passato prossimo, imperfetto. Quando il futuro entra nella competenza dell'immigrato ha quasi sempre valore temporale: solo successivamente acquisisce il valore epistemico, che pure è oggi molto presente nella competenza dei nativi (cfr. § 2.2.). Tra i modi del verbo, l'ultimo a essere appreso è il congiuntivo.

In generale, possiamo ipotizzare un modello di acquisizione delle strutture dell'italiano che preveda una successione di questo tipo:

a) *nei primi contatti con i nativi* si acquisiscono alcuni elementi lessicali: la negazione, il saluto e il commiato, alcune formule di ringraziamento, nomi di persona e di luogo; alcuni pronomi: *io*, *tu*, *lui*, *lei*; elementi basilari della morfologia: le marche del numero (quasi sempre il solo morfema *-i*). L'ordine delle parole non è di tipo sintattico (SVO) ma pragmatico: si segue la successione *tema-rema*, che garantisce una successione funzionale delle informazioni: prima il dato, poi il nuovo. Le frasi sono costituite dalla somma di enunciati brevi, spesso frammentari; le connessioni tra le frasi non sono segnalate esplicitamente, ma sono realizzate semplicemente giustapponendo le proposizioni;

b) *successivamente* il lessico si arricchisce di termini inerenti il lavoro e le relazioni sociali dell'apprendente, di strategie di compensazione (sinonimi, iperonimi, perifrasi), da utilizzare quando non si conosce un termine. Si veda questo dialogo fra un giovane cinese (c) e l'intervistatrice (i):

c – *Bambino picolo. imparato lingua cinese. poi natro libro fare conto. questo. no so come si chiama.*
i – *La matematica?*
c – *La matematica la matematica sì. poi piano piano imparare di più. imparato. pri ma Cina cosa fa. tanti anni così così.*
i – *Storia, storia cinese?*
c – *Sì [...] poi [...] belo. natunale. cosa fa montagna a lago. fiumi sì.*

i – *Ah, ho capito; allora avete studiato la lingua cinese, poi la storia della Cina*
poi la geografia della Cina.
(Giacalone Ramat 1993: 396)

A livello morfologico si acquisiscono le marche di genere e le regole di derivazione più trasparenti, che sono talvolta sovraestese: *riciclamenti* "riciclaggi", *incrinazioni* "incrinature".

Sintatticamente, si comincia a organizzare la coordinazione – le prime a comparire sono le congiunzioni *e* e *ma* – e la subordinazione, che è affidata quasi esclusivamente alle congiunzioni *che, quando, se, perché*. I verbi *potere* e *dovere* sono utilizzati, ma solo per esprimere la modalità deontica (permesso, divieto, obbligo); l'epistemica è invece espressa con mezzi lessicali (*forse, penso*);

c) si acquisiscono per ultime le strutture più complesse, difficili da eseguire e controllare: le forme atone dei pronomi, che nella nostra lingua sono organizzati in un sistema molto complesso e sono soggetti a regole di restrizione rigide (d'altra parte queste forme sono anche percepite come forme ridondanti, non fondamentali); *potere* e *dovere* nella modalità epistemica, i rapporti di subordinazione più complessi, le ipotetiche con i tempi e i modi dell'italiano.

9. Tratti paralinguistici, prossemici e gestuali

La competenza linguistica è solo una parte della competenza comunicativa. I messaggi verbali, dei quali abbiamo parlato sino ad ora, nella loro produzione effettiva sono accompagnati da tratti *paralinguistici* (intonazione, velocità, altezza, ritmo, accento), *gestuali* (soprattutto gesti delle mani ed espressioni del viso) e *prossemici* (posture, distanze). Anche se non hanno la stessa centralità della componente verbale, questi tratti contribuiscono alla costruzione del significato del messaggio, e dipendono dalle stesse variabili a cui è legata la produzione linguistica: per questo devono essere presi in considerazione quando si descrivono le caratteristiche (socio)linguistiche dell'italiano.

9.1. Paralinguistica

Tutti sappiamo che, indipendentemente dal contenuto del messaggio, una voce rabbiosa trasmette un significato di fondo inequivocabile, anche se non si capiscono le parole, e che un parlato molto veloce esprime comunque concitazione, ansia, indipendentemente dai contenuti. Non sono le parole usate ma è la particolare curva melodica (anzi, il contorno intonativo) con cui viene realizzata che ci consente di capire se la frase che ascoltiamo è interrogativa, o esclamativa, o assertiva. Questi tratti non linguistici in senso stretto prendono il nome di tratti paralinguistici, e comprendono fatti inerenti la struttura dell'enunciazione (esitazioni, silenzi, pause) e fatti *prosodici* e *soprasegmentali*.

Esitazioni e *pause* sono dovute a incertezze, ripensamenti, strategie discorsive particolari che creano delle interruzioni nel fluire del discorso.

Le *esitazioni* possono essere costanti e ripetute, nello stesso parlante, e in questo caso sono dovute a cause patologiche (balbuzie, disturbi della scorrevolezza) o fisiologiche (nei bambini piccoli, negli adulti quando parlano sotto pressione o in forte stato emotivo); oppure possono essere occasionali. Le esitazioni occasionali sono dovute a cambio nella progettazione del discorso, a mancanza di scioltezza nella fase di costruzione di un enunciato, a incertezza o perplessità nelle scelte lessicali, all'elaborazione di particolari strategie conversazionali (di attenuazione, di evitamento ecc.).

Le *pause*, quando non dipendono da ragioni fisiologiche (il parlante si ferma per riprendere fiato, per respirare), hanno funzione sintattica (marcano il passaggio da una struttura – ad esempio una frase – alla successiva) o conversazionale: ad esempio, indicano il passaggio al turno successivo o la richiesta di completamento del turno (l'insegnante all'allievo: *Questi sono i monti...?*).

Si distinguono in *pause vuote* e *pause piene*: queste ultime sono riempite con vocalizzazioni del tipo *ehm, hmm, eh...*

▶▶ 9.1.1. Tratti soprasegmentali

Fono, fonemi, morfemi, sintagmi, parole, sono i *segmenti* che, disposti in successione secondo determinate regole, costituiscono un *enunciato*. La realizzazione concreta dell'enunciato, tuttavia, non è mai esclusivamente segmentale: è sempre accompagnata da tratti che si dicono *soprasegmentali*, perché in un certo senso si 'sovrappongono' ai singoli segmenti. I principali sono: l'accento, l'intonazione e alcuni 'effetti vocali'.

L'accento. È l'insieme delle caratteristiche fonetiche che mettono in rilievo una sillaba all'interno di una parola (o di un breve enunciato). È caratterizzato essenzialmente dalla differenza di *volume* – o intensità – di una vocale, o di una sillaba, rispetto alle altre. Spesso a questo fattore si aggiunge la *durata*, cioè il tempo per il quale si protrae la pronuncia della vocale.

L'intonazione. Riguarda l'enunciato. In corrispondenza di alcune sillabe aumenta la *frequenza* di vibrazione dell'aria e, insieme, l'*altezza* della voce: la voce si fa più acuta. Questo fa sì che in un enunciato si succedano differenti tratti melodici, secondo un numero limitato – e specifico di ogni sistema linguistico – di profili intonativi (profilo interrogativo, sospensivo, assertivo, esclamativo ecc.). Un profilo intonativo ha un certo andamento melodico, nel quale l'intonazione di volta in volta si innalza (voce più acuta) o si abbassa, secondo una particolare *curva intonazionale*. Ad esempio, l'intonazione interrogativa nell'italiano medio ha un andamento ascendente, l'intonazione assertiva ha un andamento discendente.

I modi per rappresentare graficamente l'intonazione sono molto semplici e rozzi: in pratica, disponiamo solo del punto interrogativo e del punto esclamativo. Molte intonazioni sono inesprimibili attraverso la scrittura.

L'intonazione ha diverse funzioni, tutte finalizzate alla comprensione del messaggio:
• segnala l'atteggiamento di chi parla nei confronti di ciò che dice, ovvero permette di riconoscere che tipo di enunciato si sta producendo;
• dà la chiave di interpretazione del tono (scherzoso, lamentoso, iroso...);
• in combinazione con la pausa e il ritmo consente a chi ascolta di dare a un enunciato l'interpretazione grammaticale – e semantica – voluta da chi parla. Si veda la differenza fra questi tre enunciati[1]:
– *Perché parti domani?* (= "perché non resti?");
– *Perché, parti domani?* (= "non sapevo che saresti partito proprio domani");
– *Perché parti, domani?* (= "perché non fai altro, domani, invece di partire?").

L'intonazione consente di identificare la struttura tematica dell'enunciato: ad esempio segnala la porzione di enunciato sulla quale si concentra la parte 'nuova' dell'informazione: "guarda bene *sotto* il divano [e non sopra]".

Le intonazioni, soprattutto nelle fasi di passaggio generalizzato dalla dialettofonia all'italofonia, sono fortemente condizionate dal sostrato dialettale: nessun modello educativo diretto – la famiglia, la scuola – insegna nulla a proposito dell'intonazione (del resto, come s'è detto, gli strumenti grafici per rappresentarla sono del tutto insufficienti, e dunque è impossibile accedere a un'intonazione-modello attraverso i libri), perciò il parlante che passa dal dialetto all'italiano conserva i contorni intonazionali tipici della sua parlata materna.

Ad esempio, per l'intonazione interrogativa, l'andamento non marcato è ascendente. Nella pronuncia effettiva dell'italiano molte varietà regionali, in conformità con il sostrato dialettale, presentano invece intonazioni ascendenti-discendenti: Canepari (1999) elenca i territori che gravitano su Aosta, Belluno, Udine, Parma, Pisa-Livorno, Napoli, Taranto, Palermo; ma è facile ipotizzare che il numero e l'estensione delle aree interessate siano in realtà più numerosi.

Gli 'effetti vocali'. Per aggiungere un 'sovrasenso' al significato del messaggio, che dia un'idea generale delle sue intenzioni comunicative, il parlante può usare la sua voce per ottenere effetti particolari. Gli effetti più interessanti sono:
• il parlato *sussurrato* o *bisbigliato*, che dà un senso aggiunto di confidenza molto intima (qualcuno la chiama 'voce da camera da letto'), di segreto, di 'cospirazione';
• il parlato *mormorato* (occasionalmente nel romanesco);

---

[1] In questi esempi la differenza di intonazione è suggerita dal corretto utilizzo della virgola da parte di chi legge.

• il parlato *labializzato*, caratterizzato da un pronunciato arrotondamento labiale, che taluni usano parlando a bambini piccoli (*baby talk*) o ad animali.

▶▶ 9.1.2. Tratti prosodici

Sono tratti prosodici in senso stretto: l'altezza, il volume, la velocità, il ritmo.

L'altezza: il suono varia su una scala che va da acuto a grave: quando aumenta la frequenza aumenta anche l'altezza del suono, cioè il suono si fa più acuto; quando la frequenza diminuisce l'altezza si riduce, e il suono si fa più grave.

Il volume (o intensità): indica il grado di udibilità del suono. Varia all'interno della parola e anche all'interno dell'enunciato: le differenze di volume – o di intensità – tra le sillabe di una parola danno luogo all'accento – che caratterizza la vocale sulla quale il volume si innalza – mentre le differenze di volume tra enunciati, o tra porzioni diverse di enunciato, forniscono a chi ascolta le necessarie 'chiavi di ascolto' di quell'enunciato: un volume molto alto di solito esprime ira, un volume basso esprime confidenza.

La velocità (o tempo) di esecuzione. Un enunciato può essere realizzato con maggiore o minore accuratezza: a un'accuratezza maggiore corrisponde una velocità di esecuzione più lenta (Lentoform), a un'accuratezza minore corrisponde una velocità maggiore (Allegroform). Da che cosa dipende l'accuratezza dell'esecuzione? Da caratteristiche individuali, ma anche da fattori sociolinguistici, ambientali, conversazionali: il luogo e gli scopi dell'interazione, la volontà di affrettare – o di non affrettare – la conclusione della conversazione, il desiderio di 'passare sopra' a certi argomenti (esecuzione rapida) o di richiamare l'attenzione su di essi (esecuzione lenta e scandita) ecc. In parte, anche in questo caso, esercita la sua influenza anche il retroterra dialettale: il parlante abruzzese tende a essere meno veloce nell'esecuzione di quello veneto, perché diverse sono le velocità di eloquio nelle due aree dialettali.

La velocità è importante perché nel parlato veloce si tende a omettere o ad alterare molti dei suoni che sarebbero richiesti da una pronuncia accurata. Una frase come "te la dò subito" a Roma è spesso pronunciata *ta:'dɔ's:ub:ito*: nel pronome *la* cade la laterale *l* e la vocale *a* si allunga. Proseguendo per questa strada, il parlato veloce diventa – anzi, è diventato – uno dei principali responsabili di molti fatti di fonetica storica. Come si è visto, il tempo 'allegro' induce a realizzare forme nelle quali il parlante 'si mangia' uno o più suoni; e poiché le parole più frequenti nel parlato sono quelle particolarmente soggette a pronuncia 'allegra', accade che nei tempi lunghi proprio le parole più usate siano soggette a cambiamenti strutturali di rilevanza storica, consistenti in vari tipi di contrazione: caduta di vocali atone nel corpo della parola (VIRIDIS > *verde*, CALIDA > *calda)*, assimilazioni (FACTUM > *fatto*, IPSA > *essa*), lenizione, centralizzazione delle vocali, riduzione di forme articolate, con perdita di intere sillabe (*buongiorno* > *'ngiorno / 'giorno*; *buonasera* > *'ssera / 'sera*) ecc.

Viceversa, il tempo 'lento' – caratteristico di un registro formale, o solenne – induce a realizzare dizioni molto accurate e spinge a conservare integro il corpo della parola: ad esempio, nella pronuncia di velocità 'normale' il sintagma 'con partecipazione' viene pronunciato *compartecipazione* (con assimilazione progressiva); invece, nel ritmo 'lento' dei discorsi solenni si realizza la pronuncia più accurata: appunto, *con / partecipazione*.

Un tempo 'allegro' produce tanti fenomeni di contatto (cadute, assimilazioni ecc.) da rendere a volte irriconoscibile la parola: Albano Leoni e Maturi (1992) citano un esperimento nel quale un adulto di buona cultura, italofono con tratti regionali campani, nel corso di un'intervista pronunciava parole come *giornalisti*, *siamo*, *amministrazione* come Allegroformen, tanto che, ascoltate al registratore e trascritte attraverso la lettura dei sonagrammi relativi, senza considerare il contesto, le tre parole suonavano rispettivamente: *tʃɛ'laese, sɛɔ, nɛæmesɔ'tsɛ:*. Irriconoscibili, appunto.

Il ritmo. L'altezza, il volume e la velocità determinano il ritmo di una lingua. Il ritmo è dato sostanzialmente dagli intervalli di tempo che intercorrono fra un accento e l'altro: se gli intervalli sono costanti, qualunque sia il numero delle sillabe intermedie, la lingua si dice 'a isocronia accentuale' (i tempi fra un accento e l'altro sono costanti), se gli intervalli di tempo sono proporzionati al numero delle sillabe che vi sono fra un accento e l'altro la lingua si dice 'a isocronia sillabica'. Nel primo caso, nelle parole 'lunghe' le sillabe atone interposte sono compresse, cioè sono pronunciate più velocemente per mantenere la costanza di intervallo di tempo fra un accento e l'altro, mentre nel secondo caso la velocità è più lenta, la pronuncia più distesa. L'italiano è una lingua a isocronia sillabica, come il francese, mentre l'inglese è a isocronia accentuale: questo spiega la sensazione che noi avvertiamo quando sentiamo il parlato fluente di un inglese, e ci pare che si 'mangi' molte parole, rendendoci difficile la comprensione. In realtà, ciò accade perché siamo abituati a ritmi mediamente più lenti di esecuzione, e il nostro orecchio non è addestrato alla velocità imposta dall'isocronia accentuale.

9.2. Prossemica

La prossemica studia l'uso dello spazio, del contatto fisico e delle distanze interpersonali a fini comunicativi. In generale si può dire che alcune società sono più tolleranti di altre nei confronti del contatto fisico, tanto che si usa distinguere fra 'società del contatto' e 'società del non-contatto': le prime – che comprendono soprattutto le società del bacino del Mediterraneo e dell'America Latina e le società arabe – favoriscono il contatto, le altre (le società del Nord Europa, gli indiani) tendono a evitarlo. In uno studio sulla frequenza di contatti fra coppie sedute nei caffè in diversi Paesi, si rilevò che mediamente in un'ora le persone stabilivano un contatto fisico per 180 volte a Portorico, per 110 volte a Parigi, e mai a Londra (Jourard 1963).

La stessa differenza di fondo si riscontra per quanto riguarda le distanze fra gli interlocutori, nel corso dell'interazione. Ogni cultura ha delle norme non scritte ma ferree che regolano la distanza minima alla quale ogni persona tollera che un altro si possa avvicinare. Lo spazio che separa due persone viene, a questo scopo, ripartito in quattro zone, che vengono definite rispettivamente: zona intima, personale, sociale e pubblica.

• La *zona intima* è anche detta 'bolla'. È una bolla ideale che circonda il nostro corpo: consentiamo di entrare al suo interno solo alle persone con le quali abbiamo un rapporto intimo, e alle quali concediamo la nostra fiducia. Quanto è spessa questa bolla? Da 30 a 60 centimetri, a seconda: *a*) dello stato d'animo: una persona insicura o irritata tende a 'mantenere le distanze', percependo l'avvicinamento come un'intrusione dalla quale le tocca difendersi, e perciò espande la sua 'bolla' difensiva; *b*) dello status dell'interlocutore: quanto più è elevato lo status sociale di una persona, tanto più ampia è la zona intima che gli altri gli riconoscono; *c*) della cultura di appartenenza: la zona intima di un finlandese o di un mitteleuropeo è più ampia di quella di un mediterraneo o di un arabo.

• La *zona personale* comincia dove finisce quella intima: vi ammettiamo le persone con cui abbiamo rapporti eccellenti, ma non così intimi da consentire loro di entrare nella nostra 'bolla': i famigliari, gli amici più cari, i colleghi con cui abbiamo i rapporti migliori.

• La *zona sociale* è riservata ai conoscenti, ai superiori, alla maggior parte dei colleghi di lavoro.

• La *zona pubblica*, infine, è la distanza di un insegnante dalla classe, di un oratore dal pubblico ecc.

La profondità di ciascuna di queste zone ha a che fare con le differenze culturali. L'Italia risente tuttora dell'appartenenza a due aree culturali prossemicamente caratterizzate in modo diverso: tendenzialmente chi nasce e vive nell'area settentrionale – legata storicamente, culturalmente e socioeconomicamente all'Europa centrale – ha un comportamento da 'società del non-contatto', mentre chi vive al Sud si comporta da membro di una 'società del contatto'. Al Nord la zona intima tende a essere più ampia, al Sud più sottile. Secondo il modello tradizionale, acquisito culturalmente, due amici piemontesi, o friulani, si scambiano le loro confidenze senza avere alcun contatto e tenendosi a una certa distanza, mentre due amici siciliani accompagnano le loro enunciazioni con un certo numero di contatti di vario tipo (possono darsi una manata sulle spalle, prendersi sottobraccio, afferrare il gomito dell'altro, prendere per il ganascino ecc.) e mantenendo una distanza ridotta. La distanza 'nordica' sarà erroneamente percepita da un meridionale come indice di freddezza, di formalità, di distanza sociale, mentre in modo altrettanto sbagliato la distanza – e la gestualità – 'meridionale' sarà sentita da un piemontese o da un lombardo come un'intrusione imbarazzante e fastidiosa nella zona intima. Ciascuno misura con il proprio metro, che per ragioni storico-culturali è diverso da un'area all'altra[2].

9.3. Gestualità

L'uomo accompagna le sue produzioni verbali anche con un'abbondante gestualità. I gesti che compiamo quando parliamo non sono però elementi esornativi: al contrario sono elementi *costitutivi* della nostra comunicazione verbale. Attraverso movimenti della testa, delle braccia, delle mani, espressioni del viso, posizioni e distanze del corpo nello spazio e rispetto ad altri corpi, la presenza o l'assenza di contatto fisico, il tono e l'altezza della voce noi completiamo e a volte addirittura sostituiamo o modifichiamo il messaggio verbale. È stato calcolato (Mehrabian 1977) che nel corso di una conversazione i significati necessari per una piena comprensione dei messaggi sono veicolati per il 55% dagli stimoli visivi e solo per il 45% da quelli vocali e verbali. Forse la valutazione è troppo generosa, e comunque le percentuali variano da persona a persona, da civiltà a civiltà; questi calcoli richiamano però la nostra attenzione sulla grande quantità di significato trasmessa attraverso i canali non verbali.

Alcuni gesti sono innati, e fanno parte del corredo culturale di base dell'uomo: tutte le persone sorridono quando sono contente, tutte si accigliano quando sono arrabbiate o tristi, tutte spalancano gli occhi quando nella situazione comunicativa in cui si trovano avviene un cambiamento improvviso o molto rilevante. Piangere di gioia, tremare di paura sono *gesti involontari*. Per il linguista sono più interessanti i *gesti volontari* (vedi Box alla pagina di fronte), che rispetto ai primi hanno una caratteristica importante: vengono appresi nei primi anni di vita, attraverso l'imitazione dei comportamenti degli adulti, perciò i loro significati sono determinati culturalmente, con un rapporto tra significante e significato molto simile a quello che troviamo nelle lingue storico-naturali.

I più codificati – e quindi i più vicini alle strutture del linguaggio verbale – sono i *gesti simbolici*, che sono prodotti intenzionalmente per veicolare determinati significati.

▸▸ 9.3.1. I gesti simbolici

Sono gesti dotati di un significato preciso, socialmente condiviso: ne sono esempi tipici il segno della croce, o il gesto dell'O.K. Anche se a noi sembra che imitino la realtà, i gesti simbolici hanno con il significato lo stesso rapporto arbi-

---

[2] Questo è naturalmente un 'modello' di comportamento: in realtà le differenze (e le errate inferenze) diminuiscono con l'aumento della mobilità territoriale e sociale, oggi molto significativo.

I gesti volontari

I gesti volontari si raggruppano a seconda della funzione che assolvono durante lo scambio comunicativo. Oltre ai gesti simbolici sono volontari:

• *i gesti mimetici.* Il parlante mima l'azione di cui sta parlando: parla di una corsa in auto e mima la guida dell'auto (impugna un volante immaginario e muove le mani come se stesse guidando); chiede una sigaretta e avvicina alla bocca indice e medio della mano destra disposti a V, mimando l'azione di fumare; parla di una ragazza prosperosa e traccia nell'aria due curve sinuose;

• *i gesti deittici.* Indicano persone o oggetti, e le loro collocazioni nello spazio. I più noti, e i più usati, sono i gesti della *deissi spaziale*: il parlante deve segnalare la posizione di un oggetto o di una persona e lo fa con mezzi verbali (avverbi, pronomi, espressioni deittiche come *questo / quello, lui / lei, qui / qua, lì / là, là sopra / qui sotto, là dietro la finestra, a destra del termosifone* ecc.) oppure con mezzi gestuali (punta l'indice, muove gli occhi, spinge la testa nella direzione voluta ecc.). Il più delle volte utilizza mezzi sia verbali che non-verbali. Ma quando parliamo usiamo anche i gesti della *deissi temporale*: per collocare un evento nel tempo disponiamo non solo degli avverbi e delle regole morfologiche e sintattiche della lingua, ma anche di gesti che ci consentono di definire e comunicare un rapporto di anteriorità o posteriorità. In Italia usiamo il 'saltello dell'indice': per il futuro l'indice teso salta in avanti tracciando uno o più piccoli archi, e ogni arco rappresenta un giorno a partire da oggi. In alcuni casi i gesti deittici sono più utili dei messaggi verbali: ad esempio dove parlare a voce alta è vietato (in chiesa), o è difficile (in discoteca). Se vedo un amico che passa al lato opposto della mia via, e gli voglio dire *ci vediamo dopodomani alle quattro*, invece di sgolarmi – col rischio di non farmi sentire – posso richiamare la sua attenzione e poi fare nell'area un duplice saltello dell'indice, seguito dal gesto delle quattro dita tese (tenendo ripiegato il pollice);

• *i gesti batonici.* Sono quelli che compiamo quando, nella conversazione quotidiana, accompagniamo le parole con movimenti 'a bacchetta' di un dito, della mano o dell'avambraccio, gesticolando come se manovrassimo un bastone ('batonici' in effetti deriva dal francese *bâton* "bastone"): le mani disegnano nell'aria linee spezzate e curve, archi, di varia lunghezza e profondità, con la funzione di sottolineare, ribadire, rafforzare il messaggio verbale. Ad esempio, l'indice puntato verso l'interlocutore accompagna parole ostili, e se il gesto è ripetuto significa che l'ostilità è ribadita, minacciosa. Com'è noto, la resa linguistica di concetti emotivamente marcati (espressioni di gioia, rabbia, ostilità...) è rafforzata con mezzi paralinguistici come l'enfasi, l'accento, il ritmo: a questi dobbiamo aggiungere anche i mezzi extralinguistici (gestuali) costituiti dai gesti batonici, i quali dunque affiancano soprattutto – per potenziarle ulteriormente, all'orecchio di chi ascolta – realizzazioni enfatiche, variazioni di volume e di ritmo nella voce, pause ed accelerazioni ecc. In generale, si può dire che i gesti batonici evidenziano e rinforzano i punti salienti del discorso, sottolineano le parole-chiave, danno a chi riceve il messaggio le opportune chiavi di interpretazione (grave, ironica, sprezzante ecc.). Sono sfruttati al massimo dai politici e dagli oratori, per dare gravità e peso alle loro parole.

trario che hanno le parole e quindi, come le parole, variano a seconda delle culture, e variano nel tempo. Può anche accadere che un certo gesto abbia più di un significato. Ad esempio la mano 'a borsa' (chiudere le dita a mazzetto e poi muovere su e giù la mano: cfr. Fig. 9) vuol dire "ma che vuoi?" oppure "ma che fai?", "ma che dici?", "ma ti sembra possibile?", "e allora?", ma può anche assumere altri significati: "un sacco di gente", "fitto così" oppure "stringi!", "taglia!", "vieni al sodo!" o ancora "che paura!", a seconda del testo verbale e della configurazione che assumono gli elementi della situazione comunicativa. E può anche accadere – proprio come con le parole – che lo stesso gesto abbia un significato in una cultura, e ne abbia un altro in una cultura diversa: la stessa mano 'a borsa' in Egitto vuol dire "Aspetta!" e in altre culture non ha alcun significato.

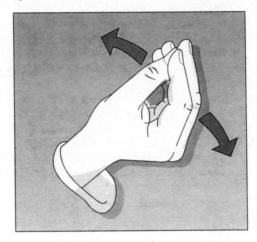

Fig. 9

La maggior parte dei gesti simbolici conserva sempre lo stesso significato, all'interno della società che li ha elaborati e che li trasmette, e alcuni arrivano anzi a costituire un elemento caratterizzante dell'identità culturale: il segno della croce da quasi due millenni ha un valore costante e immutato, in cui si riconoscono tutte le popolazioni di religione cristiana, mentre al di fuori di questa religione non ha alcun significato (o ne ha altri).

Alcuni gesti simbolici hanno la stessa funzione di parole o di brevi espressioni (per questo si chiamano *gesti lessicali*): ad esempio le mani incrociate all'altezza dei polsi corrispondono al lessema "prigione"; il dito indice teso in verticale, perpendicolare alle labbra chiuse, significa "silenzio!" o "zitto!". Altri hanno un significato equivalente a quello di un'intera frase (per questo si chiamano *gesti olofrastici*: da *olo-* "intero" e *phrasis* "frase"): si pensi al già citato gesto della mano 'a borsa'.

I gesti simbolici condividono con le parole due caratteristiche importanti, che ritroviamo in tutte le lingue storico-naturali: la *sinonimia* e la *polisemia*.

SINONIMIA

I due gesti delle Figg. 10 e 11 sono sinonimi: entrambi hanno il significato di "mangiare". Ma anche nei gesti – come nelle parole – l'identità di significato di due sinonimi non è mai assoluta: infatti il gesto della Fig. 10 allude all'aver fame, mentre quello della Fig. 11 rinvia piuttosto al mangiare per ingordigia, o al mangiare molto e voracemente. Anche i gesti delle Figg. 12 e 13 sono sinonimi (sono entrambi traducibili con la domanda retorica "ma che fai?"), ma con leggere differenze di senso: 12 è un gesto materno-protettivo, 13 è scher-

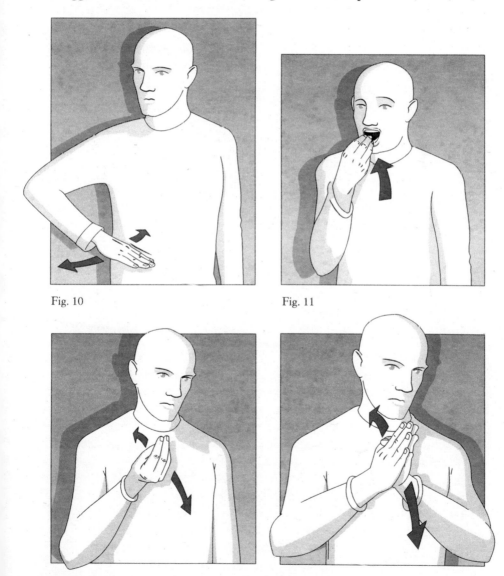

Fig. 10

Fig. 11

Fig. 12

Fig. 13

zosamente supplichevole. La sinonimia nei gesti è più diffusa che nella produzione verbale, perché ogni gesto veicola significati molto ampi, spesso generici. Sono sinonimi, ad esempio, tutti i gesti di esultanza: alzare le braccia al cielo, fare una capriola, fare salti improvvisi, 'fare la ola' ecc.

POLISEMIA

È polisemico – cioè ha significati diversi a seconda del contesto – il gesto della mano 'a borsa' (cfr. Fig. 9); è polisemico il gesto delle corna, che ha il significato di "toro" ma ha anche quello di "cornuto" (in riferimento ad animali ma soprattutto a persone umane) ed è anche utilizzato come gesto di scongiuro. Ed è polisemico il gesto della Fig. 14, che significa tanto "mi dai una sigaretta?" quanto "andiamo a fumarci una sigaretta?" o anche "è un gran fumatore".

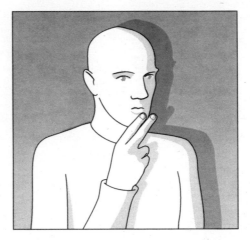

Fig. 14

La polisemia genera ambiguità: come rimediarvi? Con gli stessi mezzi che si usano nel parlato, dove si disambigua il messaggio utilizzando altri elementi del cotesto (cioè del contesto linguistico) e del contesto comunicativo: ad esempio, la parola *raggio* si riferisce tanto al sole quanto alla ruota, ma se la pronuncio mentre sto parlando di biciclette (cotesto) o mentre mi trovo dal ciclista (contesto comunicativo) sarà chiaro per tutti che mi sto riferendo ai raggi della ruota. Analogamente, nel codice gestuale si rimedia all'ambiguità che deriva dalla polisemia facendo ricorso a elementi 'di contorno', verbali e non verbali. Se nel corso di una riunione voglio proporre a un collega di uscire per fumare una sigaretta, senza disturbare gli altri, e utilizzo il gesto della Fig. 14, sono sicuro che fra i tre significati possibili il mio interlocutore sceglierà quello giusto: "andiamo a fumarci una sigaretta?", grazie al contesto in cui ci troviamo, e alla conoscenza che tutti e due abbiamo di alcune regole legate a quel contesto: il divieto di fumare nel corso di una riunione, la possibilità di fumare all'aperto, la possibilità di allontanarsi per poco tempo purché non si disturbino i lavori ecc.

▶▶ 9.3.2. La variazione nella società

Anche il sistema dei gesti simbolici è soggetto a variabilità, in modo molto simile al sistema verbale al quale si accompagna. A differenza della lingua, tuttavia, per i gesti non possiamo parlare di vere e proprie *varietà* (insiemi di regole cooccorrenti in modo sistematico) ma di un insieme di *varianti* che, comunque, sono riconducibili agli stessi fattori che organizzano lo spazio linguistico. Anche l'insieme delle varianti del sistema dei gesti, come l'insieme delle varianti del sistema linguistico, si dispone principalmente secondo quattro parametri di variazione: sociali (variazione diastratica), temporali (variazione diacronica), spaziali (variazione diatopica), stilistiche (diafasiche).

La variazione diastratica è legata soprattutto all'azione di tre fattori: *il genere*, *l'età*, *il ruolo sociale* degli interlocutori.

Genere ed età spesso agiscono in modo combinato. Inchieste recenti hanno rilevato differenze significative tra maschi e femmine e tra giovani e anziani: a parte l'uso in famiglia, frequente e generalizzato, i giovani usano i gesti simbolici molto spesso a scuola e per la strada, mentre per gli anziani le frequenze più alte si registrano al lavoro. Le donne non li usano, o li usano poco, al di fuori dalla famiglia, mentre gli uomini li usano sia in famiglia che al lavoro. Questa distribuzione può essere interpretata così: le donne, per antica educazione sessista, ancora oggi percepiscono come un loro dovere 'forte' quello di mantenere, al di fuori della famiglia, un comportamento sostenuto, formale, 'educato'. L'accompagnare il parlato con i gesti è sentito come un allentamento della formalità, e per questo è evitato dalle donne. Poiché negli ultimi decenni le differenziazioni sociali basate sul genere si sono notevolmente attenuate, l'applicazione di questa regola d'uso dei gesti si è indebolita, e infatti è molto meno praticata dalle generazioni più giovani.

Ancora: si è osservato che i maschi adulti usano il gesto molto più con amici dello stesso sesso che con donne. La spiegazione di Magno Caldognetto e Poggi, che hanno rilevato il fenomeno, è questa: «si può forse pensare che l'educazione della generazione precedente alla galanteria, all'eufemismo, a un parlare formale e pulito, determini una sorta di pudore nella comunicazione con le donne e un'inibizione all'uso del gesto, considerato linguaggio familiare e intimo, in loro presenza» (Magno Caldognetto e Poggi 1997: 93).

Le regole non scritte che controllavano – e in parte ancora controllano, sia pure in forma attenuata – il costante rispetto dei ruoli sessuali, hanno portato all'elaborazione di veri e propri filtri in grado di permettere o di inibire la gestualità coverbale (che accompagna il parlato). Ad esempio: le regole della conversazione precludono alle donne l'uso dei gesti d'insulto e dei gesti osceni. In molte culture questi gesti sono considerati un tabù inviolabile, in altre – come la nostra – sono interdetti attraverso le regole, più raffinate ma non meno severe, della buona educazione e dell'etichetta conversazionale: le donne che li usano sono considerate poco fini, o volgari, e dunque sono 'criticate', cioè sono sanzionate socialmente. Il lettore sa però che questa regola è applicata in modo poco rigoroso, o non è applicata affatto, dai giovani: una ragazza che fa le corna o il gesto dell'ombrello a una coetanea di norma è sanzionata in modo leggero, o non è sanzionata affatto, dai suoi coetanei, mentre è considerata maleducata o volgare dai genitori e dagli anziani. Ne deduciamo che l'uso dei gesti d'insulto e dei gesti osceni è oggi legato sia al genere (è ancora oggi molto più frequente in bocca a maschi che a femmine) che all'età (è molto più frequente nelle ragazze giovani che nelle donne anziane), con una distribuzione simile a quella che a livello verbale caratterizza gli insulti e le 'parolacce'.

In relazione alla variabile 'età' si segnalano anche gesti che sono usati solo dai bambini: sono i gesti legati al gioco e a esigenze particolari dei primi anni di vita sociale. È legato al gioco, e alle regole della conversazione fra bambini, l'incrocio di indice e medio (oppure il 'fare le corna', o altri gesti localmente convenzionali) dietro la schiena, con una funzione perlocutiva: il gesto infatti significa "dichiaro falso quello che sto dicendo in questo momento". È legato alle esigenze della vita sociale del bambino il segno della V (con indice e medio tesi e le altre dita ripiegate) per chiedere di andare in bagno. Questi gesti, proprio per la loro specificità infantile, sono usati dagli adulti solo occasionalmente, e in chiave ironica o scherzosa.

Infine, molte delle norme di comportamento che sono insegnate dai genitori, dalla scuola e dalle altre istituzioni (esercito, collegi e convitti, chiesa ecc.) con finalità formative di vario tipo incorporano regole 'sociogestuali' cioè regole che associano il livello di gestualità alla classe sociale, al livello di scolarizzazione, al rapporto di ruolo fra gli interlocutori. Nei modelli educativi correnti – e in particolare in quelli più rigidi – il gesticolare è addirittura un indicatore di appartenenza, un *marker* sociale: si insegna ad esempio che devono gesticolare il meno possibile, o meglio non devono gesticolare affatto: *a*) i ragazzi bene educati; *b*) le persone colte, raffinate; *c*) gli adulti della media e alta borghesia. Se si attengono a questa norma, essi esibiscono la loro appartenenza a una classe ritenuta superiore, distinguendosi rispettivamente dai ragazzi di classe sociale inferiore (che nello stereotipo più diffuso sono maleducati, volgari e maneschi), dalle persone rozze e incolte, dalla piccola borghesia e dal proletariato.

Le istituzioni più chiuse (o istituzioni 'totali') hanno addirittura elaborato un codice gestuale autonomo, inventato a tavolino, con una 'innaturale' corrispondenza biunivoca fra codice gestuale e codice verbale, alla stregua delle lingue artificiali: il suo uso è obbligatorio (chi non lo usa viene punito) e ha soprattutto la funzione di rigido marcatore di appartenenza all'istituzione. L'esempio tipico è costituito dalle norme di comportamento dei militari: le forme di saluto (in relazione alle differenze di grado), il portamento (compreso lo sguardo), la gestione del silenzio ecc.

▶▶ 9.3.3. La variazione nel tempo

Abbiamo già accennato ai cambiamenti che sono avvenuti nella gestualità delle ultime generazioni. Uno studioso calabrese, Domenico Lamedica, ha messo a confronto il sistema dei gesti simbolici utilizzato a Napoli e in Sicilia nell'Ottocento con quello utilizzato alla fine del Novecento, utilizzando per il primo termine di confronto due preziose testimonianze: *La mimica degli antichi investigata nel gestire napoletano* di Andrea De Jorio (1832) e *Usi, costumi, credenze e pregiudizi del popolo siciliano* di Giuseppe Pitré (1889). In particolare, il De Jorio elencava 120 concetti o significati fondamentali, per ciascuno dei quali descriveva i gesti simbolici dell'area napoletana; per ogni gesto dava poi notizie sulla frequenza d'uso, sulle diverse accezioni, sulla distribuzione e sull'occasione sociale in cui era usato. Lamedica (1987), studiando le variazioni nel repertorio dei gesti e i cambiamenti di significato avvenuti nel corso dei 100-150 anni considerati, è arrivato a trarre alcune conclusioni di carattere generale, che possiamo proporre come schizzo di un modello della variazione diacronica, riferito alla gestualità coverbale.

Nelle testimonianze storiche dell'Ottocento ogni gesto presentava numerose varianti. Nel corso del tempo le varianti si sono ridotte in modo considerevole: non solo se ne usano ma anche se ne conoscono molte di meno.

Riducendosi il numero dei gesti, si è ampliata l'area del significato di quelli residui. In un primo tempo gesti di significato affine ma con sensi differenziati hanno perso la loro specificità e sono diventati sinonimi; fra questi sinonimi l'uso ne ha poi selezionato alcuni, che gradualmente hanno soppiantato gli altri, rimanendo gli unici gesti che si usano per esprimere concetti anche molto ampi e sfumati. Un esempio: nel De Jorio il campo semantico "amore" presenta quattro gesti, ai quali corrispondono altrettanti significati: "amicizia", "frequentazione intensa", "unione", "fare l'amore". Oggi, per quanto riguarda la conoscenza i quattro gesti sono ancora conosciuti passivamente, e sono considerati dai più come sinonimi. Nell'uso, invece, lo stesso campo semantico risulta diviso fra due soli gesti: "amicizia", che comprende tutti i tipi di rapporto stretto, escluso il rapporto sessuale, e "rapporto sessuale", concetto che viene peraltro espresso con un gesto innovativo, più esplicito.

In generale, il sistema gestuale nell'Ottocento era ricco e complesso. Nel corso del tempo ha poi subìto una forte spinta alla semplificazione, che ha favorito, fra l'altro, la permanenza dei gesti di esecuzione più semplice: ad esempio, i gesti che coinvolgevano più parti del corpo si sono quasi sempre ridotti a un'espressione di mimica facciale, concentrando sulla faccia le principali funzioni della comunicazione gestuale, a detrimento delle braccia, delle mani, del corpo.

In questo, ma non solo in questo, la dinamica sociolinguistica dei gesti ricalca strettamente la fenomenologia dei fatti di lingua e di dialetto: *a*) le forme gestuali locali sono state soppiantate recentemente da innovazioni di largo raggio, spesso estranee alla cultura locale e introdotte da fattori esterni – in primis la TV –: 'dare il cinque' ha sostituito gesti più tradizionali (pacche sulle spalle, stretta di mano, buffetto, segni diversi di esultanza) proprio allo stesso modo degli anglicismi e dei prestiti non acclimatati che hanno sostituito le parole della tradizione italiana, a partire dall'ormai 'normale' OK; b) molti gesti, come molte parole, sono stati abbandonati, perché il referente è scomparso, o è caduto in disuso: a questo si attribuisce, ad esempio, la scomparsa dei gesti che indicavano l'asino, o il cavallo, o l'aver fame, così come bisogna attribuire al decadere dell'artigianato la scomparsa dal nostro lessico di tutta la complessa terminologia degli strumenti e delle operazioni di calzolai, falegnami, maniscalchi ecc.

A questi processi di progressiva destrutturazione del sistema si affiancano – come nella lingua – processi simmetrici di ristrutturazione, consistenti per lo più in innovazioni, che si diffondono oggi con estrema rapidità. Sono innovazioni durature? Non si può dire: anche le innovazioni gestuali – analogamente alle innovazioni verbali: neologismi, prestiti ecc.– possono avere una vita lunga o una vita effimera, senza che sia possibile prevederlo. Ad esempio, sembra destinato a una vita lunga il già citato 'dare il cinque', mentre ha avuto una vita brevissima – salvo imprevedibili ma possibili riprese – il gesto in voga per qualche anno in discoteca, e altrove, col significato "I love you" (pollice, indice e mignolo tesi, in successione, con la mano alzata).

Fra il canale verbale e quello gestuale, anche in prospettiva diacronica, vi è dunque un legame tanto stretto, che sembra più corretto parlare non di due ma di un solo canale comunicativo, nel quale si fondono e agiscono sinergicamente strutture linguistiche, paralinguistiche e cinesiche fortemente integrate.

▸▸ 9.3.4. La variazione nello spazio

Dante incontra tra i fraudolenti, nella settima bolgia, Vanni Fucci, e scrive: *Al fine de le sue parole il ladro / le mani alzò con amendue le fiche, / gridando: 'Togli, Dio, ch'a te le squadro'* (*Inferno*, XXV, 1-3). A proposito di questo 'fare le fiche' tutti i commenti parlano di un gesto blasfemo, di un insulto terribile, di parole di scherno rivolte a Dio, ma a questo punto la popolazione dei liceali italiani che leggono Dante si divide in due: dalla Toscana in giù si stupiscono dell'ardire di Dante, che mette in scena un gesto così volgare e insultante, nei confronti di Dio, mentre dalla Toscana in su non capiscono di che cosa si parli, e devono ricorrere all'enciclopedia o a Internet per farsi spiegare il gesto e, soprattutto, il suo significato. Infatti 'fare le fiche' (pollice teso, fra indice e medio piegati, con la mano chiusa a pugno: cfr. Fig. 15) è ben noto come gesto d'insulto nell'Italia centro-meridionale ma è poco noto, per non dire sconosciuto, al Nord (se non, appunto, attraverso la *Divina Commedia*...).

Come questo, anche molti altri gesti si comportano come tipi lessicali a distribuzione areale limitata. Indagini recenti compiute a Torino, Padova e Lecce ne hanno rilevato un certo numero. Ad esempio:

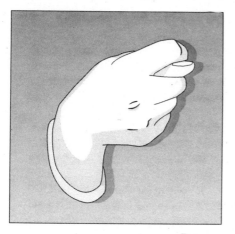

Fig. 15

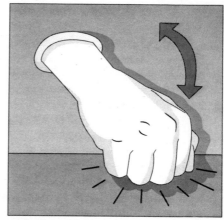

Fig. 16

Fig. 17

• la mano 'a borsa' (cfr. Fig. 9) col significato "ma che vuoi?" è molto più usata nel Mezzogiorno che altrove;

• alzare leggermente il capo e inarcare le sopracciglia, come gesto di domanda, è pressoché esclusivo del Nord;

• battere le nocche sulla tempia, col significato "ha la testa dura", è stato riconosciuto dal 60% degli intervistati al Nord ma solo dal 20% al Sud;

• battere le nocche sul tavolo per dire "è proprio testardo" (Fig. 16) ha registrato una differenza ancora più considerevole: l'80% al Nord, il 5% al Sud;

• il segno di vittoria, o di successo, con le braccia alzate e gli indici tesi (Fig. 17) è usato ed è conosciuto quasi esclusivamente nell'Italia settentrionale.

L''head-toss', una negazione di area mediterranea

Uno dei gesti più caratterizzati diatopicamente è la spinta della testa all'indietro (*head-toss*), spesso accompagnata da un leggero schiocco della lingua, che si usa (e ancor più si usava) in gran parte dell'Italia meridionale col significato di vigorosa negazione. La distribuzione areale del gesto è rappresentata nella Fig. 18.

L'area di diffusione di questo gesto coincide con l'area meridionale estrema, che linguisticamente è caratterizzata dal sostrato greco e dalla presenza di numerose antichissime colonie in cui si parlano ancora oggi dialetti di tipo greco. Ora, la negazione attraverso la spinta della testa all'indietro era, e in buona parte è ancora, usata dai greci. Questo gesto dunque ha la stessa estensione geografica dell'area meridionale estrema per lo stesso motivo per cui le parlate dell'area conservano tante tracce di grecità: è una specie di relitto gestuale greco.

L'*head-toss* – di area latamente mediterranea – caratterizza l'Italia meridionale, e la oppone a quella centro-settentrionale, nella quale invece – come nella maggior parte dell'Europa del Nord – per significare "no" la testa viene scossa da destra verso sinistra e viceversa. Si noti che nel contatto fra i due sistemi gestuali nascono spesso equivoci, perché al Nord – ma ormai anche nello standard – un gesto molto simile all'*head-toss* (movimento verticale della testa dall'alto al basso e poi dal basso all'alto) non significa "no" ma "sì", e dunque una negazione di area meridionale estrema può essere scambiata per un'affermazione al Nord.

Nelle diverse regioni linguistiche e culturali italiane non è diverso solo l'inventario dei gesti: è diversa anche la quantità di gesti, ossia la ricchezza del canale coverbale: nel 'dosaggio' fra canale verbale e gestuale, le aree meridionali affidano alla gestualità una parte del significato ben superiore a quella delle aree settentrionali. Qualche anno fa Pierangela Diadori ha analizzato la gestualità degli attori protagonisti in undici film brillanti italiani, nei quali ogni attore impersonava un personaggio della sua stessa area: Roberto Benigni un personaggio toscano, Massimo Troisi un napoletano e così via. I risultati hanno confermato le attese: la maggiore frequenza di gesti si è registrata nei film interpretati da attori meridionali rispetto a quelli dell'Italia centrale e settentrionale. Il più ricco è risultato il linguaggio gestuale degli attori romani (Carlo Verdone e Christian De Sica) e napoletani (Massimo Troisi), mentre si è rivelata più misurata la gestualità dei pur estroversi toscani (Francesco Nuti, Renzo Montagnani) e scarsissima quella degli attori di area settentrionale (Adriano Celentano, Jerry Calà). In due film con attori settentrionali non si è trovato addirittura nessun gesto che si potesse definire simbolico (Diadori 1992).

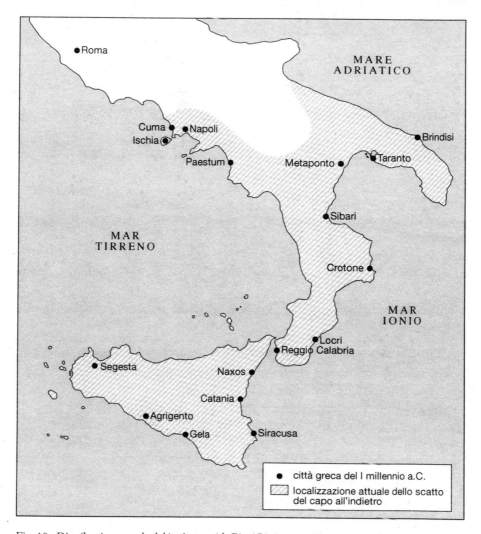

Fig. 18   Distribuzione areale del 'no' greco (da Ricci Bitti 1988: 75).

10. Come cambia l'italiano

Nei capitoli precedenti abbiamo delineato il quadro di un repertorio linguistico in grande movimento. Abbiamo visto che l'italiano non cambia solo nel tempo ma cambia anche nella struttura: si articola e riarticola al suo interno (in varietà, registri, stili), si arricchisce in certi settori e si impoverisce in altri, in stretta dipendenza dalle variazioni che avvengono nella società. Proviamo a ricapitolare.

Economia e società. L'economia è sempre meno rurale (ormai la percentuale degli addetti all'agricoltura ha una cifra sola) ma anche progressivamente meno industrializzata. Si basa invece in modo crescente sulla produzione e lo scambio di beni immateriali ('informazione'), sul terziario (i servizi: commercio, servizi bancari e assicurativi, marketing, istruzione, giustizia, trasporti), sul terziario avanzato (informatica e telecomunicazioni) e sul 'terzo settore' (volontariato, associazionismo, cooperazione sociale). Due soli dati, molto significativi: nel 2000 gli occupati nei 'servizi' ammontavano al 66% della manodopera disponibile, contro il 29% del 1960; il cosiddetto 'terzo settore' si calcola ad oggi (2006) che interessi 14.000.000 di italiani.

L'agricoltura era l'attività propria dell'Italia stazionaria, dialettofona, diglottica; i servizi e soprattutto il terziario avanzato e la cooperazione sociale per loro natura abbattono i confini della singola comunità e orientano i processi di comunicazione verso flussi d'informazione a largo e larghissimo raggio. Non c'è più posto per la dialettofonia e per la diglossia, ma solo per il bi- e il plurilinguismo, con l'italiano e l'inglese come stelle polari.

I giovani. Per loro natura sono il fattore trainante di qualunque rinnovamento; ma a loro volta nel corso delle ultime due generazioni hanno subìto una profonda rivoluzione culturale: non solo nei settori tradizionali delle mode e del rapporto con il mondo degli adulti ma anche, più profondamente, nel sistema dei valori, nella cultura, nel linguaggio. Basta pensare ai nuovi modi di comunicare, che stanno cambiando il rapporto fra parlato e scritto e stanno rinnovando – forse radicalmente – le strutture stesse della sintassi e della testualità.

La scuola. Nonostante la sistematica e rassicurante ripetizione delle ritualità annuali, la conservazione delle tradizioni, l'apparente stato di salute, la scuola ha ormai perso il ruolo centrale che ha sempre occupato (almeno a partire dall'unità d'Italia) tra le agenzie di educazione, istruzione, formazione dei giovani. È una scuola debole, in affanno, che rincorre il proprio fantasma di educatore.

I mass media. Hanno sostituito, in buona parte, la scuola in compiti primari di alfabetizzazione, non solo per la scrittura e la lettura ma anche per tutte le altre dimensioni della comunicazione, i fondamenti della cultura, le priorità e le scale dei valori. In testa c'è la televisione, ma anche il cinema fa la sua parte, mentre la comunicazione digitale (chat, SMS, Internet) sta scalando posizioni nella classifica dei 'formatori non istituzionali'. Non si può non osservare che la TV, con tutto il prestigio acquisito nella seconda metà del Novecento, è la responsabile di molte delle sciatterie e delle stupidaggini linguistiche che si stanno diffondendo: giornali radio, telegiornali, reality, talk-show si collocano su uno spazio linguistico che va dalla lingua comune infarcita di pronunce regionali, di errori di pronuncia (non solo nelle parole straniere ma anche in quelle italiane) a varietà molto 'basse' di italiano popolare, ricche di volgarismi, disfemismi, forme marcate come fortemente 'popolari'.

Queste – e altre – macroscopiche innovazioni, legate alle trasformazioni socioeconomiche più recenti, hanno cambiato, e di molto, il volto e la dinamica del repertorio linguistico italiano, e in particolare della lingua nazionale.

I dialetti. Il problema della dialettofonia si pone oggi in termini del tutto nuovi rispetto al passato: da una parte la presenza del dialetto nel repertorio si è alleggerita – tanto che la voce di chi lo riteneva la fonte di tutti i guai si è progressivamente affievolita –, dall'altra il parlare dialetto è ormai cambiato di segno nella considerazione comune: da valore negativo, stigmatizzato e colpito da stereotipi sociali radicati, è diventato valore positivo, trainato dalla riscoperta e valorizzazione delle culture locali, tanto che si sono diffuse iniziative di salvaguardia di molte parlate dialettali, delle minoranze linguistiche ecc. Infine, i dialetti stessi sono soggetti a drastici processi di italianizzazione, che ne cancellano le individualità più marcate avvicinandoli all'italiano.

L'italiano e le altre lingue. Nella lingua italiana – soprattutto nei linguaggi tecnici e scientifici, ma anche in parte nell'italiano comune – entrano molte parole straniere: in particolare, sono sempre più numerose quelle 'non acclimatate', cioè trascritte e lette nella lingua originale. Nel parlato, il repertorio si è arricchito negli ultimi decenni e continua tuttora ad arricchirsi di lingue e dialetti stranieri, portati dalla più grande ondata immigratoria che si sia registrata in

Italia nell'ultimo millennio. Intanto, fuori d'Italia la nostra lingua ha ripreso vigore e prestigio: non è più la lingua dei figli e nipoti di emigrati poveri e illetterati ma è vista – e studiata – sempre più come lingua di cultura; e in Italia è usata – spesso molto bene – da milioni di immigrati.

Parole straniere nell'italiano. Grazie all'internazionalizzazione dei mercati e delle comunicazioni, alla scienza e alla tecnica, ai commerci, termini stranieri – in grande prevalenza a base anglosassone – entrano nell'italiano: ma non (com'era accaduto nei secoli precedenti, ad esempio nel periodo dell'Illuminismo) nell'italiano delle persone colte, bensì nella lingua dell'uso comune, anche degli incolti. Sotto la pressione dei linguaggi tecnico-scientifici si adottano anglicismi ingiustificati (*telefoni cordless* 'senza fili') e si utilizzano con significati 'anglosassoni' parole che già esistono, con un loro significato peculiare, in italiano (*suggestione* "suggerimento", *polluzione* "inquinamento"). Non solo. Machiavelli, nel *Discorso o dialogo intorno alla nostra lingua* (1515) scriveva: «Le lingue non possono essere semplici, ma conviene che sieno miste con l'altre lingue. Ma quella lingua si chiama d'una patria, la quale convertisce i vocaboli ch'ella ha accattati all'uso suo, ed è sì potente, che i vocaboli accattati non la disordinano, ma ella disordina loro; perché quello ch'ella reca da altri lo tira a sé in modo, che par suo». In altre parole: è giusto e naturale che una lingua prenda vocaboli e modi di dire da un'altra, ma se la lingua è forte e salda adatta le parole che prende alle sue esigenze, al suo sistema fonetico, morfologico, lessicale, insomma le 'addomestica', non le subisce. L'italiano oggi sembra proprio passare dalla fase dell'addomesticamento a quella dell'accettazione passiva, che è propria delle lingue 'deboli'. Gli ormai antichi *bistecca* da beef-steak (inglese) e *stoccafisso* da stocvisch (olandese) attestavano la capacità di 'addomesticare' le parole straniere; *mouse, folk, desktop, skipper* attestano una più recente fase in cui comincia a prevalere la 'passività'. La novità non riguarda dunque la quantità delle parole straniere che entrano in italiano (è stato calcolato che si tratta dello 0,1%, cioè di una parola su mille...) ma la capacità reattiva del sistema 'lingua italiana': l'accettazione passiva soprattutto delle parole e delle espressioni inglesi segnala senza dubbio un 'cambio di pelle' della nostra lingua. Non un deterioramento, né una corruzione: un cambiamento, e profondo. Da lingua iper-conservativa, ancorata al latino, l'italiano sta diventando aperto alle innovazioni e all'accettazione di prestiti da altre lingue. Come l'inglese. Si ammoderna.

A dir di più, questo ed altri segnali indicano che l'italiano non solo si aggiorna ma si va integrando in una forma europea standard, che da due-tre decenni si sta costituendo con l'ingresso nelle diverse lingue di 'europeismi' sia lessicali che morfologici e sintattici (Ramat 1993).

D'altra parte si registra anche un'altra tendenza, di segno ben diverso: come in altri paesi d'Europa anche in Italia entrano nella lingua 'media' forme linguistiche marcate diatopicamente (regionalismi), diastraticamente (forme di italiano popolare), diafasicamente (registri 'bassi', usi colloquiali), diamesicamente (forme del parlato-parlato): e tutte provengono dai quadranti inferiori del diagramma che rappresenta il nostro spazio varietistico (cfr. Fig. 3).

Questi cambiamenti colpiscono particolarmente e fanno molto discutere i linguisti perché l'italiano, per i motivi storici che ben conosciamo, fino alla seconda metà del Novecento ha conservato un'immagine di lingua antica, fortemente ancorata alle lingue classiche: ancora alla fine del XX secolo si stimava che le parole del lessico italiano fossero per il 60% di origine latina e per il 15% di origine greca (Marello 1996). Il processo in atto è dunque un processo di rapido svecchiamento, di recupero di ritardi – rispetto alle altre lingue europee – nel rinnovamento del lessico.

Semplificazioni. Rientrano in questo processo di svecchiamento molti dei fenomeni di 'semplificazione' che caratterizzano oggi le strutture dell'italiano, e che in buona parte corrispondono a processi analoghi già avvenuti o in corso in altre lingue europee. Alcuni esempi: il *che* polivalente, la riduzione – con conseguente ristrutturazione – del sistema dei tempi e modi verbali, la riduzione e la semplificazione del sistema dei clitici, costruzioni come l'accusativo preposizionale (tipo *a me non convince*) o la dislocazione a sinistra ecc. Sono, in ultima analisi, i tratti del neo-standard, e il neo-standard è proprio la porta attraverso la quale riemergono anche forme dell'italiano non letterario, già usate nel passato ma bandite dalla 'buona lingua' (appunto, il *che* polivalente, l'indicativo *pro* congiuntivo, la semplificazione del sistema dei pronomi personali ecc.). La semplificazione è dunque un fenomeno antico, di percorso carsico ma presente in tutta la nostra storia linguistica, oggi accelerato e dunque particolarmente evidente ai nostri occhi.

La lingua si alleggerisce delle strutture più complesse e 'pesanti', diventa più agile e moderna: si potrebbe dire, in linea con lo standard europeo delle lingue parlate.

Persino il linguaggio politico si ammoderna. La rivoluzione epocale è avvenuta negli anni Ottanta del Novecento: antesignano l'allora presidente della Repubblica Francesco Cossiga, che nella prima parte del suo settennio parlava un italiano aulico, ricercato, a volte solenne, e nella seconda parte stupì tutti con un cambiamento radicale: dall'esagerata solennità all'insulto, alla volgarità, a un linguaggio medio con 'scivolate' verso l'infimo. Fu il segnale di un'ampia e diffusa rottura con il linguaggio reticente e forbito dei politici 'classici': iniziò l'era in cui molti politici usarono e usano una lingua meno formale, meno complessa sintatticamente, meno attenta ai tabù e alle inopportunità lessicali: una lingua più vicina al parlato (e alla vivacità, ai litigi, ricchi di contumelie, frequenti nel parlato di tutti i giorni), che portata all'eccesso può condurre alle asprezze di certi scontri – ma anche di certe dichiarazioni – in cui si usa un linguaggio che una volta si sarebbe detto 'da suburra' (cfr. § 6.2.1.4.).

C'è dunque, da più parti e per più motivi, una forte pressione delle varietà

Forme 'in risalita'

Oltre ai fenomeni già segnalati, altri stanno 'risalendo' dal sub-standard allo standard, cioè sono sempre più spesso usati e accettati come 'normali'. Fra questi (cfr. Renzi 2000):

• le costruzioni con *avere* preceduto da *ci*: *c'ho* (< *ci ho*), *c'hai*, *c'ha* (*c'ho ragione*, *c'hai fame*, *c'ha sete*, *c'avevo sonno*);

• le costruzioni con *entrare* preceduto da *ci*: *non c'entra*. Il *ci* è così concrezionato con il verbo che a volte è percepito come parte stessa della voce verbale: accanto a *non deve entrarci per nulla* si sente dire anche *non deve centrare per nulla*;

• *piuttosto che* per "oppure": *magari nel pomeriggio andiamo a vedere la mostra di Chagall piuttosto che* ("o") *la mostra di Leonardo*;

• l'esclamazione *dài!* non come formula di incoraggiamento ma di meraviglia: *sai che ho vinto 200 euro all'Enalotto – ma dài, che bello!*;

• il superlativo con *troppo*: *troppo forte, troppo bello*;

• *non esiste proprio* "è assurdo, non è possibile";

• costruzioni come *è che non ne ho proprio voglia*;

• l'avverbio *tipo*: *poi ho incontrato tipo un marocchino*; *guarda, la cintura la sistemi tipo così*;

• il saluto *salve!* che da 'neutro' sta diventando saluto formale, di rispetto;

• saluti come *buona giornata* e *buona serata*.

'basse' dell'italiano, che premono verso il centro. Si pensi al gran numero di forme che risalgono a livello di norma, mentre prima erano percepite come nettamente al di sotto dello standard (cfr. Box *Forme 'in risalita'*).

Passiamo alla parte 'alta' del repertorio. Anche qui sono in corso movimenti straordinari:

• i registri formali più elevati hanno perso la bussola dell'italiano letterario. Pochi se la sentono, ormai, di prendere a modello gli scrittori: anche, e soprattutto, i migliori sono più vicini al parlato informale che al modello di lingua della tradizione letteraria;

• non si usano più, in pratica, gli stili più sostenuti, la prosa aulica, i riferimenti colti che caratterizzavano i registri più formali. Neppure il presidente della Repubblica nei suoi discorsi ufficiali usa le forme e gli stilemi più solenni: si avvicina piuttosto a un italiano 'sostenuto', di registro 'alto' ma di larga accessibilità;

• le lingue speciali tecnico-scientifiche, diffondendosi in modo trasversale in tutta la società, si infiltrano progressivamente nella lingua comune (cfr. § 6.2.2.1.);

• l'italiano burocratico comincia a mostrare segni di cedimento, e ad avvicinarsi – anche se lentamente – alla lingua comune (cfr. § 6.2.1.3.);

• anche l'italiano parlato delle persone colte accetta sempre più numerose forme e costrutti propri degli usi informali e colloquiali della lingua.

Se a questo aggiungiamo il fatto che, retrocesso il toscano a varietà regionale alla pari delle altre, non abbiamo oggi una varietà-modello di italiano, possiamo affermare che i caratteri più rilevanti delle dinamiche linguistiche odierne sono due: la 'tenuta' delle varietà regionali, che assorbono molte delle forme dialettali, e la 'risalita' di forme del parlato, che rinnovano la nostra lingua con un robusto apporto di forme e costrutti della lingua dell'uso. Sembra quasi che, dopo l'esplosione varietistica dei decenni passati (segnalata, ad esempio, dal modello Berruto: cfr. cap. 1) si prepari una stagione di implosione, si vada verso un repertorio a due compartimenti: uno superiore, che comprende tutti gli stili 'sostenuti', e uno inferiore, che comprende tutti gli stili 'leggeri', ancora articolati su base – latamente – regionale.

Nel compartimento superiore i discorsi più vincolati sembrano orientarsi gradualmente verso uno 'svincolo', almeno parziale, verso una lingua comune mediamente 'sostenuta', ricca di varianti (giuridiche, economiche, burocratiche, letterarie ecc.); simmetricamente, nel compartimento inferiore, i testi – che sono sempre più testi misti – tendono a un'omogeneizzazione che fa intravedere un sub-standard tendenzialmente unitario, nel quale confluiscono in modo indifferenziato le varianti che provengono dai grandi – e però ancora vitalissimi – filoni dell'italiano regionale 'basso', dell'italiano popolare 'basso', dell'italiano colloquiale, e persino le varianti dialettali. Tutte, indipendentemente dalla loro origine, diventano comunque risorse a disposizione per incrementare l'espressività e l'efficienza comunicativa dell'italiano moderno.

11. L'italiano all'estero

Fin dalla seconda metà del XIX secolo l'Italia ha conosciuto una massiccia emigrazione verso altri paesi europei ed extraeuropei, che ha portato a una ristrutturazione dei modelli socioeconomici e culturali, ma anche in buona parte linguistici, non solo del paese d'origine ma anche dei paesi ospiti.

Durante la prima grande ondata migratoria, che si fa convenzionalmente iniziare nel 1871 e finire nel 1951, si conta che migrarono all'estero almeno 7.000.000 di italiani.

In questo periodo l'emigrazione non si verificò sempre con la stessa dinamica e con le stesse caratteristiche, né interessò allo stesso modo tutte le regioni d'Italia e tutti gli strati sociali: infatti

i 6.897.000 espatriati definitivi sono stati forniti [...] per 2.352.000 dalle regioni centro-settentrionali [...] e per 4.545.000 dalle regioni meridionali e dalle isole [...]: il 64%, cioè, è partito dalle regioni meridionali e il 36% dalle centro-settentrionali. La misura del dislivello emigratorio tra i due grandi compartimenti del paese risulta ancor meglio se si rammenta che fra il 1871 e il 1951 la popolazione centro-settentrionale non ha costituito mai meno del 62,5% del totale e quella del Mezzogiorno mai più del 37,5%" (De Mauro, 1963: 56).

Dunque l'emigrazione prese le mosse soprattutto dalle regioni meridionali, più depresse economicamente rispetto al resto del paese, caratterizzate da un alto tasso di analfabetismo e, quindi, di dialettofonia.

Inoltre l'emigrazione, soprattutto durante il periodo più intenso, colpì le classi sociali più svantaggiate: contadini (76,6%), a cui si aggiunsero minatori e artigiani (11,2%) e casalinghe (11,8%). Solo lo 0,4% fu costituito da professionisti.

11.1. Lingua ed emigrazione

Giunti nel paese ospite gli italiani, in massima parte dialettofoni, si trovarono in una situazione linguistica che potremmo definire di trilinguismo. Il codice in cui avevano maggiore competenza era il *dialetto*; il loro *italiano* era fortemente stentato; dovevano imparare, per integrarsi, la lingua o le *lingue del paese ospite*.

Il comportamento linguistico degli emigranti all'estero, in una situazione di trilinguismo alquanto complessa, cambiava a seconda che questi si trovassero isolati nel paese d'arrivo o a contatto con altri gruppi provenienti da aree geolinguistiche differenti.

In condizioni di isolamento prevaleva la tendenza all'arroccamento etnico, culturale e linguistico, che implicava il rifiuto o quanto meno una forte resistenza a ogni forma di integrazione. Ad esempio a Chipilo, in Messico, gli emigranti provenienti da Segusino (provincia di Treviso) assunsero tutti un'ostinata posizione di rifiuto di ogni forma di assimilazione non solo alla società ospite ma anche alle altre comunità italiane. Ne risultò l'uso di un dialetto fortemente arcaizzante rispetto a quello della madrepatria che, invece, nel frattempo, si rinnovava in quanto coinvolto dalle spinte innovative che caratterizzavano l'allora giovane stato unitario (Vedovelli 2002: 134). A distanza di un secolo, il dialetto di quegli emigrati è così diventato la testimonianza di una fase antica – e altrimenti non documentata – di quella che è adesso la parlata di Segusino.

Un caso individuale: nei primi anni del Novecento un muratore di Candelo, nel biellese, emigrò nel New Jersey trovando lavoro presso l'impresa di alcuni parenti, ma non imparò mai la lingua inglese e dimenticò del tutto il poco italiano che aveva appreso a scuola. Era dialettofono quando era emigrato, e continuò a parlare il dialetto nella comunità d'arrivo non solo sul posto di lavoro, ma persino durante i giorni festivi, nei quali frequentava la pensione della cognata, dove incontrava altri emigrati di Candelo (Grassi e Pautasso, 1989: 56).

Quando invece i contatti tra gruppi provenienti da regioni diverse erano frequenti, la necessità di comunicare con parlanti di altre lingue (e culture) spingeva i singoli gruppi a superare le identità linguistico-culturali locali e a cercare l'italiano, un italiano che però nessuno dei parlanti aveva mai parlato. Ne risultava una situazione in cui «la lingua delle comunità italiane all'estero è un misto fra diversi dialetti e idiomi che producono una forma orientata verso una sovraforma immaginata come quella dell'italiano in contatto con la lingua del paese ospite» (Vedovelli 2002: 135). Non era l'italiano, che gli emigrati non avevano mai posseduto prima di allora, ma una lingua che tendeva ad esso. L'esigenza di comunicare con i gruppi provenienti da altre regioni portava i parlanti a epurare il proprio idioma locale dei tratti particolari, cercando i tratti comuni con gli altri dialetti.

Il tratto più appariscente di questo 'italiano d'emigrazione' è costituito dalla presenza, a livello lessicale, di parole ed espressioni 'passate' dalla lingua del paese ospite all'italiano. Si raggruppano in due grandi categorie:

a) neo-formazioni nelle quali la struttura della lingua del paese d'arrivo era ricoperta dalla veste fonomorfologica della lingua italiana o del dialetto d'origine: *carro* stava per *car* "automobile", *farma* per *farm* "fattoria", *monti* per *months* "mesi", *giobbo* per *job* "lavoro", *cippi* per *cheap* "a buon mercato", *scracciare* "grattare" per *to scratch*, *bettare* "scommettere" per *to bet*, *cleva* "abile" per *clever*, *tichetta* "biglietto" per *ticket* ecc.;

b) 'prestiti-calchi', ossia parole calcate sulla lingua ospite ed omofone – cioè di suono uguale – rispetto ad altre già esistenti in italiano, ma con significati diversi: è il caso di *firma* "ditta", *blocco* "condominio" degli emigrati della Svizzera tedesca o di *droga* "farmaco" (da *drug*), *accidente* "incidente" (da *accident*) per gli italo-australiani; di *corte* "tribunale" (da *court*), *grado* "classe" (da *grade*), *licenza* "patente" (da *licence*), *muovere* "traslocare" (da *to move*), *registrarsi* "iscriversi" (da *to register*)[1]. In generale, si può dire con De Mauro (1963) che l'emigrazione è stato uno dei fenomeni che hanno portato anche fuori d'Italia a un processo di unificazione linguistica, lo stesso processo che si stava svolgendo anche all'interno del nostro paese, ma con altre motivazioni, e per l'azione combinata di fattori diversi (esercito, scuola, burocrazia, mobilità interna). A partire da una miriade di dialetti si stava lentamente costituendo da una parte un 'italiano d'Italia', a noi ben noto – e descritto in questo stesso manuale – dall'altra un 'italiano dell'emigrazione', meno conosciuto ma a modo suo altrettanto unitario.

Il processo di formazione dell''italiano dell'emigrazione' fu del tutto spontaneo, non assistito (e neppure monitorato): lo Stato italiano, soprattutto agli albori della sua storia, non dedicò molta attenzione alla diffusione della lingua fuori dai propri confini. Solo nel 1889 sarebbe nata la società Dante Alighieri, che per statuto si doveva occupare – e per lungo tempo fu l'unica a occuparsi effettivamente – della diffusione dell'italiano fuori d'Italia e dei processi di alfabetizzazione.

Durante la seconda ondata migratoria, verificatasi nel secondo dopoguerra fino agli anni Ottanta, e diretta soprattutto verso i paesi dell'Europa settentrionale e l'Australia, i processi di integrazione sociale e linguistica dei nostri emigrati furono più rapidi: ben presto si intensificarono i matrimoni misti tra gli

---

[1] Gli esempi di questo paragrafo sono stati tratti da: Berruto 1998: 143-59, Rando 1997, Clivio 1986: 137, Martini 1984.

emigrati e la popolazione ospite, si moltiplicarono i contatti fuori della comunità migrante durante il tempo libero, proliferarono e si affermarono i ristoranti italiani che portarono all'estero la cultura culinaria italiana ecc. Inoltre i nostri emigrati, in quegli anni, non erano solo dialettofoni, ma rispetto alla generazione precedente avevano una migliore competenza dell'italiano (un italiano, s'intende, più o meno caratterizzato come regionale e popolare), che non abbandonarono mai, favoriti anche – in particolare nell'emigrazione europea – dal mantenimento di solidi contatti con la madrepatria, grazie ai viaggi in Italia in occasione delle ferie annuali.

Lo Stato italiano, in quel periodo, iniziò una politica – sia pure limitata e mal coordinata – di attenzione ai bisogni dei nostri emigrati all'estero. Con la legge del 3 marzo 1971 vennero istituiti, nei paesi ospiti, corsi di lingua e di cultura italiana che miravano a diffondere la nostra lingua all'estero. Successivamente questa legge confluì nel D.l. 16 aprile 1994 n. 297 che prevedeva corsi di preparazione per i congiunti degli emigrati per consentire il loro inserimento nelle scuole dei paesi d'arrivo e corsi integrativi di lingua italiana per gli emigrati che frequentano le scuole italiane elementari e medie. Molto meno si fece, invece, per il problema speculare posto alla fine degli anni Settanta dal massiccio rientro degli emigrati, costretti ad abbandonare paesi che, ormai in recessione economica, tendevano a risolvere i problemi di disoccupazione liberando, per primi, i posti di lavoro occupati dagli immigrati.

Dopo i grandi rientri degli anni Settanta, contrariamente a quanto si pensa, i flussi migratori dall'Italia verso l'estero non si sono mai arrestati. Infatti, secondo le valutazioni della Conferenza generale dell'emigrazione italiana all'estero svoltasi a Roma nel 2000, ogni anno migrano verso l'estero 40-60.000 italiani, che dopo la caduta del muro e l'unificazione della Repubblica tedesca hanno come meta prevalente Berlino. Nuovi fattori favoriscono ora una maggiore e migliore presenza italiana nel mondo, non solo a livello economico ma anche culturale e, quindi, linguistico:

• la nuova posizione sociale dei nostri emigrati, che nei paesi ospiti in molti casi raggiungono anche cariche politiche e istituzionali di livello medio ed elevato;

• la mutata identità sociolinguistica e culturale all'interno dei paesi d'arrivo, che spesso modifica il ruolo della lingua italiana: per esempio nella Svizzera germanofona una varietà semplificata di italiano viene utilizzata come lingua veicolare da lavoratori stranieri di provenienza disparata: turchi, spagnoli, greci, portoghesi ecc., sia sul lavoro che nei contatti con amici e colleghi (Berruto, Moretti e Schmid 1990, Schmid 1994);

• l'aumentata mobilità che ha incrementato ulteriormente i rapporti con l'Italia;

• la diffusione della TV satellitare, che mette in contatto i nostri connazionali con la madrepatria.

Tutto questo ha consentito agli attuali emigrati un più stretto contatto con l'uso vivo, quotidiano dell'italiano che si parla in patria. D'altra parte, l'italiano all'estero oggi viene utilizzato soprattutto dalle generazioni più anziane, che non si sono completamente integrate nel paese ospite; i giovani invece acquisiscono in tempi relativamente brevi la lingua del paese d'arrivo, e questo dipende dalla forte motivazione, che li spinge a cercare un rapido inserimento sociale nel paese ospite. Nei giovani l'interesse per l'italiano è presente, ed è attestato in numerose ricerche (Bettoni 2000: 50-54, Chiro e Smolicz 1998: 13-31), ma le motivazioni ad apprenderlo – o a non abbandonarlo – non sono comunicative: sono piuttosto legate a una pulsione profonda verso il recupero dell'identità perduta.

11.2. Dal repertorio linguistico di partenza a quello di arrivo

Abbiamo visto come gli emigrati italiani abbiano assunto comportamenti linguistici differenti una volta arrivati nel paese ospite. Non abbiamo tenuto conto finora però di un fattore che influenza e condiziona in modo determinante il comportamento linguistico all'estero: il repertorio linguistico di partenza dell'emigrato. Corrado Grassi, in uno studio condotto negli anni Ottanta presso biellesi emigrati dal Piemonte tra gli anni Venti e gli anni Ottanta del XX secolo (Grassi e Pautasso 1989), dimostra come emigrati che nella loro competenza pre-migratoria appartengono a tre differenti repertori linguistici elaborino tre differenti strategie comunicative all'interno del paese ospite.

I repertorio. Emigrati partiti prima del 1940: hanno il dialetto come codice per le relazioni famigliari e per i contatti sul luogo di lavoro, utilizzano l'italiano solo per le attività pubbliche ed amministrative. Non hanno alcuna competenza della lingua straniera.

II repertorio. Emigrati dopo la seconda guerra mondiale: anch'essi utilizzano il dialetto in famiglia e sul lavoro, però impiegano anche l'italiano in molte situazioni comunicative, grazie all'ormai diffusa italianizzazione (dovuta soprattutto alla scuola, alla radio e al cinema). Conoscono una lingua straniera, che hanno imparato a scuola.

III repertorio. Emigrati – in periodi diversi – con medio o alto grado di istruzione: nella ricerca di Grassi e Pautasso si tratta per lo più di laureati o diplomati della borghesia imprenditoriale nata tra i due secoli. Hanno una conoscenza passiva del dialetto: lo usano in alternanza con l'italiano, che ricopre ormai quasi tutte le esigenze della comunicazione. Conoscono una o più lingue straniere.

Arrivati nel paese ospite, gli emigrati del primo gruppo, soprattutto a causa delle ridotte competenze linguistiche, hanno un orizzonte sociale molto limitato, in quanto fuori di casa si ritrovano quasi esclusivamente in comunità di compaesani: continuano perciò a utilizzare il dialetto non solo in famiglia, ma anche nei rapporti intercomunitari. Usano l'italiano solo per lo scritto (pratiche per l'Italia, corrispondenza in genere): imparano la lingua straniera solo per ciò che è loro indispensabile per garantirsi l'inserimento nel lavoro; a volte sostituiscono l'italiano con la lingua straniera come codice per la comunicazione all'interno della famiglia.

Gli emigrati del secondo repertorio, partiti negli anni Cinquanta, scelgono prevalentemente l'integrazione linguistica nel paese ospite: abbandonano il dialetto, o lo mantengono solo per la comunicazione famigliare e intercomunitaria, mentre in quasi tutte le situazioni comunicative (lavoro, rapporti con i nativi) utilizzano la lingua straniera. L'italiano, arricchito di prestiti adattati della lingua straniera, diventa la lingua tipicamente utilizzata nei rapporti tra genitori e figli.

Gli emigrati del terzo repertorio, soprattutto tecnici specializzati, non usano mai il dialetto ma coprono tutte le loro esigenze comunicative con l'italiano e, soprattutto, con la lingua straniera.

È evidente che il mantenimento del dialetto d'origine o il suo totale abbandono a favore di una lingua straniera dipendono da numerosi fattori sociali. Fra questi, gioca un ruolo fondamentale il livello di istruzione: anche in altri studi su comunità italiane sparse per il mondo è stato ampiamente dimostrato che chi ha un livello d'istruzione superiore ha una migliore competenza e una migliore predisposizione, e dunque ottiene risultati migliori, nell'acquisizione della lingua del paese ospite.

Le differenze fra i parlanti dei tre repertori riguardano anche gli emigrati di seconda generazione, il cui comportamento risente delle dinamiche linguistiche famigliari:

• i figli degli emigrati del primo repertorio continuano a parlare il dialetto, che utilizzano con i genitori e con i conoscenti compaesani (biellesi); non hanno competenza in italiano; conoscono a livello scolastico la lingua straniera che utilizzano quasi esclusivamente fuori dalla famiglia. Il dialetto viene abbandonato solo dagli emigrati che non sono inseriti in comunità biellesi: questi utilizzano anche in famiglia o l'italiano o la lingua straniera;

• per i figli degli emigrati del secondo e del terzo repertorio la scelta cade tra l'italiano e la lingua straniera, secondo «la durata della permanenza all'estero; il grado di istruzione dei genitori; la presenza o meno di un progetto di rientro in Italia; il tipo di società ospite; la non sufficiente conoscenza della lingua straniera da parte dei genitori» (Grassi e Pautasso 1989: 61-62).

Questo modello di comportamento, elaborato a partire da un campione di emigrati biellesi, è sicuramente applicabile alla maggior parte delle comunità di emigrati italiani all'estero dello stesso periodo.

11.3. Presenza e uso dell'italiano nelle culture ospiti

Il comportamento linguistico degli emigranti italiani non cambia soltanto in relazione alle differenti ondate migratorie e al grado di scolarità di ognuno, ma muta anche in relazione ad altri fattori: le caratteristiche del paese d'arrivo e le relative politiche linguistiche, la distanza geo-culturale fra il paese di origine e quello d'arrivo, il grado di coesione all'interno della famiglia degli emigranti, la durata dell'emigrazione, l'età degli emigranti, la generazione a cui appartengono.

Negli Stati Uniti alcune ricerche, condotte negli anni Ottanta, hanno rilevato che meno di un quinto degli emigranti italiani dichiarava come lingua madre l'italiano e tra questi solo un quarto parlava abitualmente italiano (Waggoner 1981: 507). L'abbandono dell'italiano è dimostrato dai dati relativi all'età e alla generazione: sono le persone anziane che continuano a parlare italiano, invece tra i giovani solo pochissimi lo considerano come lingua madre. Inoltre chi sceglie di rimanere in modo permanente nel paese ospite abbandona completamente l'italiano, mentre fra coloro che decidono di rimanervi temporaneamente c'è una differenza: i giovani di seconda generazione continuano a utilizzare il dialetto d'origine soprattutto nei rapporti con gli amici e in famiglia, mentre gli anziani di prima generazione usano di più l'italiano, soprattutto quando parlano di certi argomenti. Tutti usano l'inglese sul posto di lavoro. Alcuni studi statistici (Veltman 1983: 89) hanno così avvalorato l'ipotesi che «il processo di anglicizzazione negli USA sia relativo alla durata della residenza nel paese. Un secondo fattore che può spiegarne la rapidità è la maggiore pressione omogeneizzante imposta dalla società americana, che incoraggerebbe meno il multiculturalismo» (Bettoni e Rubino 1996: 164).

In Australia, dove fin dagli anni Settanta del secolo scorso si è praticata una politica multiculturale e quindi multilinguistica che ha rallentato il processo di *shift* ("abbandono") della lingua d'origine, la situazione risulta più equilibrata rispetto a quella vista per gli USA. Il moderato abbandono dell'italiano è qui determinato dall'azione sinergica di fattori diversi, anche contrastanti tra loro: da una parte la recenziorità delle ondate migratorie, la forte coesione famigliare, la concentrazione dei gruppi in alcuni centri urbani; dall'altra la distanza dall'Italia, l'invecchiamento della prima generazione, il rallentamento dei flussi migratori, «la discreta affinità culturale con il gruppo dominante, la mobilità sociale legata all'ambiente anglofono dominante, l'incapacità della chiesa cattolica irlandese e anglofona di creare centri di socializzazione collettiva per gli italo-australiani, il ruolo piuttosto marginale della lingua, che non sembra essenziale alla comunità del gruppo, e la diglossia di partenza accompagnata da atteggiamenti negativi nei confronti del dialetto» (Bettoni e Rubino 1996: 175).

In Canada, dove l'emigrazione è piuttosto recente e il mantenimento multiculturale è particolarmente avvertito, studi condotti negli anni Novanta hanno rilevato che, all'epoca, dei 750.000 italiani presenti solo il 42% aveva abbandonato l'idioma d'origine per l'inglese o il francese. Questo atteggiamento è stato spiegato dagli studiosi come una sorta di reazione alla presenza di due lingue ufficiali nel paese ospite (Bettoni e Rubino, 1996: 168). Anche in Canada, comunque, lo *shift* è più rapido presso i giovani e nei domini pubblici.

A Montevideo, in America Latina, secondo i risultati ottenuti da studi compiuti su quattro diverse ondate migratorie (1880-90; 1904-18; dopo la prima guerra mondiale; dopo la seconda guerra mondiale) il dialetto sopravvive solo presso gli italiani di prima generazione, mentre la lingua italiana viene utilizzata dagli emigranti della prima e seconda generazione. L'abbandono dell'italiano, in questo caso, è attribuito a «1) estructura de los matrimonios [...]; 2) vínculos con asociaciones regionales italianas, o de otro tipo [...]; 3) vínculos con Italia [...]; 4) rasgos de la cultura popular-tradicional» (Elizaincín, Zannier, Barrios e Mazzolini 1987: 199-201).

Per l'emigrazione italiana nei paesi europei si può citare, per i risultati che riteniamo emblematici, uno studio condotto negli anni Novanta presso tre comunità italiane in area nederlandese (Jaspaert e Kroon 1991): solo nel 40% dei casi, nei differenti domini presi in esame (famiglia, vicinato, associazioni sportive, altre associazioni / club, luoghi di ritrovo, lavoro, chiese, visite e *shopping*) gli emigranti utilizzavano il tedesco.

In generale, si può dire che gli italiani emigrati in altri paesi europei, a differenza di quelli emigrati oltreoceano, mantengono più saldamente l'italiano e il dialetto, e questo anche per una maggiore prossimità culturale e per la maggiore vicinanza all'Italia, che rende molto più facili e frequenti i contatti con il paese d'origine.

11.4. L'italiano degli emigrati: caratteristiche

Abbiamo detto sopra che l'italiano degli emigrati, pur essendo caratterizzato in modo vario a seconda delle generazioni, dei repertori, delle aree, delle caratteristiche sociolinguistiche delle comunità e dei singoli, ha comunque sempre alla base una varietà di italiano con forti venature sia regionali che popolari, arricchita in modo più o meno sostanzioso da parole ed espressioni tratte dalla lingua del paese ospite.

Ricaviamo un breve elenco di tratti caratterizzanti di questa varietà dalla già citata indagine svolta da Corrado Grassi e Mariella Pautasso presso emigranti biellesi – tutti in possesso di licenza elementare – in Sudafrica, negli Stati Uniti e in America latina, in vari paesi europei (Grassi e Pautasso 1989).

• Costrutti pleonastici: *ma però... mio zio sapeva ancora l'inglese*; *era uno scalpellino... poi dopo... si adattava a vendere frutta.*

• Particelle o espressioni olofrastiche: *cosa, il coso: e poi dopo ci mancava ancora dei soldi me li ha dati- me li ha dati il coso.*

• Ripetizioni: *poi mia madre. Era mia madre; e sono ritornato in Italia. Ritornato in Italia sono.*

• Anacoluti: *sono andato in America ma io l'America non mi piaceva; ma io ci ho detto che il libro per me ci pensavo me.*

• Concordanze a senso: *c'era trentacinque camerieri là dentro; c'era due fratelli miei.*

• Costruzione noi + *si* + verbo alla terza persona singolare: *non c'era la ferrovia, (eravamo) noi che si costruiva la ferrovia.*

• Uso di *gli* per *le* e *gli* per *loro: io gli parlo alla padrona; gli fanno (ai morti) dei lavori là in America.*

• Uso di *le* per *gli* e di *le* per *loro: non le (al marito) piace viaggiare; qualche volta.. quasi quasi le (alle amiche) spiace.*

• *Ci* per *gli, le, loro: ci (a un infermiere) ho detto 'se lei mi fa guarire ci do altre mille lire'; il canto ci (alla figlia) ha... piaciuto molto il canto; ci (ai nipoti) dico che è brutto migrare.*

• Dimostrativi rafforzati con avverbi di luogo: *questo qua è venuto in Italia.*

• *Che* polivalente: *la gente che son viaggiato erano tutti inglesi e... non ne capivo niente; piccolo ristorante che si serviva cinquanta, sessanta persone; una battaglia che è stata fatta che c'ero anch'io lì presente.*

• *Avere* al posto di *essere: ha stato un po' disoccupato; m'ha piaciuto tanto.*

• Uso dell'indicativo al posto del congiuntivo: *andavo là lavorar la pietra sebbene non mi piaceva tanto; credo che era Adorno.*

• Uso sovraesteso della preposizione *a: ogni sei mesi dovevo farmi a vedere con le carte del governo; perché non era facile a tornare.*

• Omissione degli articoli davanti ai possessivi che precedono i nomi di parentela: *allora son rimasto lì con mia mamma; poi mio papà è morto e mia mamma aveva un pezzettino di terra.*

• Uso dell'avverbio al posto dell'aggettivo: *erano i nostri meglio clienti che ci avevamo là; perché la cucina francese è la meglio.*

• Uso di esclamazioni ed imprecazioni: *orco! Caramba!; Madonna santa!*

• Uso di onomatopee: *io vado dentro... faccio così... (l'intervistato batte le nocche sul tavolo) pam pam pam. Non si è neanche mosso la testa... neanche guardare così... pam pam niente.*

Sempre all'interno della stessa indagine Corrado Grassi e Mariella Pautasso rilevano un gran numero di prestiti della lingua d'arrivo, in primo luogo nelle sfere semantiche che riguardano l'amministrazione, la scuola, i termini geografici, l'abitazione, l'alimentazione e soprattutto il lavoro.

Alcuni esempi:

Amministrazione: *Assurance sociale* fr. "assicurazione sociale"; pensione *des anciens* fr. "pensione di vecchiaia"; *Colonial office* ingl. "ufficio coloniale"; *notice* ingl. "avviso".

Scuola: l'A *Level* ingl. "grado superiore del *General Certificate of Education*"; *subject* ingl. "argomento, tesi da discutere"; *admissão* port. "ammissione"; un esame di *reválida* sp. "esame di convalidazione del titolo professionale".

Termini geografici: *all'Arc del Triomphe* fr. *Arc du Triomphe* "Arco di Trionfo"; *British* ingl. "britannico"; *Alemanha* port. "Germania", *barrio Norte* sp. "quartiere Nord".

Alimentazione: il *sirloin* ingl. "lombo di manzo"; *meal* ingl. "cibo"; *mate* sp. "infuso fatto con le foglie di pianta omonima"; l'*asado* sp. "arrosto".

Lavoro: *cimentier* fr. "muratore che prepara il cemento e lo usa"; il *plateau* fr. "terrapieno, argine"; *building* ingl. "edilizia"; *workshop* ingl. "laboratorio, officina"; *supervisor* ingl. "caporeparto"; *concrete* ingl. "calcestruzzo"; *tender* ingl. "appalto"; *crash* ingl. "crollo finanziario"; *maître d'hôtel* fr. "capocameriere"; *la mise en place* fr. "la preparazione"; *banco* port. "banca"; *compra* port. "acquisto"; *trapiche* sp. "frantoio, torchio per la canna da zucchero"; *jefe* sp. "capo"; *ritorcidora* sp. "operaia addetta alla macchina che unisce due o più capi di filato e li ritorce; ritorcitrice"; *capataz* sp. "capo"[2].

Non mancano esempi di studi più recenti[3] anche presso comunità italo-australiane, dove si rileva una lingua che ancora una volta ha come base l'italiano e / o il dialetto, che subiscono l'interferenza della lingua inglese. Gaetano Rando (1997) cita alcune frasi che danno l'idea dell'effetto provocato sulle strutture della lingua dalla mistione dei tre codici: «*per passatempo mi piace fare il picchinicchi e fare un bàbbachiu sotto l'alberi. Andiamo a trovare una mia commare a Shepparton, Vittoria. Lì abitano delle farme, cianno delle farme da frutta. C'è più spazio, più aria fina. A me mi piace solo per l'òlidai»*.

Come si può osservare da questo frammento i prestiti dall'inglese sono stati adattati alla fonetica dell'italiano, così come avviene per molti altri termini: *pisciare* to push "spingere", *bettare* to bet "scommettere", *cleva* clever "abile", *iuno* you know "sai". Non mancano tuttavia – anche se si registrano in maniera esigua – i *calchi sintattici*, come per esempio *giovanile delinquenza, sta bene abbastanza* che riflettono la struttura dell'inglese.

Tra i fenomeni di interferenza più frequenti tra italiano e inglese ricordiamo ancora, a livello morfosintattico: l'esplicitezza del pronome soggetto: *io lavoro molto perché io voglio fare soldi*, l'uso della forma progressiva: *stavo lavorando in quella fattoria per cinque anni*, l'omissione dell'articolo davanti al possessivo: *questa è mia fidanzata* (Martini 1984: 41 e 47).

---

[2] Per i 'prestiti-calchi' si veda il § 11.1.
[3] Si veda la ricca sezione *Italiano e dialetti fuori d'Italia*, curata da Camilla Bettoni, nelle ultime annate della «Rivista Italiana di Dialettologia».

11.5. Il logorio dell'italiano all'estero

Nel passaggio dalla prima alla seconda generazione di emigrati, e ancor più dalla seconda alla terza, si riscontrano costantemente fenomeni di *language attrition* (logorio della lingua) che consistono in una serie di semplificazioni via via più accentuate, di abbandoni di regole 'fini', di sostituzione di termini specifici con iperonimi o con parole tratte dalla lingua ospitante o con incroci fra le due lingue. È un processo di erosione, e poi di lento dissolvimento della madre lingua che solitamente segue (anche a distanza di una generazione) l'apprendimento della lingua del paese ospite da parte degli emigrati. Susan Gonzo e Mario Saltarelli (1983) hanno individuato quattro fasi:

Ibridismo linguistico in poesia

Farfariello, al secolo Edoardo Migliaccio (1882-1946), commediografo italo-americano originario di Cava dei Tirreni (Salerno), aveva saputo ben interpretare la vita degli emigrati della Little Italy di New York e ne aveva portato sulla scena i temi dell'amore, della gelosia, della morale, del lavoro, dell'analfabetismo, realizzando i suoi testi in un realistico – e per noi divertente – ibridismo linguistico.

Si osservi per esempio la macchietta *Toni il barbiere* (da Haller 2006: 225):

Chillo Gemi' s' 'a fa cu 'e taliane,	*Quel Giacomino sta con gli italiani*
Ca nun conosce 'a legua 'e stu contry,	*Perché non conosce la lingua di questo paese*
I m' 'a faccio cu 'e meglie americane,	*Io frequento i migliori americani*
Venene a barbe sciop addò stongo i'.	*Vengono nel salone da barba dove sto io*
Me chiamano Tony de barbe gaie	*Mi chiamano Tony il barbiere*
Faccio 'a laife 'a sera a Brodue',	*Faccio una vita la sera a Broadway*
E lla' me vide: Alò...Auaie...Auaie...	*E là chi mi vede: Ciao... come va... come va*
'E mmeglie ghelle tutte appriesso a mme.	*Le più belle ragazze mi corrono dietro*
'A pezza nun me manca	*I soldi non mi mancano*
Pecché so' nu barbiere,	*Perché sono un barbiere,*
Ca 'faccia 'a seggia 'o primmo,	*Di fronte alla sedia sono il primo,*
Songo 'e dint' 'o mestiere.	*Sono ben addentro al mestiere.*
'A matina 'sapone	*La mattina insapono*
E 'a sera ai go ol raunde	*E la sera vado in giro*
Facenno 'a vita bella,	*A fare la bella vita*
Dantaune e oppetaune	*A sud e a nord di Manhattan*

La base dialettale napoletana si arricchisce di parole inglesi come *laife*, *Brodue'*, *ai*, *dantaune* e *oppetaune*, che sono adattate alla fonetica e alla grafia dell'italiano. Si noti che nei sintagmi *barbe sciop*, *barbe gaie*, *ol raunde* viene mantenuta la struttura sintattica dell'inglese.

1) lo standard della lingua madre (o il dialetto o l'italiano dialettizzato) della prima generazione;

2) il *fading* 'sistema oscillante, in dissolvenza', anche questo proprio della prima generazione. In questa fase rimane pressoché salda la fonologia dello standard di partenza, mentre subisce riduzioni significative il lessico, e subiscono alterazioni la morfologia e la sintassi, sempre in direzione semplificatoria. Ad esempio: *il figlio più giovane è sulla farma / l'è padrone della farma lui adesso*; *perché in casa mia mai si ablò in italiano*;

3) il *pidgin* della seconda generazione. In questo stadio si assiste a una progressiva riduzione del lessico e della complessità della morfologia, con una convergenza della sintassi verso quella della lingua del paese ospite, e a un'imprecisa ricostruzione dell'inventario dei suoni dell'italiano. Ad esempio: *andTHo a mi* MUM'S *fratelli ahh / mi:: mi so andata me cugine / anche più de me pEpà / e ma: / più de me mamma di più / e iera / ahh / le cugine / de canada là* TOO (Bettoni 1981) dove si notano MUM e TOO nella stessa posizione sintattica dell'inglese, il cedimento della morfologia *so andata* al posto di *so andato* (chi parla è un ragazzo), il genitivo sassone in MUM'S;

4) il *fragment* 'frammenti di lingua, di sistema' della terza generazione. In questa fase i parlanti perdono la competenza attiva nella propria lingua, che viene utilizzata solo occasionalmente, in piccoli frammenti che per giunta subiscono forti interferenze dalla lingua ospite a livello sia lessicale che morfologico e sintattico.

Le quattro fasi studiate per le varietà di italiano presso gli emigrati in America, sebbene risultino molto rigide e non applicabili allo stesso modo a tutte le situazioni di emigrazione, danno tuttavia un senso del processo di erosione, di ristrutturazione, di contaminazione al quale è soggetta la lingua madre (italiano o dialetto) quando si trova a contatto con un altro sistema, in un rapporto di netta subordinazione.

Esercizi

1	La linguistica italiana è una disciplina *a)* descrittiva *b)* normativa *c)* storica *d)* grammaticale
2	Il latino classico [indicare il completamento esatto] *a)* era caratterizzato dalla variazione geografica: dalla varietà romana ebbero poi origine le parlate romanze *b)* era caratterizzato dalla variazione sociale: dal latino delle classi colte ebbero poi origine le parlate romanze *c)* era sostanzialmente unitario, con poche variazioni *d)* era unitario, ma dopo la caduta dell'impero romano subì una frammentazione che diede luogo alle diverse parlate romanze
3	Le testimonianze di latino volgare *a)* sono scarse, occasionali e poco attendibili *b)* sono sia involontarie (documenti scritti da illetterati) che volontarie *c)* sono numerose ma poco attendibili *d)* non ricorrono mai in opere letterarie
4	La vocale tonica del participio passato 'detto' deriva *a)* da Ē *b)* da Ĕ

	c) da Ī *d)* da Ĭ
5	Nel latino volgare, rispetto al latino classico *a)* declinazione e coniugazione verbale sono più complesse *b)* i complementi sono designati con forme analitiche piuttosto che sintetiche *c)* i complementi sono designati con forme sintetiche piuttosto che analitiche *d)* si neutralizza la distinzione per genere
6	La *Scripta latina rustica* *a)* è un insieme di usi scrittori che prelude alla costituzione di *scriptae volgari* *b)* è l'insieme delle testimonianze scritte di latino volgare *c)* è un tipo di scrittura tardo-latina *d)* è fortemente caratterizzata come prodotto scrittorio locale
7	I Placiti campani sono considerati la prima testimonianza di lingua italiana perché *a)* la scrittura è accurata, e le parole sono sicuramente volgari *b)* l'uso del volgare è consapevole *c)* i latinismi sono presenti in numero molto ridotto *d)* l'uso del volgare è sicuramente attendibile, perché si tratta di un atto notarile
8	Identificate l'affermazione corretta: *a)* i volgari d'Italia erano, nel XII-XIII secolo, tanti quanti erano i grandi centri culturali: Milano, Genova, Firenze, Bologna, Palermo *b)* nel *De vulgari eloquentia* Dante attesta la centralità del fiorentino rispetto agli altri volgari d'Italia *c)* l'uso letterario del volgare si affermò nei secoli XI, XII e XIII e favorì l'impiego del volgare nei testi funzionali *d)* secondo Dante le varietà del volgare d'Italia erano più di mille
9	La *Divina Commedia* *a)* ebbe subito grande successo presso i letterati, specialmente in Lombardia e Piemonte *b)* fu scritta nel volgare illustre, cardinale, aulico e curiale che Dante aveva teorizzato nel *De vulgari eloquentia* *c)* presentava una varietà di registri sia dell'italiano che della tradizione letteraria siciliana, francese, provenzale *d)* per la sua ricchezza e complessità stentò a imporsi presso gli illetterati
10	Identificate le affermazioni giuste: *a)* Petrarca, nelle sue opere, mescola genialmente latino classico e fiorentino contemporaneo

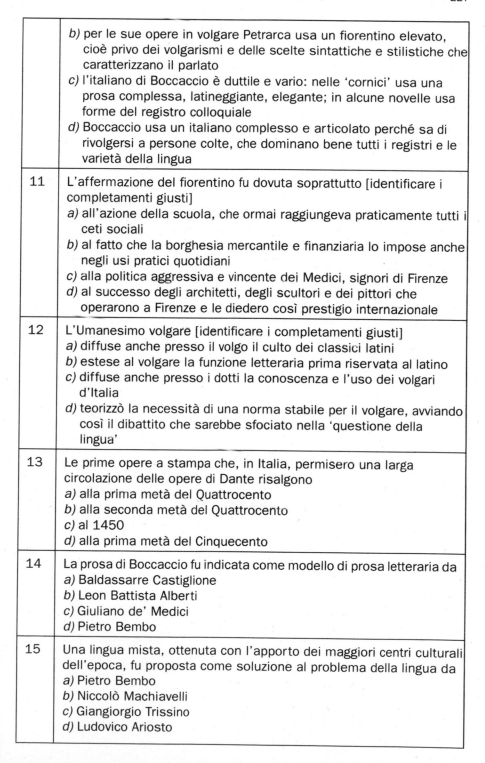

     b) per le sue opere in volgare Petrarca usa un fiorentino elevato, cioè privo dei volgarismi e delle scelte sintattiche e stilistiche che caratterizzano il parlato

     c) l'italiano di Boccaccio è duttile e vario: nelle 'cornici' usa una prosa complessa, latineggiante, elegante; in alcune novelle usa forme del registro colloquiale

     d) Boccaccio usa un italiano complesso e articolato perché sa di rivolgersi a persone colte, che dominano bene tutti i registri e le varietà della lingua

11   L'affermazione del fiorentino fu dovuta soprattutto [identificare i completamenti giusti]

     a) all'azione della scuola, che ormai raggiungeva praticamente tutti i ceti sociali

     b) al fatto che la borghesia mercantile e finanziaria lo impose anche negli usi pratici quotidiani

     c) alla politica aggressiva e vincente dei Medici, signori di Firenze

     d) al successo degli architetti, degli scultori e dei pittori che operarono a Firenze e le diedero così prestigio internazionale

12   L'Umanesimo volgare [identificare i completamenti giusti]

     a) diffuse anche presso il volgo il culto dei classici latini

     b) estese al volgare la funzione letteraria prima riservata al latino

     c) diffuse anche presso i dotti la conoscenza e l'uso dei volgari d'Italia

     d) teorizzò la necessità di una norma stabile per il volgare, avviando così il dibattito che sarebbe sfociato nella 'questione della lingua'

13   Le prime opere a stampa che, in Italia, permisero una larga circolazione delle opere di Dante risalgono

     a) alla prima metà del Quattrocento

     b) alla seconda metà del Quattrocento

     c) al 1450

     d) alla prima metà del Cinquecento

14   La prosa di Boccaccio fu indicata come modello di prosa letteraria da

     a) Baldassarre Castiglione

     b) Leon Battista Alberti

     c) Giuliano de' Medici

     d) Pietro Bembo

15   Una lingua mista, ottenuta con l'apporto dei maggiori centri culturali dell'epoca, fu proposta come soluzione al problema della lingua da

     a) Pietro Bembo

     b) Niccolò Machiavelli

     c) Giangiorgio Trissino

     d) Ludovico Ariosto

16	L'*Orlando furioso* è ricordato nella storia della lingua italiana perché
	a) nel passaggio dalla prima alla seconda edizione l'Ariosto vi apportò numerose modifiche, in ossequio ai dettami del Bembo
	b) contiene le prime testimonianze della dittongazione fiorentina: *rota > ruota, vene > viene*
	c) impose lo schema metrico che risultò vincente nei due secoli successivi
	d) pur essendo anteriore alle *Prose della volgar lingua*, ha una veste linguistica sostanzialmente bembesca
17	Forme di coinè sono presenti nel Cinquecento
	a) soprattutto nelle scritture funzionali
	b) nei testi in prosa pre-bembeschi
	c) nei testi in poesia post-petrarcheschi
	d) nei testi letterari
18	Nel Cinquecento
	a) nasce una vera e propria letteratura in dialetto
	b) il latino e l'italiano di base fiorentina costituiscono il repertorio linguistico italiano
	c) l'uso del dialetto è riservato al parlato dei ceti inferiori
	d) il latino è ormai parlato così male che ad esso si applica l'etichetta di 'latino maccheronico'
19	La letteratura barocca [identificare i completamenti giusti]
	a) dà piena attuazione alle prescrizioni del Bembo, riprese dall'Accademia della Crusca
	b) non può tener conto delle prescrizioni della Crusca perché è ad essa anteriore
	c) è sostanzialmente cruscante nella prosa ma anticruscante nella poesia
	d) riflette le condizioni di plurilinguismo, utilizzando sia il fiorentino del Trecento che quello contemporaneo e prestiti sia dallo spagnolo che dai dialetti
20	La scelta linguistica di Galileo
	a) privilegia il latino, in quanto lingua comprensibile in tutta la comunità scientifica europea
	b) privilegia il volgare, utilizzando la terminologia tecnica del fiorentino letterario
	c) privilegia il volgare, rinnovando molti termini d'uso corrente grazie a metafore e traslati
	d) privilegia il volgare, utilizzando per i termini tecnici dei prestiti da altre lingue (francese e spagnolo)
21	Il Settecento fu caratterizzato
	a) dalla nascita e affermazione della letteratura dialettale

	b) da un notevole arricchimento della lingua scientifica c) dal raffinamento della prosa e della poesia letteraria, sulle orme del marinismo d) dalla nascita della lessicografia scientifica, con D'Alberti di Villanuova
22	Il veneziano Carlo Gozzi a) fu un precursore e anticipatore delle soluzioni date alla questione della lingua da Carlo Goldoni b) sostenne la necessità di rinvigorire la lingua italiana con l'apporto dei dialetti c) rifiutava la tradizione, sostenendo che le parole devono servire alle idee e non viceversa d) era un aristocratico conservatore, antifrancese e purista
23	Il Purismo a) si sviluppò nei primi decenni dell'Ottocento, ed ebbe come esponenti di punta Carlo Gozzi e Melchiorre Cesarotti b) si sviluppò nei primi decenni dell'Ottocento, ed ebbe come esponenti di punta Antonio Césari e Basilio Puoti c) si sviluppò nella seconda metà del Settecento, e fu contrastato da Napoleone d) sosteneva il ritorno al modello classico degli scrittori del Cinquecento
24	In quale stesura dei *Promessi sposi* Manzoni sostituisce i latinismi e i lombardismi con voci toscane, utilizzando anche il *Vocabolario* della Crusca? a) Del 1823 b) Del 1827 c) Del 1837 d) Del 1840
25	La proposta del Manzoni fallì perché [indicare i completamenti esatti] a) il sistema scolastico non era efficiente b) non ebbe il sostegno dell'autorità politica c) i contadini e i braccianti del Sud non accettarono una soluzione che non teneva conto della loro cultura d) nella maggior parte delle regioni gli insegnanti stessi usavano normalmente il dialetto
26	Indicate l'affermazione giusta: a) nel proporre una soluzione per la questione della lingua Manzoni guardò piuttosto alla situazione francese, Ascoli a quella tedesca b) per Ascoli i due ostacoli all'affermazione di una lingua nazionale erano riconducibili alla scarsa diffusione della letteratura e della cultura italiana fra tutti gli strati della popolazione

	c) le posizioni antiletterarie di Ascoli provocarono nella letteratura italiana della seconda metà dell'Ottocento una reazione di tipo purista d) Ascoli espose le sue teorie linguistiche nel *Proemio* all'«Archivio Glottologico Italiano», in risposta al saggio *Della lingua italiana* del Manzoni
27	Identificate l'affermazione giusta: a) *Cuore* e *Il Giannettino* contribuirono alla diffusione di una lingua di forte impronta puristica b) *Pinocchio* ebbe il merito linguistico di diffondere in tutta Italia la conoscenza del fiorentino dell'uso vivo c) Giovanni Verga scrisse i suoi romanzi sotto l'influenza della dottrina sociale e linguistica del Manzoni d) in fatto di lingua la Chiesa, nella seconda età dell'Ottocento, abbracciò piuttosto le tesi di Ascoli che quelle di Manzoni

Parte seconda   L'italiano oggi

1. L'architettura dell'italiano
2. L'italiano standard

28	Nello spazio linguistico ogni varietà della lingua si dispone a) su due assi b) su due o più fasce c) su un asse d) su un parametro
29	Nel diagramma di pag. 60 la varietà marcata come parlata, diastraticamente 'alta' e diafasicamente 'bassa' a) si trova nel quadrante superiore sinistro b) si trova nel quadrante inferiore destro c) si trova nel quadrante inferiore sinistro d) non esiste in quanto varietà
30	Nel diagramma di pag. 60 le lingue speciali sono caratterizzate come a) diastraticamente 'alte' b) diafasicamente 'basse' c) diacronicamente 'alte' d) diatopicamente 'neutre'
31	Intendiamo per 'italiano normativo' a) l'italiano dell'uso comune

	b) l'italiano prescritto dalle grammatiche *c)* l'italiano letterario *d)* l'italiano delle persone colte
32	Intendiamo per 'italiano comune' *a)* l'italiano prescritto dalle grammatiche *b)* l'italiano delle persone poco colte *c)* quello che c'è di comune fra tutte le varietà di italiano *d)* l'italiano parlato correntemente
33	Neo-standard, italiano tendenziale, italiano dell'uso medio sono *a)* sinonimi *b)* sinonimi, ma con sfumature di significato diverse *c)* varianti diacroniche dell'italiano comune *d)* denominazioni diverse dell'italiano standard
34	È un esempio di dislocazione a sinistra: *a)* il pane lo compro io *b)* lo compro io, il pane *c)* il pane comprerò domani *d)* il pane sarà comprato da me
35	La frase "voi sbirri, vi piace ficcare il naso" è *a)* una dislocazione a sinistra *b)* un errore di morfologia *c)* un'evidenziazione del soggetto *d)* un *nominativus pendens*
36	La frase "non è che mi sento tanto bene" è *a)* dislocazione a sinistra *b)* dislocazione a destra *c)* frase scissa *d)* anacoluto
37	I tempi verbali in via di espansione sono *a)* presente, futuro, imperfetto dell'indicativo, presente del condizionale *b)* passato prossimo, imperfetto, congiuntivo presente, infinito presente *c)* presente, passato prossimo e imperfetto dell'indicativo, infinito presente *d)* presente, passato remoto, imperfetto dell'indicativo, infinito presente
38	Identificare il valore del *che* nelle frasi che seguono: *a)* la primavera è la stagione che la natura si risveglia _____ *temporale* _____ *b)* che, mi impresti dieci euro? _____

	c) rallenta, che c'è una curva cieca _____ d) chiedimi, che ti rispondo _____
39	I fenomeni presenti nel neo-standard sono per lo più riconducibili a una tendenza generale dell'italiano contemporaneo. Quale? a) L'adeguamento allo stile rapido e nervoso della comunicazione moderna b) La complessificazione di strutture semplici, coerentemente con la maturità ormai raggiunta dalla nostra lingua c) L'adeguamento a uno standard europeo d) La semplificazione di strutture complesse

	3. L'italiano attraverso le regioni
40	L'italiano regionale si origina a) nel Cinquecento, in seguito alle teorie del Bembo b) con l'unificazione linguistica e civile d'Italia (intorno al 1860) c) nel Quattro-Cinquecento, con i primi contatti fra toscano e parlate locali d) con l'uso generalizzato dell'italiano (seconda metà del XX secolo)
41	La geosinonimia a) è tendenzialmente in regresso b) è anche detta geoomonimia c) è destinata all'incremento, insieme alla diffusione dell'italiano d) è una forma di sinonimia particolarmente arcaica
42	'sciocco' per 'salato' è una forma di a) italiano regionale settentrionale b) italiano corretto c) italiano regionale meridionale d) italiano regionale toscano
43	Indicare l'affermazione corretta: a) le varietà regionali hanno la stessa estensione delle varietà dialettali soggiacenti b) i confini delle varietà regionali variano a seconda dei fenomeni esaminati, del livello d'analisi della lingua, della connotazione di errore ad essi collegata c) di norma le varietà regionali sono più estese dei corrispondenti gruppi dialettali d) di norma le varietà regionali sono meno estese dei corrispondenti gruppi dialettali, anche se hanno tratti innovativi rispetto ad essi

44	La scala di decrescente marcatezza dei livelli d'analisi dell'italiano regionale è la seguente: *a)* lessico, fonologia, sintassi, morfologia *b)* fonologia, morfologia, sintassi, lessico *c)* intonazione, sintassi, lessico, morfologia *d)* intonazione, fonologia, morfologia, lessico
45	Attribuite ciascuno dei seguenti tratti fonetici alla sua varietà di italiano regionale *a)* sonorizzazione generalizzata della sibilante sorda intervocalica _____ *b)* allungamento delle consonanti occlusive sorde dopo vocale tonica _____ *c)* inserimento di *i* prostetica in parole che iniziano con s + consonante _____ *d)* realizzazione sonora delle occlusive sorde post-nasali _____
46	Attribuite ciascuno dei seguenti tratti morfosintattici alla sua varietà di italiano regionale *a)* il suffisso -*aro* (*borgataro*) _____ *b)* l'uso transitivo di verbi intransitivi (*entra il bambino, che fa freddo*) _____ *c)* uso di *te* come soggetto (*se lo dici te!*) _____ *d)* la negazione con *mica* (*non è mica bello*) _____
47	Attribuite ciascuno dei seguenti tipi lessicali alla sua varietà di italiano regionale *a)* scafato, zompare _____ *b)* pianoterra, paletò _____ *c)* ciuccio, pittare _____ *d)* babbo, infreddatura _____
48	Il vernacolo è *a)* la variante locale della lingua, in Toscana *b)* un dialetto rustico *c)* la variante borghese della lingua, nell'Italia centrale *d)* una varietà locale di italiano usata di solito in funzione scherzosa
49	La radio e il cinema, di fatto *a)* hanno diffuso la varietà toscana, per tutto il Novecento *b)* hanno diffuso l'italiano standard, combattendo le forme di italiano regionale *c)* non hanno avuto influenza significativa nella diffusione di nessuna delle varietà regionali di italiano *d)* hanno diffuso la varietà romana di italiano regionale

	4. L'italiano attraverso la società
50	La corrispondenza fra strato sociale di appartenenza e varietà diastratica usata è *a)* certa e costante *b)* di tipo deterministico *c)* di tipo probabilistico *d)* di tipo casuale
51	Nel concetto di 'italiano popolare' la dialettofonia *a)* occupa un posto centrale *b)* può non essere importante *c)* riguarda solo il livello morfosintattico *d)* riguarda solo i ceti popolari
52	Identificate i tratti di italiano popolare nel brano che segue: Di Patria per me e i miei figli ce ne una Sola L'Italia, dalle mie esperienze anche i compatrioti che criticano oppure che criticavano la sua Patria li vedo quando compiono i 60 anni che anno accquisito il diritto di pensione Italiana corrono verso i Patronati [...] perche sanno che la sua seconda patria se un giorno dovrebbero rientrare, anche con una buona pensione Svizzera non avranno niente solo la pura pensione ma l'Italia anche povera e criticata ma onesta al momento del rientro ci dara sicuramente la sicuressa di un dottore e farmacia specialmente in quell'eta che anno stremamente bisogno.
53	Nel lessico dell'italiano popolare [indicare i completamenti giusti] *a)* non si trovano termini presi dai lessici tecnici (burocrazia, medicina ecc.) *b)* ricorrono deverbali a suffisso zero *c)* non si trovano né etimologie né paraetimologie *d)* ricorrono forme regionali o locali
54	Il gergo *a)* ha fini essenzialmente criptici *b)* ha come fine principale la riaffermazione della solidarietà di gruppo *c)* è anche una lingua settoriale: si parla infatti di gergo, medico, gergo degli avvocati ecc. *d)* è nato in carcere, per consentire ai detenuti di comunicare tra di loro senza farsi capire dai secondini
55	Tra le caratteristiche dei gerghi tradizionali troviamo [segnare i completamenti esatti] *a)* una frequente aggiunta e una frequente caduta di suffissi *b)* la doppia negazione, di tipo 'settentrionale' *c)* l'epentesi di una liquida *d)* una specie di apofonia qualitativa, che prevede l'alternanza di vocali nella stessa sede

56	Attribuite a ognuna delle forme gergali che seguono lo strato di appartenenza, attingendo all'elenco in corsivo *a)* minchia _____ *b)* essere in carenza _____ *c)* carega ("quattro", inteso come voto scolastico) _____ *d)* pula "polizia" _____ *e)* puerco _____ *gerghi tradizionali, droghese, lingue straniere, dialetto, pubblicità*
57	Evitare le parole-tabù, usare molti diminutivi e vezzeggiativi, usare pochi termini tecnici sono caratteristiche *a)* generali del linguaggio delle donne *b)* prevalentemente femminili, almeno fino alla seconda metà del secolo scorso *c)* tipicamente giovanili *d)* delle donne italiane emigrate e poi rientrate in patria

5. *L'italiano attraverso i mezzi di trasmissione: lo scritto, il parlato, il trasmesso*	
58	Indicare l'ordine corretto col quale si dispongono lungo l'asse del *continuum* diamesico i seguenti testi *a)* lettera privata - e-mail - testo normativo - chat *b)* testo normativo - lettera privata - e-mail - chat *c)* e-mail - chat - testo normativo - lettera privata *d)* testo normativo - e-mail - lettera privata - chat
59	Caratterizzano la morfosintassi dei testi scritti: *a)* l'ipotassi *b)* gli anacoluti *c)* l'uso del passivo *d)* il congiuntivo in dipendenza da verbi di opinione
60	Attribuire ciascuno dei tratti elencati all'uso prevalentemente scritto *(s)* o orale *(o)*: *a)* preferenza per *poiché* rispetto a *siccome* _____ *b)* integrazione prossemica _____ *c)* dislocazione a sinistra _____ *d)* uso del relativo indeclinato _____
61	Attribuire ciascuno dei tratti elencati all'uso prevalentemente scritto *(s)* o orale *(o)*: *a)* sollevamento del clitico alla posizione pre-verbale _____

	b) scarsità di onomatopee _____ *c)* rafforzamento della negazione _____ *d)* assenza di forme apocopate _____ .
62	Con il film *Rocco e i suoi fratelli* *a)* il dialetto acquista prestigio rispetto all'italiano *b)* il dialetto entra nel cinema italiano *c)* l'uso del dialetto restringe il bacino d'utenza del film: nasce, tra i film, il prodotto di nicchia *d)* il dialetto si collega strettamente, nella sensibilità popolare, con la marginalità e la miseria
63	Il problema del modello da seguire alla radio in fatto di pronunzia *a)* fu risolto negli anni Trenta a favore del modello fiorentino *b)* fu risolto negli anni Trenta a favore del modello romano *c)* fu praticamente trascurato a partire dagli anni Settanta *d)* fu risolto definitivamente solo negli anni Ottanta
64	La lingua della TV *a)* non esiste *b)* si adatta via via alle caratteristiche del parlato informale *c)* offre un modello di lingua unitaria, praticamente depurata delle variazioni regionali e popolari *d)* è più vicina al modello della lingua standard sui programmi RAI che su quelli MEDIASET
65	La lingua delle e-mail *a)* nel *continuum* diamesico si posiziona vicino al polo dello scritto-scritto *b)* risente del parlato, ma in modo altamente variabile *c)* nel *continuum* diamesico si posiziona vicino al polo del parlato *d)* in quanto lingua scritta presenta sempre un buon grado di pianificazione testuale
66	Dialettismi e disfemismi sono più presenti *a)* nel Web *b)* negli SMS *c)* nelle e-mail *d)* nelle chat-line
67	La lingua degli SMS *a)* è piuttosto accurata, perché i messaggi devono essere brevi *b)* risente molto del linguaggio giovanile, per questo si potrebbe definire una variante scritta del 'giovanilese' *c)* è caratterizzata da una scarsa interattività, poiché nessuno dei due interlocutori può interrompere l'altro *d)* per l'organizzazione testuale e l'uso di artifici grafici è simile a quella delle e-mail

6. L'italiano attraverso i contesti	
68	La 'dipartita' per indicare la morte di una persona, dal punto di vista diafasico è *a)* disfemistico e solenne *b)* formale, e neutro sull'asse solenne-volgare *c)* solenne e formale *d)* eufemistico e informale
69	Allegroformen, marcatezza diatopica della pronuncia, aferesi caratterizzano *a)* i registri informali *b)* i registri formali *c)* i registri solenni *d)* i *verba voluntatis*
70	La lingua che si usa nelle riviste scientifiche, ad esempio di fisica, è *a)* una lingua settoriale *b)* una lingua speciale *c)* una lingua specialistica *d)* un registro
71	Classificare i tipi lessicali elencati di seguito, attingendo all'elenco in corsivo (e utilizzando il vocabolario) *a)* outsourcing *b)* paramorfismo *c)* danno *d)* FANS *acronimo, travaso dalla lingua comune, prestito non integrato, neologismo per prefissazione*
72	Identificare, per ognuno dei brevi testi che seguono, le caratteristiche morfosintattiche che lo caratterizzano come testo scientifico *a)* non segni obiettivabili di cardiopatia. Ipertensione arteriosa *b)* si sconsiglia l'assunzione a gestanti e anziani ipertesi *c)* la cianurazione viene eseguita in un forno a bagno di sali *d)* il gruppo andrà costituito in modo tale da formare una 'comunità di apprendimento' il cui compito sia di definire lo scenario del futuro desiderato
73	Rintracciare in questo volume almeno quattro referenze anaforiche, e riprodurle di seguito _____ _____ _____

74	Nella varietà divulgativa la lingua della medicina è caratterizzata da *a)* ricorso alla coppia 'domanda-risposta' *b)* uso di calchi e sigle *c)* uso frequente di eponimi *d)* scarso uso di acronimi
75	Identificate le caratteristiche proprie del linguaggio burocratico nel testo che segue Al fine di ottenere una più rapida definizione delle contestazioni sulle cartelle esattoriali relative a... si invitano tutti i contribuenti interessati a recarsi al Centro delle Imposte Dirette di... in via... ove, tramite un'istanza corredata dalla documentazione giustificativa della contestazione alla pretesa tributaria, si può ottenere le definizione senza procedere alla spedizione del ricorso che comunque sarebbe necessario dopo le semplici informazioni che si possono ottenere presso quest'Ufficio.
76	Provate a riscrivere il testo dell'esercizio precedente in modo più semplice e comprensibile
77	L''antilingua' è *a)* l'opposto della lingua comune, secondo le teorie di Pier Paolo Pasolini *b)* il nome che Italo Calvino ha dato alla lingua della burocrazia *c)* la lingua rinnovata, proposta dai linguisti negli anni Sessanta per sostituire la lingua aulica e oscura allora in uso nella pubblica amministrazione *d)* la denominazione che dà Maurizio Dardano al burocratese
78	Nel linguaggio politico usato dalla Lega, soprattutto nei primi anni di vita *a)* sono frequenti le anafore *b)* sono molti i disfemismi *c)* le finalità della comunicazione sono semi-criptiche *d)* si fa ricorso anche all'italiano regionale e al dialetto
79	L'uso dell'espressione 'scendere in campo' per 'entrare in lizza' è un esempio di *a)* travaso da una lingua speciale all'altra *b)* travaso dalla lingua comune a una lingua specialistica *c)* travaso da una lingua specialistica alla lingua comune *d)* travaso da una lingua specialistica a un'altra

7. I dialetti
80	Commentate la tabella di pag. 157 confrontando i dati della vostra regione con quelli delle regioni vicine e con la media nazionale

81	L'alternanza di italiano e dialetto negli ultimi anni a) è progressivamente diminuita b) è progressivamente aumentata c) è aumentata in famiglia e con gli amici e diminuita nei rapporti con gli estranei d) è aumentata in famiglia e diminuita fuori dalla famiglia
82	Anche nella vostra regione si può parlare di consapevole recupero del dialetto? Osservate, ascoltate e riportate qualche testimonianza
83	La palatalizzazione della *a* tonica in sillaba libera si trova nelle parlate a) settentrionali b) centrali c) meridionali d) sarde
84	L'assimilazione dell'occlusiva dentale sonora e dell'occlusiva labiale sonora dopo nasale si trovano nei dialetti a) gallo-italici b) friulani c) meridionali d) meridionali estremi
85	Nella classificazione tradizionale dei dialetti italiani la provincia di Ascoli Piceno rientra nell'area a) toscana b) mediana c) meridionale d) centro-settentrionale
86	Calabrese *naka / kul:a*, salentino *ʃinkarjeḍ:u / vitjeḍ:u* sono a) coppie di termini: l'uno specifico l'altro generico b) coppie semanticamente differenziate c) coppie di termini: l'uno specializzato l'altro non specializzato d) coppie sinonimiche
87	Il livello più resistente all'italianizzazione è a) fonetico b) fonologico c) lessicale d) morfosintattico
88	Scrivete a fianco di ogni frammento il numero corrispondente alla tipologia di cambio di codice a) *e, mo no me 'stoke a rekorde, a'spe* ("e, non mi ricordo, aspetta"). Dovresti andare dritto b) *ki's:a kwando inko'mintʃanu li* pomodori pe la salsa *ku 'baʃanu nu pik:a* ("... che ribassino un po'")

	c) prima non si chiamava... [rivolgendosi alla moglie] *me k'as tʃamava prim:a?* ("...come si chiamava prima?") d) *Avissim'a g:iri tutti o* ministero 1. alternanza di codice 2. *code-switching* 3. *code-mixing* 4. prestito
89	Identificate coinè attive e passive a) Torino _____ b) Langhe _____ c) Val Garfagnana _____ d) Roma _____

8. L'italiano semplificato	
90	Le varietà semplificate di italiano a) sono realizzate volutamente da certi parlanti in modo elementare, per farsi capire da chi non conosce bene l'italiano b) sono realizzate da parlanti poco scolarizzati, che possiedono poco e male le strutture della lingua c) sono realizzate sia consapevolmente, da parlanti che conoscono bene l'italiano, sia inconsapevolmente, da parlanti che lo conoscono poco e male d) sono quelle parlate dagli immigrati nei primi tempi di permanenza in Italia
91	Sul piano lessicale si considera 'semplificato' [indicare i completamenti giusti] a) un termine dell'uso comune rispetto a uno specialistico b) un termine preciso rispetto a una perifrasi c) *riposarsi* rispetto a *dormire* d) una dislocazione a sinistra rispetto a una dislocazione a destra
92	Il *baby talk* a) ha essenzialmente la funzione di adeguamento alla fase di primo apprendimento della lingua, a cui si trova il bambino b) interessa soprattutto il lessico, e in particolare il rapporto fra il bambino e l'adulto c) è inventato dai genitori e dai parenti stretti, che di volta in volta semplificano le parole complesse d) ha origini antiche, ma riceve apporti anche dai dialetti
93	"mangia la pappa, la mamma" è a) un vocativo esortativo b) un'allocuzione vocativa c) un'esclamazione d) un'allocuzione inversa

94	Lo schema fonologico di base dei lessemi di *baby talk* è: *a)* consonante - vocale - consonante - vocale *b)* vocale - consonante - vocale - consonante *c)* ' __ ' __ *d)* __ ' __ '
95	Il *foreigner talk* è caratterizzato da *a)* preferenza degli iponimi rispetto agli iperonimi *b)* uso di onomatopee *c)* preferenza per le strutture sintattiche marcate *d)* forme di Allegro
96	Altre caratteristiche del *foreigner talk*: *a)* per le richieste si ricorre spesso a strategie di attenuazione *b)* l'ordine delle parole è prevalentemente quello basico della lingua italiana: svo *c)* oltre ad agevolare la comprensione reciproca, ha anche finalità di divergenza, basate sulla volontà di rimarcare le distanze culturali *d)* consente di trattare qualunque argomento, data la semplicità delle strutture
97	L'italiano degli immigrati *a)* è una varietà d'apprendimento che ha come lingua target l'italiano standard *b)* è una varietà d'apprendimento che ha come lingua target una varietà diatopica e/o diastratica di italiano *c)* è una varietà di apprendimento guidato *d)* è un'interlingua i cui fenomeni sono dovuti all'interferenza fra lingua sorgente e lingua bersaglio
98	Nell'italiano degli immigrati l'imperfetto indicativo e il condizionale compaiono per lo più *a)* nel primo stadio *b)* nel secondo stadio *c)* nel terzo stadio *d)* nel quarto stadio

9. Tratti paralinguistici, prossemici e gestuali
99   Un profilo intonativo riguarda *a)* il rapporto tra foni e fonemi *b)* la frequenza e l'altezza dei suoni *c)* gli effetti vocali *d)* volume e durata delle vocali
100   Il tema e la chiave di interpretazione sono spesso segnalati *a)* dall'accento

	b) dai tratti prosodici *c)* da pause e riprese *d)* dall'intonazione
101	La caduta di vocali atone pre-toniche o post-toniche è spesso legata a fatti di *a)* bisbiglio *b)* ritmo *c)* Allegroform *d)* Lentoform
102	Il mio salumiere, che vedo tutti i giorni e che prendo sempre in giro perché io sono juventino e lui è interista, nel mio spazio comunicativo occupa questa posizione: *a)* zona intima *b)* zona personale *c)* zona sociale *d)* zona pubblica
103	I gesti deittici *a)* sono gesti volontari determinati culturalmente *b)* sono gesti involontari *c)* sono gesti batonici determinati culturalmente *d)* sono gesti simbolici appresi nei primi anni di vita
104	Un esempio di gesto simbolico *a)* muovere le mani come se si stesse manovrando un volante immaginario *b)* qualunque gesto lessicale *c)* puntare l'indice verso la persona o l'oggetto di cui si parla *d)* tremare in tutto il corpo e sbarrare gli occhi per il terrore
105	La mano 'a borsa' è un gesto *a)* simbolico polisemico *b)* simbolico sinonimico *c)* deittico *d)* analogico
106	Le varietà gestuali *a)* sono varietà diatopiche *b)* sono varietà diafasiche *c)* sono varietà diastratiche *d)* non esistono
107	La variazione diastratica è oggi tale che la gestualità coverbale risulta più ricca *a)* nelle donne, negli anziani, nei ceti più svantaggiati

b) negli uomini, nei giovani, nei ceti sociali superiori
c) nelle donne, negli anziani, nei meno scolarizzati
d) negli uomini, nei giovani, nei meno scolarizzati

	11. L'italiano all'estero
108	Indicate quali fra le parole che seguono possono essere classificate come prestiti-calchi: *a)* tichetta *b)* licenza *c)* tonga *d)* pisciare (da 'to push')
109	Negli ultimi anni l'italiano all'estero *a)* ha migliorato la sua immagine, tanto che è anche utilizzato come lingua franca tra emigrati di paesi diversi *b)* ha peggiorato la sua immagine *c)* è diventato meno importante, perché è notevolmente diminuito il flusso migratorio *d)* è studiato dai giovani quasi esclusivamente per fini comunicativi
110	Tendono a integrarsi linguisticamente nella società del paese ospite soprattutto gli emigrati che prima di partire *a)* erano esclusivamente dialettofoni, ma avevano una buona predisposizione a imparare le lingue *b)* usavano di norma il dialetto, e riservavano l'italiano alle attività pubbliche *c)* oltre al dialetto conoscevano e usavano l'italiano e – anche se in misura limitata – una lingua straniera *d)* pur non essendo molto scolarizzati, avevano abbandonato il dialetto, e usavano in tutte le occasioni l'italiano
111	Il dialetto del paese d'origine e l'italiano si conservano più a lungo *a)* negli emigrati in paesi europei che negli emigrati in paesi latino-americani *b)* negli emigrati negli USA che in Australia *c)* in America Latina che in Canada *d)* nei giovani acculturati che negli anziani analfabeti
112	Indicare almeno quattro tratti morfosintattici caratteristici dell'italiano degli emigrati *a)* _____ *b)* _____ *c)* _____ *d)* _____

113	Nel logorio dell'italiano all'altezza della seconda e terza generazione, il pidgin *a)* consiste nella perdita della competenza attiva in italiano *b)* è un sistema oscillante, che conserva intatta la fonologia dell'italiano *c)* consiste in una convergenza morfosintattica e fonetica fra le due lingue in contatto *d)* consiste nell'innesto di forme della lingua del paese ospite sull'italiano
114	Il logorio della lingua italiana nel passaggio dalla prima alla seconda e poi alla terza generazione avviene in quattro fasi. Nell'ordine esse si succedono così: *a)* dialetto e/o italiano dialettizzato - fading - pidgin - fragment *b)* dialetto - italiano - pidgin - fragment *c)* dialetto italianizzato - sistema oscillante - pidgin - bilinguismo *d)* dialetto - diglossia - pidgin - lingua del paese ospite
115	Si danno casi di emigrati che non hanno mai imparato nulla della lingua del paese ospite? *a)* No *b)* Alcuni, ma sono casi individuali legati a problemi dell'apprendimento *c)* Sì: sono emigrati che fanno parte di associazioni nostalgiche, le quali rifiutano l'integrazione linguistica e culturale *d)* Sì: si tratta di casi legati all'isolamento nella società ospite, che porta alla resistenza a qualsiasi forma di integrazione

Glossario

aferesi
Cancellazione di un fono o di un gruppo di foni a inizio di parola. Ess.: *sto, sta, ste, sti* al posto di *questo, questa, queste, questi*.

anacoluto
Combinazione di due frasi, collegate fra loro per il senso, ma non sintatticamente, così che la prima frase resta sospesa: *i libri, non mi piace leggere*.

anafora
All'interno di un testo, procedimento di rinvio a una o più parole precedenti. Per esempio in *Gianna, la invidio molto*, il pronome *la* è anaforico rispetto al sostantivo *Gianna*.

apocope (o troncamento)
Caduta di una vocale atona o di una sillaba in fine di parola: *bel bimbo, fra Galdino, a piè di pagina*.

aspetto verbale
Modo di considerare l'azione indicata dal verbo a seconda che sia vista nel momento in cui sta per iniziare (imminenziale), nel momento in cui inizia (incoativo), nel suo perdurare (continuativo, progressivo), in una certa fase del suo svolgimento (imperfettivo) o nel momento in cui sta per finire o è finita (conclusivo); oppure a seconda che sia avvenuta una sola volta o si sia ripetuta (abituale), a seconda che sia compiuta o sia ancora in corso ecc. Ess.: *sto per uscire* (aspetto imminenziale), *comincia a piovere* (incoativo), *ogni sera uscivo con gli amici* (abituale).

assimilazione
Processo attraverso il quale un suono assume uno o più tratti di un suono vicino, diventando simile ad esso (*assimilazione parziale*) o uguale (*assimilazione*

totale). *Zgarbato* è un esempio di assimilazione parziale, perché la sibilante /s/ diventa sonora davanti a consonante sonora; FACTUM > *fatto* è un esempio di assimilazione totale perché la -C- assimila tutti i tratti di -T-. L'assimilazione può essere regressiva, come quella osservata per *fatto* (un suono si assimila a quello successivo), e progressiva, come in *quando* > *quanno* (nei dialetti meridionali), dove un suono si assimila a quello che lo precede.

bilinguismo

Compresenza in una comunità di parlanti di più lingue o varietà di lingua (o di dialetto) utilizzate indifferentemente, dai parlanti di diversi strati sociali, nei diversi ambiti d'uso: situazioni formali e pubbliche, usi colloquiali, informali, scrittura. Si distingue dalla diglossia (v.), che implica differenze di prestigio e di funzione fra le lingue compresenti.

calco

Processo per cui una parola straniera viene tradotta letteralmente nella lingua d'arrivo. Ad esempio *fine settimana* è un calco dall'inglese *week-end*, così come *grattacielo* è un calco dall'inglese *skyscraper*.

campo semantico

Insieme di parole che hanno una parte di significato in comune, o hanno comunque legami semantici stretti. Es.: il campo dei colori.

canale

Ogni mezzo che attiva la comunicazione e permette la trasmissione di un messaggio: canale scritto, orale, visivo.

catafora

All'interno di un testo, procedimento di rinvio a una o più parole che seguono. Per esempio in *la invidio molto, Gianna*, il pronome *la* è cataforico rispetto al sostantivo *Gianna*.

clitico

Monosillabo atono che si appoggia a una forma verbale a cui viene preposto (proclitico) o posposto (enclitico). In italiano sono clitici le particelle pronominali, gli avverbiali *ci* e *ne* e il partitivo *ne*. Ess.: *gli* parlo (proclitico), parla*gli* (enclitico), *ci* vedi? *ne* vuoi?

coerenza

Presenza di legami di significato che conferiscono a un testo unità concettuale e non contraddittorietà logica.

coesione

Presenza di collegamenti espliciti tra le parti di un testo, realizzati con meccanismi lessicali e grammaticali quali: ripetizione di una parola, ripresa di un termine o di un concetto già espressi tramite sinonimi, iponimi e iperonimi, concordanze, reggenze, pronomi, avverbi ecc.

competenza comunicativa

Padronanza delle regole che governano l'interazione comunicativa e che conducono il parlante a scegliere le varietà di lingua o di dialetto più adatte a ogni contesto, a ogni interlocutore, a ogni scopo.

competenza linguistica
Capacità di un parlante (o scrivente) di comprendere e di usare una lingua.

connettivo
Ogni elemento che lega singole frasi o sequenze testuali, esprimendo i loro rapporti logici (di causa, di tempo, di luogo ecc.). In italiano sono elementi connettivi le preposizioni, le congiunzioni, gli avverbi ecc.

connotativo
Significato aggiuntivo rispetto al significato di base, con valore espressivo, evocativo o affettivo. Es.: *tramonto* ha il significato di base "il calar del sole", e ha la connotazione (significato aggiunto) "declino che precede la scomparsa di qualcosa, o la fine di una carriera": *tramonto di un'illusione, tramonto di un atleta.*

contesto situazionale
L'insieme delle relazioni che legano l'elemento linguistico con la situazione sociale nella quale si verifica la comunicazione.

contesto verbale
L'insieme degli elementi strettamente linguistici che costituiscono un testo.

costituente
Unità linguistica che può costituire con altre unità strutture più ampie. Per esempio la parola è costituente del sintagma, il sintagma della frase. Nella frase *Il libro è sul tavolo*, *il libro* è uno dei costituenti della frase; nel sintagma *il libro*, *il* e *libro* sono costituenti del sintagma.

cotesto
La parte di testo che precede o segue un certo enunciato.

deaggettivale
Verbo, sostantivo o aggettivo derivato da un aggettivo, con l'aggiunta di un suffisso. Ad esempio, dall'aggettivo *rosso* si hanno i deaggettivali *rosseggiare* (verbo), *rossore* (sostantivo), *rossiccio* (aggettivo).

deittico
Elemento linguistico che fa riferimento a elementi esterni all'enunciato: parlante, ascoltatore, tempo, luogo. Ci sono deittici *personali*, che il parlante utilizza per fare riferimento a se stesso e agli interlocutori, attraverso pronomi (*io, tu, quello* ecc.) o tramite la flessione verbale; deittici *temporali* che esprimono il tempo dell'enunciato tramite avverbi (*domani, ieri*) o tempi verbali (passato, futuro); deittici *spaziali* che esprimono la posizione degli elementi nello spazio attraverso avverbi di luogo (*qui, là, dentro, fuori*).

denominale
Verbo, sostantivo o aggettivo derivato da un sostantivo, con l'aggiunta di un suffisso (*ferro > ferrare, ferroso*) o, al contrario, con l'eliminazione di un suffisso (denominale 'a suffisso zero'): *giustificazione > giustifica.*

denotativo
Significato primario, descrittivo (o referenziale) che indica il contenuto oggettivo di un segno, senza alcuna connotazione (v.).

derivazione

Formazione di nuove parole da parole già esistenti, applicando i procedimenti di formazione propri della lingua: aggiunta di prefissi e suffissi, composizione ecc. Ess.: *dis*educativo, gamb*izzare*, *poggiatesta*.

deverbale

Sostantivo, aggettivo o verbo derivato da un verbo. Ess.: *accusa* da *accusare*, *mangiabile* da *mangiare*, *mordicchiare* da *mordere*.

diatesi

Forma della coniugazione verbale, che esprime il rapporto del verbo col soggetto o con l'oggetto. In italiano può essere attiva (*uccido*) o passiva (*sono ucciso*).

diglossia

Compresenza in una comunità di parlanti di più lingue o varietà di lingua (o di dialetto) che si differenziano per l'ambito d'uso: una per la scrittura, in situazioni formali e pubbliche, l'altra per gli usi colloquiali, informali. La diglossia si distingue dal bilinguismo, che non implica differenze di prestigio e di funzione fra le lingue compresenti.

disfemismo

Figura retorica per la quale si sostituisce una parola dotata di valenza affettiva con una offensiva (usata per lo più in senso scherzoso). Es.: *i miei vecchi* "i miei genitori".

dittongo

Sequenza di foni formata da una semivocale (*i* oppure *u*, trascritti rispettivamente *j* e *w*) atona e da una vocale piena, all'interno della stessa sillaba. *Dittongo ascendente*: dittongo nel quale la semivocale precede la vocale (ess.: *piano*, *fieno*, *fiocco*, *quale*, *questo*, *fuoco*). *Dittongo discendente*: dittongo nel quale la vocale precede la semivocale (ess.: *laico*, *lei*, *introito*, *lauto*, *reuma*).

enunciato

Una parte di testo effettivamente prodotto (orale o scritto), compresa fra due pause 'forti', nel parlato, o fra due segni di interpunzione 'forti' (punto, punto e virgola) nello scritto. Può essere composto anche da una sola parola, e può essere sintatticamente incompleto o irregolare.

epentesi

Inserzione di un fonema non etimologico all'interno di una parola, di solito per renderne più agevole la pronuncia. Ess.: tosc. *fantasima* "fantasma", ital. reg. merid. *pissicologia* "psicologia".

epitesi

Aggiunta di uno o più foni alla fine di una parola. Es.: tosc. *filme* "film".

etichetta

Complesso di norme che regola il procedere della conversazione.

eufemismo

Figura retorica che consiste nel sostituire una parola bandita dall'uso per motivi di decenza o di timor panico, con una sentita come più accettabile, o neutra. Es.: *male incurabile* per *tumore*.

fonema

La più piccola unità di suono con valore distintivo: permette di distinguere due parole con significato diverso, alternandosi con un altro suono nella stessa posizione. Per esempio /p/ e /r/ sono due fonemi perché distinguono le parole *pane* e *rane*. La distinzione fra i due suoni, che permette la differenziazione fra le due parole, si chiama *opposizione fonematica*.

fonematica

Ramo della linguistica che studia i fonemi di una lingua.

fonetica

Ramo della linguistica che studia i suoni articolati dall'apparato fonatorio umano sotto il profilo fisico e fisiologico. *Fonetica storica*: studia le trasformazioni dei suoni di una lingua o di un dialetto nel corso del tempo.

fono

Ogni suono articolato di una lingua considerato nella sua realtà fisica, indipendentemente dal fatto che sia o non sia fonema (v.).

fonologia

Ramo della linguistica che studia i suoni di una lingua: comprende sia la fonetica (v.) che la fonematica (v.). Per alcuni studiosi, invece, coincide con la sola fonetica; per altri con la sola fonematica.

gallo-italico

Gruppo dialettale dell'Italia settentrionale, che comprende le parlate piemontesi, lombarde, liguri, emiliane e romagnole. Così chiamato perché presenta numerose affinità con i dialetti dell'area gallica transalpina.

geosinonimo

Tipo lessicale diffuso in una determinata area, con un significato che in altre aree – vicine e linguisticamente omogenee – viene reso con un tipo lessicale diverso. Ess.: *michetta* (lomb.) / *panino*, *anguria* (sett.) / *melone*.

gestualità coverbale

L'insieme dei gesti che il parlante produce contemporaneamente agli enunciati verbali nell'interazione spontanea, faccia a faccia.

gorgia

Nelle parlate toscane: realizzazione spirantizzata delle consonanti occlusive sorde in posizione intervocalica. Comunemente è detta anche 'aspirazione'. Ess.: *la hasa, il praθo*.

grammaticalità

Rispondenza di una forma o di un costrutto alle norme grammaticali.

ideofono

Parola che tende a imitare un suono. Es.: *puff puff* imita l'ansimare della corsa.

iperbole

Figura retorica che consiste nell'ingrandire o rimpicciolire a dismisura la realtà, per rendere più efficace il proprio discorso. Es.: *non lo vedevo da un secolo*.

ipercorrettismo

Correzione di una forma giusta, nella convinzione che sia sbagliata. Si manifesta per lo più quando un parlante tenta di adeguarsi a un codice che non padroneggia bene, ad esempio quando un dialettofono dell'area meridionale scrive *abandono* credendo che la geminata sia errata, come è errata in *tabbella e sabbato*.

iperonimo

Parola di significato generale, rispetto ad altre dal significato più specifico, dette *iponimi*. Ess.: *imbarcazione* (iperonimo), *barca, nave, gommone, battello* (iponimi).

iponimo

V. iperonimo.

lenizione

Indebolimento di una consonante, che passa da sorda a sonora (SPATA > *spada*) o da occlusiva a fricativa (EPISCOPUM > *vescovo*). Il caso estremo è il dileguo: *FRATELLU > (piem.) *fradèl* > *frèl*.

malapropismo

V. paraetimologia.

marcatezza

Caratteristica di forme e strutture fortemente caratterizzate, non neutre, meno prevedibili di quelle non marcate. Per esempio, in sintassi l'ordine non marcato delle parole corrisponde a quello tipico normale di una frase dichiarativa, che per l'italiano è Soggetto-Verbo-Oggetto. Un ordine diverso (ad esempio: SOV) è marcato.

metafonesi (o metafonia)

Mutamento di timbro della vocale tonica di una parola condizionato dalla presenza di una vocale chiusa in fine di parola. Ad esempio in siciliano: sing. *pèdi* "piede", pl. *pidi* "piedi" (al plurale la *è* tonica si chiude in *i* per influsso della *-i*, desinenza del plurale).

metafora

Figura retorica che attribuisce a una parola un senso traslato, figurato: *Antonio è un leone*.

metaplasmo

Passaggio di un aggettivo, sostantivo, verbo ecc. da una classe (genere, numero o coniugazione) a un'altra. Es.: *le carciofi* in it. reg. salentino al posto di *i carciofi* (metaplasmo di genere).

metatesi

Inversione di suoni contigui all'interno di una parola. Es.: *interpretare* e *interpetrare*.

modalità

Il modo in cui il parlante esprime il suo atteggiamento rispetto alle caratteristiche del messaggio che sta trasmettendo. Le modalità più importanti sono la deontica (v.) e l'epistemica (v.).

modalità deontica

Modalità (v.) che riguarda il dovere, l'obbligo, il permesso. Ess.: *bisogna rispettare le leggi, è consentito un solo errore.*

modalità epistemica

Modalità (v.) che riguarda l'attualità (verità, realtà) o non attualità (inferenza, ipotesi, congettura) del messaggio che si sta trasmettendo. Ess.: *di qui è passata una lepre* (attualità), *dev'essere passata una lepre* (inferenza basata su indizi, deduzione), *può essere passata una lepre* (ipotesi), *sarà passata una lepre* (congettura).

neolatino

V. romanzo.

occorrenza

Il verificarsi di un dato fenomeno; ogni comparsa di un dato elemento in un testo.

olofrastico

Si dice di una parola che da sola corrisponde al significato di un'intera frase. Ess.: *sì, no, certo.*

onomatopea

Parola che imita versi di animali, rumori naturali o artificiali. Ess.: *bau bau, ticchettare, bisbiglio.*

opposizione fonematica

V. fonema.

ossimoro

Giustapposizione di due termini contrari. Ess.: *oscura chiarezza, assordante silenzio.*

palatalizzazione

Articolazione che consiste nell'avvicinamento del dorso della lingua al palato, durante la produzione di un suono che ha un altro punto di articolazione. La palatalizzazione può interessare sia le vocali che le consonanti. Per esempio in Piemonte *an'de, par'le* per "andare" e "parlare".

paraetimologia (o etimologia popolare, o malapropismo)

Processo attraverso il quale i parlanti reinterpretano una parola, che altrimenti risulterebbe oscura nel significato, associandola a un'altra che ha qualche somiglianza di forma e di significato con la prima, ma non ha nessun legame etimologico. Ess.: *cooperativa > comprativa, camera ardente > camera al dente.*

paratassi

Costruzione del periodo basata sulla coordinazione di frasi indipendenti per mezzo di congiunzioni o per semplice accostamento: *Francesco ha studiato e supererà l'esame.* La paratassi si contrappone all'ipotassi (o subordinazione), costruzione basata sulla subordinazione o dipendenza di una frase da un'altra chiamata principale o reggente: *Francesco ha studiato perciò supererà l'esame.*

perifrasi

Circonlocuzione, giro di parole, di solito utilizzato per evitare un termine troppo tecnico, per chiarire un concetto o per eufemismo (v.). Es.: *rendere l'anima a Dio* per "morire".

perlocuzione

Atto linguistico che ha un effetto pratico diretto e immediato. Es.: *Vi dichiaro marito e moglie*.

pleonasmo

Parola o locuzione ridondante, superflua, sia a livello grammaticale che concettuale. Ess.: *entrare dentro, a lui glielo dico io*.

polirematico

Nell'espressione *unità polirematica*: unità lessicale costituita da più parole in sequenza che hanno un significato specifico, diverso da quello che può essere desunto considerando separatamente le singole parole che la compongono. Ess.: *lupo di mare, alta moda*.

polisemia

Caratteristica di una parola che ha più significati diversi. Ess.: *cognato*: "marito della sorella", "marito della sorella della moglie", "fratello della moglie"; *granata*: "melagrana", "scopa" e "proiettile".

pragmatica

Settore della linguistica che studia il linguaggio in quanto strumento di azione: si occupa, ad esempio, del modo in cui due interlocutori si influenzano reciprocamente nel corso di una conversazione, delle strategie usate dai parlanti per conseguire determinati obiettivi comunicativi, del rapporto tra affermazione dello status sociale e comportamento linguistico, fra lingua e gestualità, fra contesto linguistico e contesto extralinguistico ecc.

prefisso

Particella che si pone all'inizio di una parola e ne forma un'altra di significato diverso. Molti prefissi sono 'negativi', cioè danno luogo a parole di senso contrario: *alfabeta-analfabeta, possibile-impossibile, fascista-antifascista*. Altri esempi: *esoscheletro, cisalpino, transalpino, perforare, diarchia, poligenesi*.

prestigio

Concetto utilizzato in sociolinguistica per indicare il valore sociale positivo attribuito a una lingua o a una varietà di lingua. I fattori che determinano il prestigio possono essere: l'impiego da parte di gruppi sociali egemoni, la tradizione scritta, l'uso letterario, il riconoscimento istituzionale (lingua insegnata a scuola, lingua usata nel redigere leggi e documenti ufficiali ecc.).

prestito

Elemento (di solito un vocabolo) che passa da una lingua di partenza a una lingua d'arrivo: in quest'ultima può essere accettato nella sua forma originale (*prestito non adattato*) o sottoposto ad adattamenti fonetici o morfologici (*prestito adattato*). Ess.: *bricolage, blackout* (non adattati), *carciofo* (adattato, dall'arabo), *scannerizzare* (adattato, dall'inglese).

pronome allocutivo

Pronome che si usa nel rivolgersi al proprio interlocutore. In italiano i pronomi allocutivi, o di cortesia, sono *tu, voi* (indicano famigliarità), *lei, loro* (indicano distanza o cortesia, ma *loro* è ormai raro).

pronome atono

Pronome che non ha autonomia accentuale ma 'si appoggia' foneticamente sul verbo che lo precede o lo segue. A ogni pronome atono corrisponde un pronome tonico, che è dotato di autonomia accentuale:

| *atoni* | mi | ti | lo, la | ci | vi | li, le |
| *tonici* | me | te | lui, lei | noi | voi | loro |

pronome tonico

V. pronome atono.

prostesi

Aggiunta di un fono all'inizio di parola, di solito per evitare incontri consonantici 'difficili'. Es.: *in istrada, per iscritto*.

raddoppiamento fonosintattico

Raddoppiamento della consonante iniziale di parola quando questa è preceduta da un monosillabo o da una parola tronca (e in pochi altri casi). Ess.: *e v:ero, a k:asa, per'ke p:arti?*

referente

L'oggetto, la persona o il concetto designato da un vocabolo. Es.: la parola "caffettiera" ha per referente un bricco o un altro recipiente che serve per preparare il caffè.

retroflesso

Suono articolato con l'apice della lingua piegato all'indietro. Ess.: sicil. *beḍu, kavaḍu*.

romanzo (o neolatino)

Detto di lingua o dialetto derivato dal latino volgare.

scempia

Detto di consonante: semplice, breve (in opposizione a doppia, o geminata). Es.: la *s* in *casa* è scempia, in *cassa* è geminata.

segnale discorsivo

Elemento linguistico appartenente a diverse categorie grammaticali che serve a mantenere aperto il canale della comunicazione. Ess.: *ascolta, pronto, vero?, no?, allora?, come?, mah, beh*.

segno diacritico

Espediente grafico che serve per distinguere una pronuncia da un'altra. Es.: in *giallo* la -*i*- consente di distinguere *giallo* da *gallo* e, in particolare, l'affricata palatale [dʒ] dall'occlusiva velare [g].

sillaba chiusa

Sillaba che termina per consonante. Es.: *mon*-te.

sillaba libera

Sillaba che termina per vocale. Es.: *ca*-sa.

similitudine

Figura retorica che consiste nel paragonare due entità. Es.: *Antonio è alto come una giraffa.*

sonorizzazione

Passaggio di un suono sordo, ossia articolato senza vibrazione delle corde vocali, a un suono sonoro, pronunciato con vibrazione delle corde vocali. Es.: nel dialetto emiliano FRATĔLLUM>*fra'dɛl.*

sostrato

Fenomeno per il quale una lingua che si diffonde in una certa area è influenzata – nella fonetica, nel lessico, nella morfologia – dalla lingua parlata precedentemente nella stessa area.

sovraestensione

Estensione di un fenomeno ad aree, ambiti o usi diversi da quelli consueti, o attesi.

suffisso

Particella che si pospone alla radice di una parola e ne specifica il valore (accrescitivo, diminutivo, peggiorativo ecc.), o dà luogo a un'altra parola di significato diverso. Ess.: *Bello* > *bellone, bellino, belloccio*; *bestia* > *bestiame*; *chiacchiera* > *chiacchiericcio.*

superstrato

L'azione di una lingua dominante – o egemonica – sulla lingua sottomessa, stanziata nello stesso territorio.

tonico

Accentato.

topicalizzazione

Costruzione sintattica marcata, in cui l'oggetto (o un altro complemento) è portato in posizione iniziale di frase ma – diversamente dalla dislocazione a sinistra – non è successivamente ripreso da un clitico. Es.: *Antonio, abbiamo incontrato, non Giuseppe.*

troncamento

V. apocope.

turno di parola

Ogni 'battuta' di chi prende parte a una conversazione.

vocale indistinta

Vocale intermedia – rispetto al triangolo vocalico – articolata con la lingua verso il centro della cavità orale (per questo si chiama anche 'centrale'). Spesso è una forma 'debole' delle vocali atone. Diffusa, ad esempio, nell'area meridionale, in posizione finale: *a fatʃ:ə* "la faccia", *li pitə* "i piedi".

vocale turbata

Vocale anteriore (*e* oppure *i*) pronunciata con le labbra arrotondate: alla *e* 'schietta' corrisponde la turbata ø, mentre alla *i* 'schietta' corrisponde la turbata y. Ess.: fr. *lune* "luna", *peu* "poco".

Bibliografia

AA.VV., 1974: *Italiano d'oggi. Lingua non letteraria e lingue speciali*, LINT, Trieste.

AA.VV., 1983: *Scritti linguistici in onore di Giovan Battista Pellegrini*, Pacini, Pisa.

AA.VV., 1987: *Gli italiani parlati*, Accademia della Crusca, Firenze.

AA.VV., 1993: *Omaggio a Gianfranco Folena*, vol. III, Programma, Padova.

Albano Leoni F. e Maturi P., 1992: *Per una verifica pragmatica dei modelli fonologici*, in Gobber 1992: 39-50.

Altieri Biagi M.L., 1974: *Aspetti e tendenze dei linguaggi della scienza oggi*, in AA.VV. 1974: 67-110.

Ambrogio R. e Casalegno G., 2004: *Scrostati gagio! Dizionario storico dei linguaggi giovanili*, UTET, Torino.

Andersen R.W. (a cura di), 1983: *Pidginization and Creolization as Language Acquisition*, Newbury House, Rowley (Mass.).

Banfi E. e Cordin P. (a cura di), 1990: *Storie dell'italiano e forme dell'italianizzazione*, Bulzoni, Roma.

Banfi E. e Sobrero A.A. (a cura di), 1992: *Il linguaggio giovanile degli anni Novanta*, Laterza, Roma-Bari.

Baroni M.R., 1983: *Il linguaggio trasparente. Indagine psicolinguistica su chi parla e chi ascolta*, Il Mulino, Bologna.

Bauer R. e Goebl H. (a cura di), 2002: *Parallela 9. Testo, variazione, informatica/Text, Variation, Informatik*, Egert, Wilhelmsfeld: 187-208.

Beccaria G.L. e Marello C. (a cura di), 2002: *La parola al testo. Scritti per Bice Mortara Garavelli*, Edizioni dell'Orso, Alessandria.

Berretta M., 1987: *'Che sia ben chiaro ciò di cui parli': riprese anaforiche tra chiarificazione e semplificazione*, in «Annali della Facoltà di Lettere dell'Università di Cagliari».

Berretta M., 1993: *Morfologia*, in Sobrero 1993a: 193-245.

Berruto G., 1987: *Sociolinguistica dell'italiano contemporaneo*, La Nuova Italia Scientifica, Roma.

Berruto G., 1991: *'Fremdarbeiteritalienisch': fenomeni di pidginizzazione dell'italiano nella Svizzera tedesca*, in «Rivista di Linguistica», 3, 2: 333-67.

Berruto G., 1993a: *Italiano in Europa oggi: 'Foreigner Talk' nella Svizzera tedesca*, in AA.VV., 1993: 2275-290.

Berruto G., 1993b: *Varietà diamesiche, diastratiche, diafasiche*, in Sobrero 1993b: 37-92.

Berruto G., 1994: *Come si parlerà domani: italiano e dialetto*, in De Mauro 1994: 15-24.

Berruto G., 1998: *Italiano e tedesco in contatto nella Svizzera germanofona: interferenze lessicali presso la seconda generazione di immigrati italiani*, in Cordin, Iliescu e Siller-Runggaldier 1998: 143-59.

Berruto G., 2002: *Parlare dialetto in Italia alle soglie del Duemila*, in Beccaria e Marello: 33-49.

Berruto G., 2005: *Italiano parlato e comunicazione mediata dal computer*, in Hölker e Maass 2005: 137-56.

Berruto G., Moretti B. e Schmid S., 1990: *Interlingue italiane nella Svizzera tedesca. Osservazioni generali e note sul sistema dell'articolo*, in Banfi e Cordin 1990: 203-28.

Bertinetto P.M. e Squartini M., 1996: *La distribuzione del Perfetto Semplice e del Perfetto Composto nelle diverse varietà di italiano*, in «Romance Philology», XLIX, 4: 383-419.

Bettoni C., 1981: *Italian in North Queensland. Changes in the Speech of First and Second Generation Bilinguals*, James Cook University Press, Townsville.

Bettoni C. (a cura di), 1986: *Altro Polo, Italian abroad. Studies on Language Contact in English-Speaking Countries*, Frederick May Foundation for Italian Studies, University of Sydney.

Bettoni C., 2000: *La terza generazione italiana all'estero*, in «Italiano e Oltre», 1: 50-54.

Bettoni C. e Rubino A., 1996: *Emigrazione e comportamento linguistico. Un'indagine sul trilinguismo dei siciliani e dei veneti in Australia*, Congedo, Galatina.

Bonomi I., 1993: *I giornali e l'italiano dell'uso medio*, in «Studi di Grammatica Italiana», XV: 181-201.

Bonomi I., 1996: *La narrativa e l'italiano dell'uso medio*, in «Studi di Grammatica Italiana», XVI: 321-38.

Bonomi I., Masini A., Morgana S. e Piotti M., 2003: *Elementi di linguistica italiana*, Carocci, Roma.

Bozzone Costa R., 1991: *Tratti substandard nel parlato colloquiale*, in Lavinio-Sobrero 1991: 123-63.

Brasca L. e Zambelli M.L. (a cura di), 1992: *Grammatica del parlare e dell'ascoltare a scuola*, La Nuova Italia, Firenze.

Brizzi E., 1994: *Jack Frusciante è uscito dal gruppo*, Transeuropa, Milano.

Calvino I., 1980: *Una pietra sopra. Discorsi di letteratura e società*, Einaudi, Torino.

Canepari L., 1999²: *Manuale di Pronuncia Italiana*, Zanichelli, Bologna.

Chiro G. e Smolicz J.J., 1998: *Evaluations of Language and Social System by a Group of Tertiary Students of Italian Ancestry in Australia*, in «Altreitalie», 18 (1998): 13-31 (in Rete: www.fga.it/altreitalie).

Clivio G.P., 1986: *Competing Loanwords and Loanshifts in Toronto's Italiese*, in Bettoni 1986: 129-46.

Colasanti A., 2000: *Gatti e scimmie*, Rizzoli, Milano.

Cordin P., Iliescu M. e Siller-Runggaldier H. (a cura di), 1998: *Parallela 6. Italiano e tedesco in contatto e a confronto*, Dipartimento di Scienze filologiche e storiche, Trento.

Cortelazzo Manlio, 1972: *Avviamento critico allo studio della dialettologia italiana*, vol. III, *Lineamenti di italiano popolare*, Pacini, Pisa.

Cortelazzo Manlio e Cardinale U., 1986: *Dizionario di parole nuove 1964-1984*, Loescher, Torino.

Cortelazzo Michele, 2001: *L'italiano e le sue varietà: una situazione in movimento*, in «Lingua e Stile», XXXVI: 417-30.

Cortelazzo Michele e Mioni A.M. (a cura di), 1990: *L'italiano regionale*, Bulzoni, Roma.

Coseriu E., 1973: *Lezioni di linguistica generale*, Boringhieri, Torino.

Coveri L., Benucci A. e Diadori P., 1998: *Le varietà dell'italiano. Manuale di sociolinguistica italiana*, Bonacci, Università per stranieri di Siena.

Culicchia G., 2004: *Il paese delle meraviglie,* Garzanti, Milano.

Dardano M., 1981: *Il linguaggio dei giornali italiani*, Laterza, Roma-Bari.

De Amicis E., 1905: *L'idioma gentile*, Fratelli Treves, Milano.

De Jorio A., 1832: *La mimica degli antichi investigata nel gestire napoletano*, Fibreno, Napoli. (Ristampa anastatica: Forni, Bologna 1979.)

Dell'Anna M.V. e Lala P., 2004: *Mi consenta un girotondo. Lingua e lessico nella Seconda Repubblica*, Congedo, Galatina.

De Mauro T., 1963: *Storia linguistica dell'Italia unita*, Laterza, Bari.

De Mauro T., 1970: *Per lo studio dell'italiano popolare unitario*, in Rossi 1970: 43-75.

De Mauro T. (a cura di), 1994: *Come parlano gli italiani*, La Nuova Italia, Firenze.

De Mauro T., 2000: *Il dizionario della lingua italiana*, Paravia/Mondadori, Milano.

Diadori P., 1992: *La gestualità nella nuova commedia all'italiana: uno specchio degli usi comunicativi dell'Italia contemporanea*, in «Culturiana», IV, 14 (1992): 6-10.

DISC = Sabatini F. e Coletti V., 1997¹: *Dizionario Italiano Sabatini-Coletti*, Giunti, Firenze.

Elizaincín A., Zannier G., Barrios G. e Mazzolini S., 1987: *Mantenimento y cambio del italiano en Montevideo*, in Lo Cascio 1987: 194-203.

Ferguson C.A. e Heath S.B. (a cura di), 1981: *Language in the USA*, Cambridge University Press, Cambridge.

Fiorentino G., 2002: *Computer-Mediated Communication: lingua e testualità nei messaggi di posta elettronica*, in Bauer e Goebl 2002: 187-208.

Fioritto A. (a cura di), 1997: *Manuale di stile*, Il Mulino, Bologna.

Folena F., 1983: *L'italiano in Europa. Esperienze linguistiche del Settecento*, Einaudi, Torino.

Foresti F., 1988: *Aree linguistiche. Emilia e Romagna*, in Holtus, Metzeltin, Schmitt 1988: 569-93.

Galli de' Paratesi A., 1984: *Lingua toscana in bocca ambrosiana. Tendenze verso l'italiano standard: un'inchiesta sociolinguistica*, Il Mulino, Bologna.

Gastaldi E., 2002: *Italiano digitato*, in «Italiano e Oltre», 3: 134-37.

Giacalone Ramat A., 1993: *Italiano di stranieri*, in Sobrero 1993b: 341-410.

Giannelli L., 1988: *Aree linguistiche. Toscana*, in Holtus, Metzeltin, Schmitt 1988: 594-606.

Gobber G. (a cura di), 1992: *La linguistica pragmatica*, Bulzoni, Roma.

Gonzo S. e Saltarelli M., 1983: *Pidginization and Linguistic Change in Emigrant Languages*, in Andersen 1983: 181-97.

Grassi C. e Pautasso M., 1989: *Prima roba il parlare... Lingue e dialetti dell'emigrazione biellese*, Electa, Milano.

Grassi C., Sobrero A.A. e Telmon T., 1997: *Fondamenti di dialettologia italiana*, Laterza, Roma-Bari.

Gumperz J.J., 1982: *Discourse Strategies*, Cambridge University Press, Cambridge.

Haller H.W., 2006: *Tra Napoli e New York. Le macchiette italo-americane di Eduardo Migliaccio*, Bulzoni, Roma.

Hölker K. e Maass C. (a cura di), 2005: *Aspetti dell'italiano parlato*, Romanistische Linguistik Verlag, Münster.

Holtus G., Metzeltin M. e Schmitt C. (a cura di), 1988: *Lexicon der Romanistischen Linguistik*, IV, Max Niemeyer, Tübingen.

Jaspaert K. e Kroon S., 1991: *Social Determinants of Language Shift by Italians in the Netherlands and Flanders*, in «International Journal of the Sociology of Language», 90: 77-96.

Jourard, S.M., 1963: *An Exploratory Study of Body-Accessibility*, in «The British Journal of Social and Clinical Psychology», 5, 221-31.

Lakoff R., 1975: *Language and Woman's place*, Harper and Row, New York.

Lamedica N., 1987: *Gesto e comunicazione*, Liguori, Napoli.

Lavinio C. e Sobrero A.A. (a cura di), 1991: *La lingua degli studenti universitari*, La Nuova Italia, Firenze.

LIP = De Mauro T., Mancini F., Vedovelli M. e Voghera M., 1993: *Lessico di frequenza dell'italiano parlato*, Etas Libri, Milano.

Lipski J.M.: *«Me Want Cookie»: Foreigner Talk as Monster Talk*, in www.personal.psu.edu/users/j/m/jml34/monster.pdf.

Lo Cascio V. (a cura di), 1987: *L'italiano in America Latina*, Le Monnier, Firenze.

Lo Cascio V. (a cura di), 1990: *Lingua e cultura italiana in Europa*, Le Monnier, Firenze.

Lo Duca M.G. e Solarino R., 1992: *Contributo ad una grammatica del parlato: testi narrativi e marche temporali*, in Brasca e Zambelli 1992: 33-49.

Losi S., 2001: *www. mi piaci tu*, in «Italiano e Oltre», 5: 262-68.

Magno Caldognetto E. e Poggi I., 1997: *Mani che parlano. Gesti e psicologia della comunicazione*, Unipress, Padova.

Manzoni G.R., 1997: *Peso vero sclero. Dizionario del linguaggio giovanile di fine millennio*, Il Saggiatore, Milano.

Marello C., 1996: *Le parole dell'italiano. Lessico e dizionari*, Zanichelli, Bologna.

Martini P., 1984: *Il comportamento linguistico di un gruppo di italo-americani: interferenze e tratti sub-standard*, tesi di laurea inedita, Istituto Universitario di Bergamo (cit. in Berruto 1987).

McConnel S. e Ginet S., 1988: *Language and Gender*, in Newmeyer 1988: 75-99.

Mehrabian A., 1977: *La comunicazione senza parole*, in «Psicologia contemporanea», 20 (1977): 9-12.

Migliorini B., 1962: *Storia della lingua italiana*, Sansoni, Firenze.

Mioni A.M., 1983: *Italiano tendenziale: osservazioni su alcuni aspetti della standardizzazione*, in AA.VV., 1983: 495-517.

Nencioni G., 1976: *Parlato-parlato, parlato-scritto, parlato-recitato*, in «Strumenti critici», X: 1-56.

Newmeyer F.G. (a cura di), 1988: *Linguistics: the Cambridge Survey*, IV, *Language: the Socio-cultural Context*, Cambridge University Press, Cambridge.

Orletti F., 2000: *La conversazione diseguale. Potere e interazione*, Carocci, Roma.

Parlangèli O. (a cura di), 1971: *La nuova questione della lingua*, Paideia, Brescia.

Pellegrini G.B., 1960: *Tra lingua e dialetto in Italia*, in «Studi mediolatini e volgari», 8: 137-53.

Pitré G., 1889: *Usi, costumi, credenze e pregiudizi del popolo siciliano* (sezione *I gesti*: 341-77), Pedone-Laurel, Palermo. (Ristampa anastatica: Forni, Bologna 1961.)

Prada M., 2003: *Scrittura e comunicazione. Guida alla redazione di testi professionali*, vol. I, Edizioni Universitarie di Lettere Economia e Diritto, Milano.

Pullè F.L., 1927: *Italia. Genti e favelle. Disegno antropologico-linguistico. Atlante*, F.lli Bocca, Torino.

Quarantotto C., 1987: *Dizionario del nuovo italiano: 8000 neologismi della nostra lingua e del nostro parlare quotidiano dal dopoguerra a oggi*, Newton Compton, Roma.

Radtke E., 1993: *Varietà giovanili*, in Sobrero 1993b: 191-235.

Raffaelli S., 1992: *La lingua filmata*, Le Lettere, Firenze.

Ramat P., 1993: *L'italiano lingua d'Europa*, in Sobrero 1993a: 3-39.

Rando G., 1997: http://culturitalia.uibk.ac.at/siena/97_2 (cliccare *Rando*).

Renzi L., 1994: *Egli - lui - il - lo*, in De Mauro 1994: 247-50.

Renzi L., 2000: *Le tendenze dell'italiano contemporaneo. Note sul cambiamento linguistico nel breve periodo*, in «Studi di lessicografia italiana», XVII: 279-319.

Ricci Bitti P.E., 1988: *Comunicazione e gestualità*, Franco Angeli, Milano.

Rohlfs G., 1937: *La struttura linguistica dell'Italia*, Keller, Leipzig.

Rossi A., 1970: *Lettere da una tarantata*, De Donato, Bari.

Rovere G., 1977: *Testi di italiano popolare. Autobiografie di lavoratori e figli di lavoratori emigrati*, Centro Studi Emigrazione, Roma.

Rüegg R., 1956: *Zur Wortgeographie der italienischen Umgangssprache*, Kölner romanistische Arbeiten, Köln.

Sabatini F., 1984: *La comunicazione e gli usi della lingua. Pratica, analisi e storia della lingua italiana*, Loescher, Torino.

Sabatini F., 1990: *Una lingua ritrovata: l'italiano parlato*, in Lo Cascio 1990: 260-276.

Sanga G., 1993: *Gerghi*, in Sobrero 1993b: 151-89.

Savoia L., 1984: *Grammatica e pragmatica del linguaggio bambinesco (baby talk)*, CLUEB, Bologna.

Savoia L., 1987: *Come gli adulti comunicano con i bambini*, in AA.VV. 1987: 113-137.

Schmid S., 1994: *L'italiano degli spagnoli. Interlingue di immigrati nella Svizzera tedesca*, Franco Angeli, Milano.

Schneider S., 1999: *Il congiuntivo tra modalità e subordinazione*, Carocci, Roma.

Serianni L., 2005: *Un treno di sintomi. I medici e le parole: percorsi linguistici nel passato e nel presente*, Garzanti, Milano.

Simone R., 1999: *I cinque vizi capitali*, in «Italiano e Oltre», 3: 132-33.

Sobrero A.A., 1985: *Indagine sugli emigrati di ritorno: lo specifico linguistico delle donne*, in «Studi emigrazione», 79: 399-410.

Sobrero A.A., 1992: *Varietà giovanili: come sono, come cambiano*, in Banfi e Sobrero 1992: 45-58.

Sobrero A.A., 1993a: *Introduzione all'italiano contemporaneo. Le strutture*, Laterza, Roma-Bari.

Sobrero A.A., 1993b: *Introduzione all'italiano contemporaneo. La variazione e gli usi*, Laterza, Roma-Bari.

Spitzer L., [1922] 1976: *Lettere di prigionieri di guerra italiani 1915-1918*, Boringhieri, Torino.

Tropea G., 1963: *Pronunzia maschile e pronunzia femminile in alcune parlate del messinese occidentale*, in «L'Italia Dialettale», LVIII: 49-68.

Trumper J., 1990: *Intervento*, in Cortelazzo e Mioni 1990: 24-25.

Vedovelli M., 2002: *L'italiano degli stranieri. Storia, attualità e prospettive*, Carocci, Roma.

Veltman C., 1983: *Language Shift in the United States*, Mouton, Berlin, New York, Amsterdam.

Volkart-Rey R., 1990: *Atteggiamenti linguistici e stratificazione sociale*, Bonacci, Roma.

Waggoner D., 1981: *Statistics on Language Use*, in Ferguson e Heath 1981: 486-515.

Indice analitico*

* I numeri in corsivo rimandano al Glossario.